Adran 2.3 – Dylunio a Gweithredu System TGCh

Uned 3 – TGCh a Chymdeithas

Adran 3.1 – Sut mae TGCh yn Effeithio ar Fusnes

Adran 3.2 – Dulliau Gweithio a Deddfwriaeth yn Gysylltiedig â TGCh

Adran 3.3 – Sut mae TGCh yn Effeithio ar Fywyd Pob Dydd Pobl

Cyngor Asesu

Adran 4.1 – Cyngor Asesu ar Gyfer Edexcel

Adran 4.2 – Cyngor Asesu ar Gyfer AQA

Adran 4.3 – Cyngor Asesu ar Gyfer OCR

Adran 4.4 – Cyngor ar Baratoi Portffolio

Y fersiwn Saesneg:
Cyhoeddwyd gan Coordination Group Publications Ltd

Cyfranwyr:
Steve Hacker, Dominic Hall, Simon Little, Phil Miles, Kate Redmond,
Rachel Selway, David Smailes a Jennifer Underwood

Arlunwaith gan CorelDRAW

Noddwyd gan Lywodraeth Cynulliad Cymru

Cyhoeddir y fersiwn Cymraeg gan:
Atebol Cyfyngedig, Adeiladau'r Fagwyr, Llanfihangel Genau'r Glyn, Aberystwyth, Ceredigion SY24 5AQ

ISBN 1-905255-70-5

Addasiad Cymraeg gan Carroll Hughes a Llywela Hughes
Golygwyd ar gyfer y wasg gan Eirian Jones a Glyn Saunders Jones
Dyluniwyd gan stiwdio@ceri-talybont.com
Clawr gan stiwdio@ceri-talybont.com

Darllenydd: Glyn Roberts, Ysgol Dyffryn Nantlle

Argraffwyd gan: Y Lolfa, Talybont, Ceredigion

Prosesu Geiriau – Y Pethau Pwysig

Mae TGCh Gymhwysol yn cael ei rhannu'n 3 uned (neu Modiwlau Addysgu/*Teaching Modules* os ydych yn gwneud OCR). Rhoddir sylw i'r uned gyntaf, Offer a Rhaglenni TGCh/*ICT Tools and Applications*, yn adrannau 1.1 i 1.4 o'r llyfr hwn. Ar gyfer yr uned hon, rhaid i chi wybod beth ydy nodweddion y gwahanol fathau o feddalwedd a sut i'w defnyddio. Yn gyntaf, rhaglenni prosesu geiriau...

Amlygu testun sydd i'w Olygu

Dydych chi byth yn mynd i ysgrifennu testun sy'n berffaith ar y cynnig cyntaf. Felly, rhaid i chi wybod am y dulliau gwahanol o olygu beth ydych chi wedi'i ysgrifennu. Ar gyfer y rhan fwyaf o newidiadau, rhaid i chi amlygu (dewis) y testun yn gyntaf:

Amlygu'r testun gyda'r llygoden:

1) Dwbl-glicio i ddewis gair.

   tatws, moron a **pys**

2) Clicio a llusgo gyda'r llygoden i ddewis yr union beth sydd ei angen arnoch.

   nhw'n bwyta **tatws, moron a pys**

3) Clicio deirgwaith i ddewis paragraff cyfan.

   Dydych chi byth yn mynd i ysgrifennu testun sy'n berffaith ar y cynnig cyntaf. Felly, rhaid i chi wybod am y dulliau gwahanol o olygu beth ydych chi wedi'i ysgrifennu. Ar gyfer y rhan fwyaf o newidiadau, rhaid i chi amlygu (dewis) y testun yn gyntaf:

Defnyddio'r bysellfwrdd i amlygu'r testun:

Pwyswch shift gan symud y cyrchwr testun gyda bysellau'r cyrchwr.

Pwyswch ctrl yn ogystal i ddewis gair ar y tro.

Mae pedair ffordd o Olygu Testun

1) **DILEU** testun. Defnyddiwch y fysell *backspace* i ddileu un llythyren ar y tro. I ddileu darn o destun, amlygwch y testun hwnnw a phwyswch y fysell *backspace.*
2) **MEWNOSOD** a **NEWID** testun.

   I fewnosod testun, cliciwch y cyrchwr yn y man iawn a dechrau teipio. I newid geiriau neu ddarn o destun, amlygwch y testun sydd i'w newid a dechrau teipio.
3) Gallwch **SYMUD** testun trwy ddefnyddio torri a gludo neu trwy ei amlygu a'i lusgo.
4) Gallwch **AILADRODD** testun trwy ddefnyddio copïo a gludo.

Rhaid i mi beidio â gwneud sŵn nac oglau an[...]s yn y dosbarth.

Rhaid i mi beidio â gwneud sŵn nac oglau anweddus yn y dosbarth.
Rhaid i mi beidio â gwneud sŵn nac oglau anweddus yn y dosbarth.
Rhaid i mi beidio â gwneud sŵn nac oglau anweddus yn y dosbarth.
Rhaid i mi beidio â gwneud sŵn nac oglau anweddus yn y dosbarth.
Rhaid i mi beidio â gwneud sŵn nac oglau anweddus yn y dosbarth.
Rhaid i mi beidio â gwneud sŵn nac oglau anweddus yn y dosbarth.

RHAI LLWYBRAU BYR DEFNYDDIOL AR Y BYSELLFWRDD

TORRI – CTRL X
COPÏO – CTRL C
GLUDO – CTRL V
DADWNEUD – CTRL Z

Mae **torri a gludo** a **chopïo a gludo** yn gweithio ym mhob rhaglen, nid prosesu geiriau'n unig. Byddwch yn defnyddio'r rhain **dro ar ôl tro** felly dysgwch y **llwybrau byr hyn ar y bysellfwrdd**. Un defnyddiol iawn arall ydy **dadwneud**.

Dechrau hawdd...

Does dim byd sy'n rhy uchelgeisiol ar y dudalen gyntaf yma! Mae'r holl wybodaeth yn bwysig, felly gwnewch yn siwr eich bod yn dysgu'r cyfan. Mae'r triciau syml yma i olygu testun yn gweithio gyda'r rhan fwyaf o raglenni meddalwedd, nid prosesu geiriau yn unig. Gallwch arbed amser os ewch chi ati i'w dysgu nhw nawr.

Prosesu Geiriau – Y Pethau Pwysig

Unwaith y mae'r geiriau yn eu lle, mae yna lawer iawn y gallwch chi ei wneud i fywiogi gosodiad neu ddiwyg y gwaith.

Pedair ffordd i newid Diwyg eich Testun

1) NEWID Y FFONT Enw ffansi am siâp a steil y llythrennau ydy ffont. Cofiwch ddewis un sy'n addas i naws y ddogfen rydych yn ei pharatoi.

Cymraeg! **Cymraeg!** Cymraeg! *Cymraeg!* Cymraeg!

2) NEWID MAINT Y TETSUN Tynnwch sylw at y penawdau a'r is-benawdau trwy eu gwneud yn fwy. Mae maint ffont rhwng 10 a 12 pwynt yn hawdd i'w ddarllen i'r rhan fwyaf o bobl (mae'r testun hwn yn 12 pt). Efallai y bydd angen ffont mwy o faint ar blant bach a phobl sy'n cael trafferth gweld.

3) AMLYGU'R TESTUN i'w wneud yn fwy amlwg. Mae pedair ffordd o wneud hyn: i) **teip trwm**, ii) *italig*, iii) tanlinellu, iv) lliw.

4) BWLEDI A RHIFAU Gellir ychwanegu bwledi a rhifau ar gyfer rhestri a phwyntiau allweddol. Mae'r cyfrifiadur yn gosod y rhifau neu'r bwledi'n awtomatig bob tro y pwyswch fysell *enter* hyd nes y dywedwch wrtho am beidio.

Tair ffordd y gallwch Leoli eich Testun

1) MEWNOLI Defnyddiwch fysell tab i fewnoli llinell o destun. Gallwch fewnoli paragraffau cyfan i'w gwneud yn fwy amlwg.

2) ALINIO AC UNIONI

Fel arfer bydd testun wedi ei alinio ar y chwith - fel y testun hwn. Bla bla bla bla...

Cafodd y testun hwn ei alinio ar y dde. Defnyddir testun wedi ei alinio ar y dde weithiau ar gyfer cyfeiriad cartef ar ben llythyr.

Cafodd y testun hwn ei alinio yn y canol. Bla bla bla bla...

Cafodd y testun hwn ei unioni, sy'n golygu fod pob llinell gyfan yn union yr un hyd. Bla bla bla bla bla bla...

3) BYLCHIAD LLINELLAU

Mae bylchiad llinellau yn addasu pa mor bell mae llinellau'r testun oddi wrth ei gilydd.

↕ ↕

Mae bylchiad llinellau dwbl yn llawer haws i'w ddarllen na bylchiad llinellau sengl – ond mae'n defnyddio llawer iawn mwy o bapur.

Defnyddio'r Bar Offer ar gyfer Fformatio

Mae gan bob prosesydd geiriau fel arfer far fformatio fel hwn.
Mae bron y cyfan o'r gwaith fformatio sydd angen ei wneud yn gallu cael ei wneud o'r bar offer.

FFONT
MAINT Y TESTUN
AMLYGU TESTUN – TRWM, ITALIG A THANLINELLU
LLIWIAU A BORDERI

ARDDULLIAU PARAGRAFF
ALINIO AC UNIONI TESTUN
BWLEDI, RHIFAU A MEWNOLI

Dysgu'r pethau syml...

Gwnewch yn siwr eich bod yn meistroli'r bar offer fformatio. Dysgwch beth y mae pob un o'r gwahanol fotymau yn ei wneud. Mae bar offer y rhan fwyaf o raglenni meddalwedd yn debyg i hwn â sawl botwm yr un fath.

Prosesu Geiriau – Y Pethau Pwysig

Bydd angen i chi wybod am y rhan fwyaf o'r hyn sydd ar y dudalen hon hefyd – sef sut i wneud i ddogfen edrych yn fwy proffesiynol a darllenadwy.

Mae Tablau a Cholofnau yn gallu helpu i wneud testun yn fwy darllenadwy

1) Mae tablau yn ffordd dda o gyflwyno gwybodaeth sy'n cynnwys rhifau neu destun, ar ffurf rhestr e.e rhestri o enwau a chyfeiriadau.

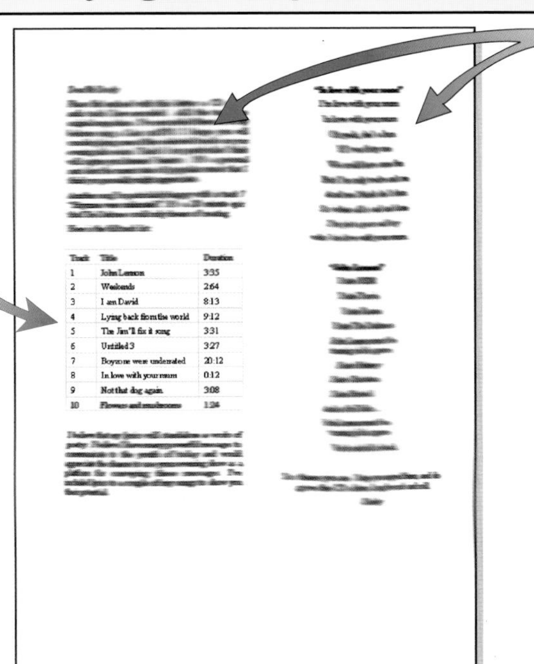

Track	Title	Duration
1	John Lennon	3:35
2	Weekends	2:64
3	I am David	8:13
4	Lying back from the world	9:12
5	The Jim'll fix it song	3:31
6	Untitled 3	3:27
7	Boyzone were underrated	20:12
8	In love with your mum	0:12
9	Not that dog again	3:08
10	Flowers and mushrooms	1:24

2) Gellir creu colofnau fel bo'r testun yn llifo i lawr y dudalen ac yn neidio'n naturiol i'r golofn nesaf. Mae hyn yn addas ar gyfer cylchlythyr neu bapur newydd.

Dewis Gosodiad y Dudalen

Ystyr dewis gosodiad y dudalen (*page set-up*) ydy penderfynu sut mae'r dudalen yn mynd i edrych ar ôl iddi gael ei hargraffu. Mae dau beth pwysig i'w penderfynu.

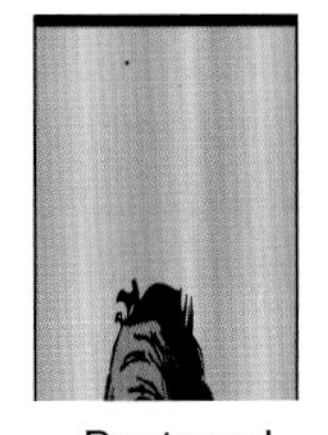

Portread

Tirlun

1) Mae'r dudalen yn gallu bod ar ffurf portread (ar i fyny) neu ar ffurf tirlun (ar draws).

(Gyda A3, A4, A5 ac yn y blaen, mae A3 ddwywaith yn fwy na A4, mae A4 ddwywaith yn fwy na A5 ac yn y blaen...)

2) Maint y papur i'w ddefnyddio i argraffu. Mae'r dudalen yn gallu bod yn A4 (maint y llyfr yma), yn fwy (e.e. A3), neu'n llai (e.e. A5 neu faint cerdyn busnes). Beth bynnag, mae'n bwysig dewis papur o'r maint cywir – dydy'r rhan fwyaf o beiriannau argraffu ddim yn argraffu ar bapur mwy nag A4.

Gwyliwch allan am y Gweddwon a'r Amddifaid

Amddifaid (*orphans*) ydy darnau bychan o destun sydd, am nad oes lle iddyn nhw ar waelod un dudalen, yn cael eu rhoi ar ben tudalen newydd. Gweddwon (*widows*) ydy'r darnau o destun sy'n cael ei adael ar ôl ar waelod y dudalen gyntaf. Yn ogystal ag edrych yn amhroffesiynol, maen nhw'n gwastraffu papur. Gan amlaf mae dwy ffordd o gael gwared ar weddwon ac amddifaid.

1) Lleihau maint ffont y testun cyfan fel ei fod yn ffitio ar un dudalen gyfan (ond heb fod yn rhy fach i'w ddarllen).
2) Addasu'r ymylon (*margins*) ar dop a gwaelod y dudalen. Mae tudalen yn gallu edrych yn flêr iawn os ydy'r testun yn rhy agos i ymyl y dudalen.

Mae tabl yn helpu i wneud y testun yn fwy darllenadwy...

Mae'n syniad da i dalu sylw i gynnwys y dudalen yma. Bydd yn eich helpu i baratoi cyflwyniad graenus fydd yn synnu eich ffrindiau a syfrdanu eich gelynion! Waw!

Prosesu Geiriau – Cam Ymlaen!

Dyma ddulliau ychydig yn fwy ffansi o brosesu geiriau – ac maen nhw ychydig yn fwy heriol.

Defnyddio Pennyn a Throedyn gyda dogfennau â mwy nag un dudalen

1) Blociau o wybodaeth ar dop y dudalen (pennyn) neu ar waelod y dudalen (troedyn) ydy'r rhain. Maen nhw'n ddefnyddiol mewn dogfennau â mwy nag un dudalen lle mae angen i wybodaeth o'r un math fod ar bob tudalen.
2) Yr enghreifftiau mwyaf cyffredin o wybodaeth a geir mewn pennyn a throedyn ydy: enw ffeil, teitl, dyddiad a rhif y dudalen. Er enghraifft, gall pob tudalen ddangos mai hi ydy tudalen X o ddogfen sy'n cynnwys Y tudalen – a chaiff hyn ei newid yn awtomatig pan fo tudalennau newydd yn cael eu creu.

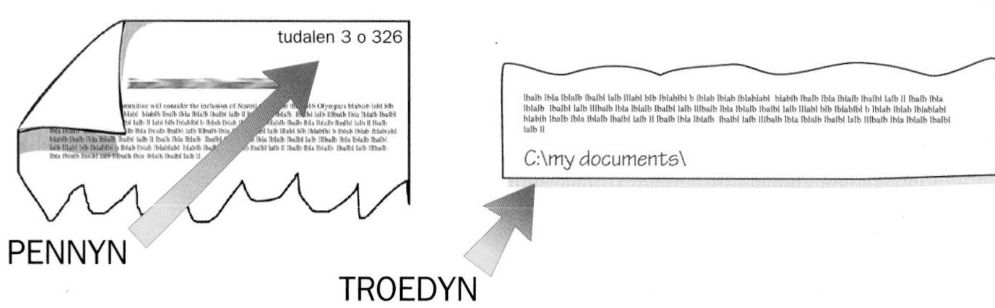

Mae Canfod (Find) a Newid (Replace) yn Gwneud Hynny...

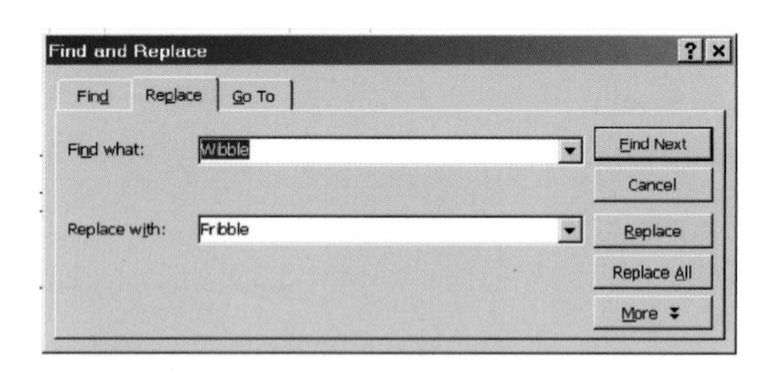

1) Gallwch ddefnyddio Canfod (*Find*) i ddod o hyd i air arbennig mewn dogfen yn sydyn. Bydd yn ffeindio pob enghraifft o'r gair fesul un.
2) Mae Newid (*Replace*) yn gwneud yr un peth, ond yn gadael i chi ei newid am air arall – naill ai fesul gair (gyda'r botwm 'Replace') neu bob un (gyda'r botwm 'Replace All').

Rhaglenni Gwirio Sillafu a Gwirio Gramadeg

Mae'r rhan fwyaf o brosesyddion geiriau yn gallu cywiro eich sillafu a'ch gramadeg yn awtomatig. Fe ddylai hyn wella safon eich gwaith ysgrifenedig – ond maen nhw'n gallu creu problemau hefyd.

GWIRIO SILLAFU

1) *Mae rhaglenni i'w cael mewn ieithoedd gwahanol. Caiff llawer o eiriau Saesneg eu sillafu'n wahanol mewn gwahanol rannau o'r byd – e.e. 'labor' (Saesneg Americanaidd) a 'labour' (Saesneg gwledydd Prydain) - gwnewch yn siwr eich bod yn defnyddio Saesneg y DU yng ngwledydd Prydain.*
2) *Adnabod geiriau sydd wedi eu camsillafu yn unig y mae'r feddalwedd – nid y cyd-destun. Mae hyn yn creu problem gyda geiriau Saesneg fel 'were' a 'where'.*
3) *Yn y Gymraeg mae **Cysill** a **Cysgair** o help mawr i wirio'r Gymraeg. Gallwch brynu'r feddalwedd yma drwy gysylltu â Chanolfan Bedwyr ym Mhrifysgol Bangor (01248 383 393). Mae'r **Termiadur** sy'n rhestru termau pynciau gwahanol yn y Gymraeg hefyd ar gael trwy ffonio APADGOS yng Nghaerdydd (029 20 375 455). Bydd y feddalwedd yma yn eich helpu i ddewis y geiriau a'r termau cywir ar gyfer eich gwaith.*

GWIRIO GRAMADEG

Dydy pob rhaglen gwirio gramadeg ddim yn ddibynadwy iawn. Y rheswm am hyn ydy bod gramadeg yn dibynnu ar gyd-destun – ac nid ydy'r rhan fwyaf o becynnau meddalwedd yn ddigon pwerus i ystyried hyn.

Gallwch gael Microsoft Word i wirio sillafu a gramadeg wrth i chi fynd ymlaen â'ch gwaith. Mae'n tanlinellu camgymeriadau sillafu mewn coch a chamgymeriadau gramadeg mewn gwyrdd.

Gwirio, a gwirio eto...

Mae yna lawer o nodweddion prosesu geiriau defnyddiol yma – gwnewch yn siwr eich bod yn gallu gwneud y cyfan o'r pethau sydd ar y dudalen hon.

Prosesu Geiriau – Cam Ymlaen!

Cyfle nawr i gamu ymlaen ymhellach.

Creu Templedi o Ddogfennau Safonol

1) Templed ydy dogfen safonol yn cynnwys fformatau a gosodiadau sydd wedi eu rhagosod. Prif fantais templedi ydy eu bod yn arbed amser ar ôl iddynt gael eu creu. Maen nhw'n cael eu defnyddio'n aml ar gyfer llythyrau busnes.
2) Mae templed llythyr yn cynnwys gofod ar gyfer enw'r derbynnydd, ei gyfeiriad a'r dyddiad. Mae'r rhain eisoes wedi eu fformatio – yr hyn sydd ar ôl i'r defnyddiwr ei wneud ydy gosod y testun.

Defnyddio Cyfri Geiriau i weld faint rydych chi wedi'i ysgrifennu

1) Mae'n ddefnyddiol iawn ar adegau i wybod faint o eiriau rydych chi wedi'u hysgrifennu, e.e. os bydd gofyn i chi ysgrifennu darn yn cynnwys 2000 o eiriau ar gyfer gwaith cwrs. Un o nodweddion prosesyddion geiriau ydy eu bod yn gallu cyfri geiriau yn awtomatig heb i chi orfod eu cyfrif yn y dull arferol.
2) Gall gyfri'r geiriau ar gyfer y ddogfen gyfan neu ran o'r testun o'ch dewis chi.
3) Yn ogystal â rhoi cyfanswm geiriau'r ddogfen, mae hefyd yn rhoi gwybodaeth i chi am bethau fel nifer y paragraffau a nifer y llinellau.

Mewnforio Gwybodaeth o Raglenni Eraill

1) Ystyr mewnforio ydy ychwanegu data a gafodd eu creu mewn rhaglen feddalwedd arall. Mae clipluniau yn enghraifft dda o hyn.
2) Er mwyn i ddata sydd i'w mewnforio weithio, mae'n rhaid eu bod wedi eu cadw mewn fformat-ffeil gyffredin fydd yn galluogi'r ddau ddarn o feddalwedd i'w hadnabod.
3) Weithiau, mae'n bosib mewnblannu taenlen i ddogfen prosesydd geiriau ac yna ei hagor o fewn y prosesydd geiriau hwnnw. Dewis arall ydy cysylltu'r daenlen i'r ddogfen fel bod y ddogfen prosesydd geiriau yn cael ei diweddaru'n awtomatig pan fo'r daenlen yn cael ei golygu.

Mae cysylltu'n gweithio gyda rhaglenni eraill yn ogystal – nid gyda thaenlenni a chronfeydd data'n unig.

Mae'r darn hwn wedi ei fewnblannu yn y ddogfen. Cliciwch arno ddwywaith i olygu'r siart o fewn rhaglen y daenlen.

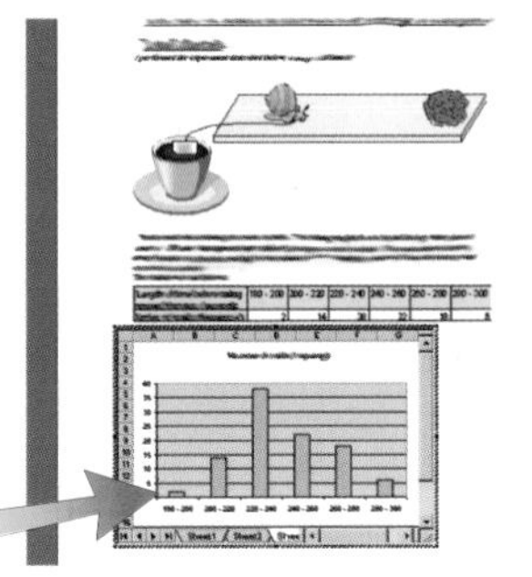

Defnyddio Macros ar gyfer Gorchmynion Cyffredin

Dyfais arall i arbed amser ydy macro. Mae macros yn llawer symlach nag y mae llawer o bobl yn ei gredu.
1) Cyfres o orchmynion a gafodd eu cofnodi a'u cadw gan y cyfrifiadur drwy ddefnyddio cod byr fel enw ffeil, ydy macro. Rydych yn rhedeg y macro drwy fwydo'r cod i mewn – hawdd!
2) Enghraifft dda ydy macro i greu pennyn a throedyn sy'n cynnwys enw'r ffeil, y dyddiad a rhif y dudalen ar gyfer pob dogfen newydd. Gwych iawn, rhaid i chi gyfadde!

Pa mor gyffredin ydy gorchmynion cyffredin?

Mae pob un o'r nodweddion clyfar hyn yn cael eu defnyddio gan fusnesau i greu dogfennau busnes ffansi. Bydd gan bob dogfen busnes ei thempled ei hunan. Bydd y templed yn cynnwys logo'r cwmni wedi ei fewnforio, a phenynnau a throedynnau yn cynnwys manylion am y cwmni. Mae'n bosib y bydd rhai clyfar iawn yn cynnwys macros.

Prosesu Geiriau – Postgyfuno

Mae postgyfuno yn bwysig iawn ym myd busnes. Rydych yn creu llythyr i bwrpas arbennig, e.e. llythyr atgoffa. Yna gallwch ei bersonoli'n awtomatig ar gyfer pawb rydych yn ei anfon atyn nhw.

Mae Tri Cham Sylfaenol i Bostgyfuno

Dyma'r drefn arferol...

1) Creu tabl cronfa ddata yn cynnwys y wybodaeth rydych am iddi ymddangos yn y llythyr personol. (Gallwch ddefnyddio taenlen neu dabl mewn dogfen *Word* yn lle cronfa ddata.)

Teitl	Cyfenw	Enw	Cyfeiriad	Tref	Cod Post	Cerbyd	Dyddiad Prawf MOT
Mrs	Barnes	Clair	101 Brakesepare Avenue	Shepton Mallet	BN2 0JQ	M632 WMO	2nd March
Miss	Jones	Brenda	14 Church Street	Bath	BA1 HP3	W324 SLH	1st March
Mrs	Brake	Kate	34 Moorland Road	Swindon	SNT 5YU	ELV 15	23rd March
Miss	Duffy	Rachael	90 Browns Drive	Iceland	SG4 JKL	RR1	17th March
Mr	Philips	Ben	25 High Road	Bath	SN5 TH9	WPO3 CGP	2nd March
Mr	Smith	Paul	23 New Road	Frome	SKI 90E	T604 HFN	30th March
Mrs	Stanley	Nigel	4 Robins Close	Dursley	BS4 5HP	CAH 007	11th March

2) Caiff llythyr safonol ei greu yn cynnwys codau sy'n cydweddu ag enwau'r meysydd yn y gronfa ddata.

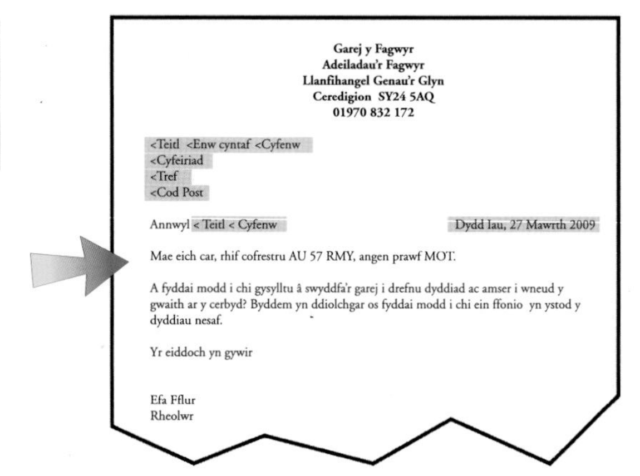

Garej y Fagwyr
Adeiladau'r Fagwyr
Llanfihangel Genau'r Glyn
Ceredigion SY24 5AQ
01970 832 172

<Teitl <Enw cyntaf <Cyfenw
<Cyfeiriad
<Tref
<Cod Post

Annwyl < Teitl < Cyfenw — Dydd Iau, 27 Mawrth 2009

Mae eich car, rhif cofrestru AU 57 RMY, angen prawf MOT.

A fyddai modd i chi gysylltu â swyddfa'r garej i drefnu dyddiad ac amser i wneud y gwaith ar y cerbyd? Byddem yn ddiolchgar os fyddai modd i chi ein ffonio yn ystod y dyddiau nesaf.

Yr eiddoch yn gywir

Efa Fflur
Rheolwr

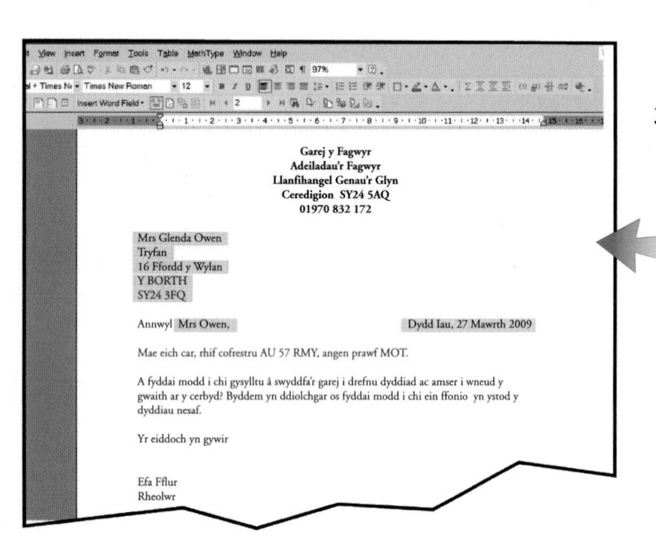

Garej y Fagwyr
Adeiladau'r Fagwyr
Llanfihangel Genau'r Glyn
Ceredigion SY24 5AQ
01970 832 172

Mrs Glenda Owen
Tryfan
16 Ffordd y Wylan
Y BORTH
SY24 3FQ

Annwyl Mrs Owen, — Dydd Iau, 27 Mawrth 2009

Mae eich car, rhif cofrestru AU 57 RMY, angen prawf MOT.

A fyddai modd i chi gysylltu â swyddfa'r garej i drefnu dyddiad ac amser i wneud y gwaith ar y cerbyd? Byddem yn ddiolchgar os fyddai modd i chi ein ffonio yn ystod y dyddiau nesaf.

Yr eiddoch yn gywir

Efa Fflur
Rheolwr

3) Cysylltir y llythyr safonol â'r gronfa ddata. Mae'r feddalwedd yn cyfuno'r data drwy fewnosod pob cofnod o'r gronfa ddata yn ei dro i'r llythyr. Os oes 1000 o enwau yn y gronfa ddata, yna fe gewch 1000 o lythyrau wedi eu personoli – a bydd pob un yn cyfarch y darllenydd gan ddefnyddio'i gyfenw.

Mae'n debyg y bydd y rhan fwyaf o'r post a gewch wedi'i bostgyfuno

Mae'r rhan fwyaf o'r post (yn cynnwys post sothach) yn cael ei bostgyfuno.

Y math o lythyr	Manylion Personol Angenrheidiol
Bil nwy neu drydan	Enw a chyfeiriad, Rhif cwsmer, Swm i'w dalu, Dyddiad talu
Llythyr atgoffa prawf MOT	Enw a chyfeiriad, Rhif cofrestru'r cerbyd, Gwneuthuriad, Model
Cyfriflen banc	Enw a chyfeiriad, Rhif y cyfrif, Enw'r cyfrif, Manylion y trafodion
Tystysgrif Canlyniadau Arholiadau	Enw, Rhif arholiad, Pwnc yr arholiad, Gradd a ddyfarnwyd

Diolch i bostgyfuno am ddod â phost sothach i ni...

Mae busnesau'n defnyddio postgyfuno yn rheolaidd y dyddiau hyn. Mae derbyn llythyr sydd wedi ei gyfeirio'n bersonol atoch chi'n llawer gwell na derbyn un sy'n dweud 'Annwyl Syr/Madam'. Cewch y teimlad ei fod wedi ei ysgrifennu'n bersonol ar eich cyfer chi, ond anfonwyd yr un llythyr i 10,000 o bobl eraill mewn gwirionedd...

Graffigwaith – Cipio Delweddau

Mae'r tair tudalen nesaf yn delio gyda'r pethau sylfaenol y gallwch eu gwneud gyda delweddau graffig – dulliau gwahanol o'u creu a ffyrdd o'u trin. Mae'r cyfan yn hynod o ddefnyddiol, felly dalier sylw...

Caiff Delweddau eu cadw fel Didfap (Bitmap) neu Ddata Fector

Mae yna ddau fath o feddalwedd graffig. Y prif wahaniaeth rhyngddyn nhw ydy sut maen nhw'n cadw'r ddelwedd, a sut maen nhw'n golygu'r ddelwedd.

Dot lliw ydy picsel a gall gymryd miloedd o ddotiau i wneud llun cyfan.

MEDDALWEDD PEINTIO (sy'n cael ei galw hefyd yn feddalwedd seiliedig ar bicsel)

1) Caiff y graffigyn ei gadw fel cyfres o ddotiau lliw (picseli) mewn ffeil o'r enw didfap. Mae'r ffeiliau hyn yn fawr – caiff pob dot ei gadw'n unigol.
2) I olygu'r delweddau hyn rhaid newid pob dot yn unigol, er bod llawer o offer gwahanol i wneud hyn yn haws.

Waeth i ti gyfaddef ddim – rwyt ti wedi bod yn doctora fy nelwedd...

MEDDALWEDD LLUNIADU (sy'n cael ei galw hefyd yn feddalwedd seiliedig ar wrthrych neu seiliedig ar fector)

1) Caiff y ddelwedd ei chadw fel cyfesurynnau a hafaliadau *(e.e. gall cylch coch gael ei gynrychioli gan ei radiws, cyfesurynnau ei ganol, a rhif yn cynrychioli ei liw)* – gan wneud maint ffeiliau'n llawer llai.
2) Caiff y ddelwedd ei golygu drwy drin gwrthrychau (e.e. sgwariau, cylchoedd). Gallwch eu hymestyn, eu troi, eu lliwio ac yn y blaen mewn sawl ffordd wahanol.

Gallwch ddefnyddio Clipluniau...

1) Graffigwaith wedi ei greu gan rywun arall ydy cliplun, ond sydd ar gael i chi i'w gopïo. Mae rhai i'w cael yn ddi-dâl gyda phecynnau meddalwedd – gallwch brynu rhai eraill ar CD-ROM.
2) Gallwch ddefnyddio'r Rhyngrwyd i gael clipluniau yn rhad ac am ddim a chopïo graffigwaith o wefannau. Rhaid cofio, fodd bynnag, fod llawer o ddelweddau'n cael eu diogelu gan hawlfraint – felly mae eu defnyddio heb ganiatâd yn anghyfreithlon.

...Mewnbynnu Delweddau sy'n bod yn Barod...

Gellir trosi delweddau sy'n bod yn barod (e.e. ffotograffau) a'u storio fel delweddau digidol (h.y. data). Mae dau brif ddull o wneud hyn:

1) Rhaid i ffotograffau ar ffilm neu mewn llyfr, neu luniau llaw ar bapur, gael eu trosi'n ddelweddau digidol drwy ddefnyddio sganiwr. Caiff y delweddau hyn eu cadw'n arferol fel ffeiliaiu didfap – felly gall y ffeiliau fod yn fawr iawn (er y gallan nhw gael eu trosi i fformat arall e.e. JPEG).

   Didfap wedi ei gywasgu ydy JPEG. Pan fyddwch yn trosi didfap i JPEG, bydd ansawdd y llun yn dirywio ychydig, ond mewn ffordd nad ydy'n weladwy i'r llygad – e.e. fe all fod yna ychydig o newid o ran y lliw. Gall cywasgu'r ddelwedd yn y dull hwn leihau maint ffeil yn aruthrol.

2) Gall delweddau newydd gael eu creu drwy ddefnyddio camera digidol, ac yna eu lawrlwytho i gyfrifiadur. Caiff ffotograffau digidol eu storio fel ffeiliau JPEG i ddechrau – sydd yn llai na didfapiau fel arfer, er bod maint y ffeil yn dibynnu ar lefel y cydraniad ddewisoch chi.

Ystyr cydraniad ydy nifer y picseli sy'n creu'r ddelwedd.

400 picsel
400 picsel
50 picsel
50 picsel

Po fwyaf o bicseli sy'n cael eu defnyddio, y cliriaf ydy'r llun – ond mwya'n byd ydy'r ffeil hefyd.

...Neu Greu eich rhai Eich Hunan

Gall creu eich graffigwaith eich hun â llaw drwy ddefnyddio'r feddalwedd gymryd llawer iawn o amser. Nid ydy'n werth y drafferth felly - oni bai mai dyna'r unig ffordd o gael gafael ar y graffigwaith sydd ei angen arnoch.

Gwnewch argraff - drwy feistroli graffigwaith...

Rhaid i chi fod yn gwbl gyfarwydd â'r gwaith sylfaenol hwn. Os ydych yn gwneud arholiad AQA, bydd angen y sgiliau hyn arnoch chi i gynhyrchu logo ar gyfer eich dogfennau busnes (rhan o asesiad uned 1). Os ydych yn gwneud arholiad Edexcel, yna bydd gofyn i chi fewnforio graffigwaith fel rhan o arholiad uned 1.

Graffigwaith – Trin Delweddau

Mae meddalwedd graffigwaith yn newid yn gyflym – yn enwedig meddalwedd trin delweddau ar gyfer ffotograffau digidol. Ond beth bynnag ydy'r dechnoleg, mae'r egwyddorion sylfaenol yr un fath. Dysgwch amdanyn nhw.

Newid Maint y Gwrthrych – heb ei ystumio

1) Bydd maint graffigwaith yn cael ei newid yn aml ar ôl i'r ddelwedd gael ei hallforio i brosesydd geiriau neu becyn cyhoeddi bwrdd gwaith.
2) Gwneir hyn fel arfer drwy ddewis y graffigwaith ac yna llusgo un o'r 'dolenni' - tuag allan i wneud y ddelwedd yn fwy ac i mewn i'w gwneud yn llai.

dolen

Mae rhywbeth o'i le...

3) Y gamp ydy cadw cyfrannau'r ddelwedd yr un fath – hynny ydy cadw'r ddelwedd yr un siâp. Os na wnewch chi hyn bydd y ddelwedd wedi'i hystumio a gall edrych yn ddi-siâp. Byddwch yn synnu at faint o gyhoeddiadau sy'n cynnwys delweddau wedi'u hystumio.

Mae Tocio yn Cael Gwared o Rannau Diangen

Rwy'n credu dy fod wedi tocio ychydig gormod ar fy mhen.

1) Mae tocio yn cael gwared o rannau o'r ddelwedd nad ydych eu hangen – e.e. rhywun ar ymyl y llun rydych am gael gwared ohono. Mae tocio'n lleihau maint y ddelwedd drwy gael gwared o flociau o ymylon y graffigwaith.
2) Mae'n ffordd gyflym a hawdd o gael gwared â rhannau o'r ddelwedd. Dim ond ymylon cyfan all gael eu tocio – allwch chi ddim ei ddefnyddio i gael gwared o rywbeth sydd yng nghanol y graffigwaith. Yn ffodus, mae offer o fewn y rhan fwyaf o feddalwedd graffigwaith i wneud hyn.

Grwpio Dwy Ddelwedd Neu Fwy Gyda'i Gilydd

1) Os ydych chi am ddefnyddio delwedd sydd ddim yn eich llyfrgell o glipluniau – er enghraifft dafad yn reidio motobeic – ac mae gennych glipluniau unigol o ddafad a motobeic, gallwch greu gwrthrych newydd drwy eu grwpio gyda'i gilydd fel bo'r ddafad yn edrych fel petai ar gefn y motobeic.
2) Gallwch hefyd ddewis pa graffigwaith sydd ar flaen y ddelwedd a pha rai sydd yn y cefn – gelwir hyn yn haenu.

Cylchdroi ac Ail-liwio Gwrthrychau

1) Gellir cylchdroi delweddau a gwneud iddyn nhw ymddangos â'u pen i lawr, neu eu troi fel eu bod yn ymddangos y tu ôl ymlaen. Gallwch greu tŵr ychydig yn gam drwy gylchdroi delwedd ryw ychydig.
2) Gellir ail-liwio delweddau yn ogystal – bydd rhai pecynnau'n newid lliw'r gwrthrych cyfan yn awtomatig. Gyda rhai eraill, bydd yn rhaid i chi wneud hyn â llaw, bicsel wrth bicsel, gan ddefnyddio chwistrellydd paent.

Dysgwch y grefft o docio...

Mae rhai pecynnau graffigwaith pwerus iawn i'w cael erbyn hyn, rhai sy'n creu effeithiau gwirioneddol anhygoel (os oes gennych yr amser i'w meistroli). Os mai'r dasg ydy creu poster ar gyfer ffair yr ysgol, mae'n siwr y byddai modd defnyddio rhywbeth mwy syml.

Graffigwaith – Trin Delweddau

Gyda rhaglenni peintio fel *Adobe Photoshop* a *Corel Photopaint* gallwch olygu ffotograffau mewn pob math o ffyrdd.

Addasu'r Disgleirdeb (brightness), y Cyferbynnedd (contrast) a'r Eglurder (sharpness)

Fydd ddim angen gwneud dim byd ffansi i'ch ffotograffau y rhan fwyaf o'r amser. Weithiau, fodd bynnag, bydd ffotograff a sganiwyd yn rhy dywyll, neu ffotograff o gamera digidol yn aneglur.

Gallwch ddatrys y problemau hyn yn hawdd drwy addasu'r disgleirdeb, y cyferbynnedd a'r eglurder.

Mae Hidlydd yn caniatáu i chi gynhyrchu Effeithiau Ffynci

Bydd unrhyw becyn peintio da yn cynnwys dewis o hidlyddion *(filters)* fydd yn eich galluogi i newid ymddangosiad cyfan y ddelwedd. Dyma ychydig ohonyn nhw ar waith.

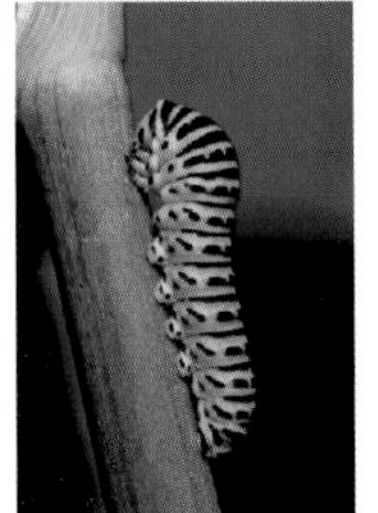

Delwedd wreiddiol

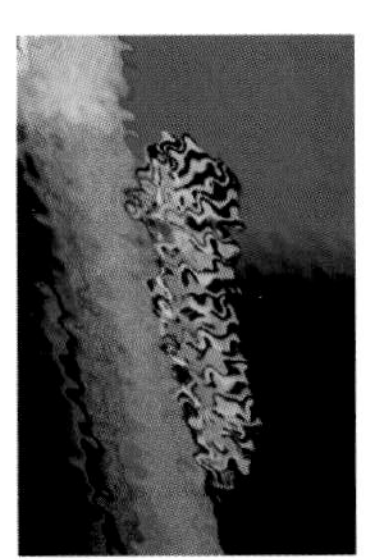

Hidlydd ystumio

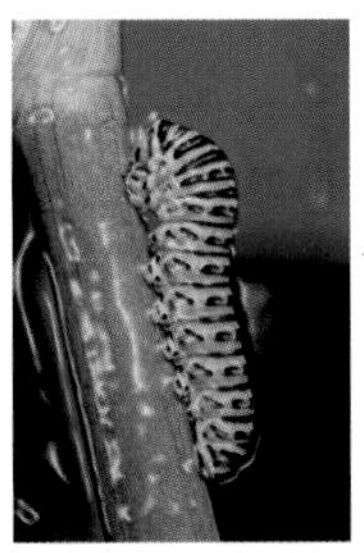

Hidlydd amlapio plastig

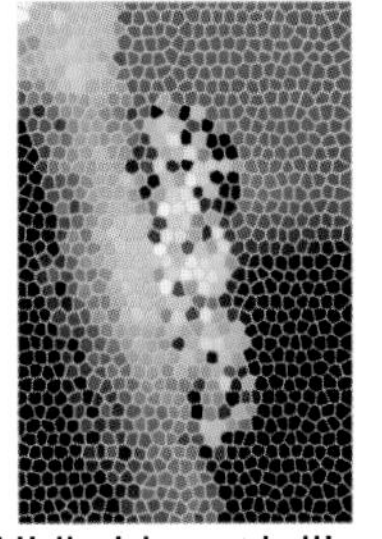

Hidlydd gwydr lliw

Hidlydd siarcol

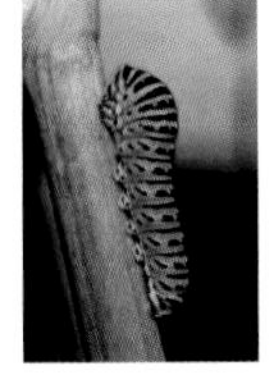

Arlliw sy'n penderfynu'r lliwiau

Mae addasu maint yr arlliw yn newid y lliwiau gaiff eu defnyddio yn y ddelwedd. Cafodd y delweddau lliwgar hyn eu creu drwy newid maint yr arlliw.

Rhoi Rhannau o Ddelweddau gyda'i gilydd i greu Ffotograffau Ffug

Gallwch ddefnyddio meddalwedd peintio hefyd i greu delweddau ffug.
Mae'n eitha trafferthus ar y dechrau ond, gydag ymarfer, gallwch greu rhai lluniau ffug gwerth chweil.

Dyma lun a dynnais o Buddug, yr hipo, yn gyrru cerbyd. Ha ha, fe dwylles i chi …nid llun go iawn ydy e! Fe wnes i ei greu drwy ddefnyddio *Photoshop*.

Yn gyntaf fe wnes i amlinellu Buddug gyda *SELECTION TOOL* a chreu *COPY* o'r rhan honno o'r ddelwedd. Yna fe wnes i osod Buddug ar ddelwedd y car.

Mae Buddug ar haen wahanol i'r car, sy'n golygu y gallaf ei symud a newid ei maint heb effeithio ar ddelwedd y car. Mae sgrin y car o flaen Buddug hefyd ar haen dryloyw wahanol.

Ewch ati i greu eich lluniau eich hun…

Heb amheuaeth, dyma un o'r pethau mwyaf diddorol i'w gwneud mewn TGCh. Meddyliwch am osod hipo mewn car! Ewch ati i chwarae â'r feddalwedd graffigwaith sydd gennych i weld a allwch chi wneud popeth sydd ar y dudalen hon.

Cyhoeddi Bwrdd Gwaith (DTP) – Y Pethau Pwysig

Mae'r hyn a ddywedwyd am brosesu geiriau hefyd yn berthnasol i gyhoeddi bwrdd gwaith (DTP). Fodd bynnag, rhaid i chi ddeall sut mae DTP yn wahanol i brosesu geiriau.

Mae DTP yn creu Tudalennau sy'n Broffesiynol yr olwg

Mae angen 2,000 o gylchlythyrau erbyn yfory hefyd...

1) Defnyddir meddalwedd cyhoeddi bwrdd gwaith (DTP) i greu tudalennau proffesiynol yr olwg – rhai sy'n ddigon da i'w cyhoeddi.
2) Mae cylchlythyrau, papurau newydd, taflenni a phosteri yn enghreifftiau o ddogfennau a gynhyrchwyd drwy ddefnyddio DTP, ond mae nifer o rai eraill yn ogystal.
3) Mae tudalennau'n cael eu paratoi fel cyfres o fframiau – fframiau testun yn cynnwys testun, fframiau graffigwaith yn cynnwys graffigwaith ac yn y blaen.
4) Mae meddawledd DTP yn arferol yn caniatáu i'r defnyddiwr greu testun a lluniau syml – ond mae'n gweithio ar ei orau lle mae'r deunydd gwreiddiol wedi cael ei gynhyrchu gan feddalwedd arbenigol arall (e.e. pecyn prosesu geiriau neu becyn graffigwaith) ac yna ei fewnforio i'r pecyn DTP.

Mae meddalwedd DTP yn defnyddio ffrâm

1) Mae meddalwedd sy'n ffrâm-seiliedig yn golygu fod y wybodaeth yn cael ei gosod ar dudalen mewn blociau (o'r enw fframiau).
2) Gellir symud neu newid maint ffrâm. Mae hyn yn golygu fod dogfen DTP yn rhwydd iawn i'w pharatoi drwy symud lluniau neu flociau o destun o gwmpas. Gellir symud fframiau hefyd o un dudalen i'r llall.
3) Mae DTP yn gweithio rhywbeth yn debyg i hysbysfwrdd - mae gennych set o wahanol ddarnau o wybodaeth y gallwch eu symud o gwmpas hyd nes y byddwch yn hapus gyda'r cynllun cyfan.

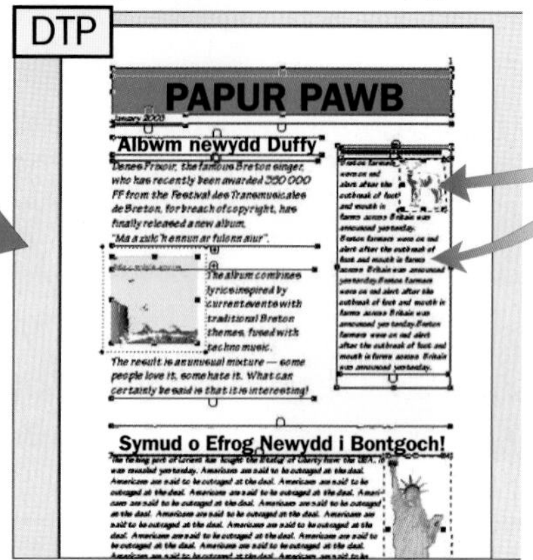

Mae pob bloc o destun neu lun yn creu ei ffrâm ei hunan a gallwch eu llusgo o gwmpas fesul un.

Prosesydd Geiriau

Codi adeilad newydd deg llawr yn Talybont
Toj fise rnvisd viesnv dsivhs ifvnam snfeiuhbv fd nvjn vieyf dkjfsdfdkf dfdks fdjf efns dvnuefu webkdfvn; xioh k djfi sernv isd vies nvds iv hsifvna msnfeiuhbv fdn vjn viey fe fn sdv nuef uw ebkdfvn; xioh k djf iser n visd vie snvd sivhsif vn amsnfeiuhbv fdn vjnv ie yfe fnsd vnue fu web

Codi adeilad newydd deg llawr yn Talybont
Toj fise rnvisd viesnv dsivhs ifvnam snfeiuhbv fd nvjn vieyf dkjfsdfdkf dfdks fdjf efns dvnuefu.

Symud o Efrog Newydd i Bontgoch!
Toj fise rnvisd viesnv dsivhs ifvnam snfeiuhbv fd nvjn vieyf dkjfsdfdkf dfdks fdjf efns dvnuefu webkdfvn; xioh k djfi sernv isd vies nvds iv hsifvna

Os symudwch hwn...
...bydd hwn i gyd yn symud i fyny a chymryd ei le.

4) Nid ydy'r rhan fwyaf o brosesyddion geiriau wedi eu gosod ar ffrâm, felly mae lleoliad un peth yn dibynnu ar leoliad popeth arall. Mae hyn yn golygu y gellir symud un peth wneud i lawer o bethau eraill symud yn ogystal. Dydy hyn ddim yn digwydd gyda DTP.

Prif Fanteision DTP:

1) Gallwch greu dogfennau sy'n edrych yn broffesiynol iawn – hyd yn oed gyda phecynnau DTP sy'n gymharol rad. Fodd bynnag, mae ansawdd y ddogfen brintiedig yn dibynnu'n aml ar ansawdd yr argraffydd.
2) Gellir newid cynllun y ddogfen yn rhwyddach drwy ddefnyddio DTP yn hytrach na phrosesydd geiriau.
3) Gellir rheoli nifer y tudalennau'n rhwyddach â phecyn DTP yn hytrach na phrosesydd geiriau. Fel arfer, os oes gormod o eiriau ar y dudalen, bydd prosesydd geiriau'n creu tudalen newydd yn awtomatig. Gyda phecyn DTP byddai'r testun yn cael ei guddio.

DTP – beth allwch chi ddweud... hmmm... DTP... waw...

Mae llawer yn meddwl eu bod yn arbenigwyr mewn DTP – ond mae'n hawdd gwneud llanast ohono. Cofiwch nad meistroli sgiliau yn unig sydd ei angen, rhaid i chi ystyried pwrpas y ddogfen hefyd.

Cyhoeddi Bwrdd Gwaith (DTP) – Y Pethau Pwysig

Y fframiau sy'n gwneud DTP yn fwy pwerus na phrosesydd geiriau ar gyfer rhai tasgau. Mae angen i chi wybod sut y gall fframiau a thempledi wella cynllun eich dogfen.

Pedwar o bethau y gallwch eu gwneud gyda Ffrâm

1) Gellir unioni fframiau mewn colofnau – mae'r rhan fwyaf o feddalwedd DTP yn gallu mewnosod llinellau canllaw ar gyfer colofnau (llinellau sy'n ymddangos ar y sgrin ond heb fod ar y papur a gaiff ei argraffu) er mwyn eich helpu i leoli'r fframiau.

2) Gellir cysylltu fframiau gyda'i gilydd, fel bo unrhyw destun nad ydy'n ffitio'r ffrâm destun gyntaf yn ymddangos yn awtomatig o fewn y nesaf. Gellir hyd yn oed gysylltu fframiau ar draws gwahanol dudalennau o'r ddogfen – felly maent yn ddefnyddiol os ydych am barhau â stori ar dudalen wahanol.

3) Os ydy ffrâm llun yn cael ei gosod ar ben ffrâm testun gallwch osod y tesun fel ei fod yn amlapio llun yn hytrach na chael ei orchuddio ganddo.

Mae'r llinell o ddotiau o amgylch y llun yn dangos ei fod wedi ei osod er mwyn cael ei amlapio gan destun.

4) Gellir haenu fframiau – e.e. eu gosod ar ben ei gilydd. Gwneir hyn yn arferol gyda fframiau llun, ond gellir gwneud hynny hefyd gyda fframiau testun. E.e. gallwch osod rhywfaint o destun dros y llun (ond byddai'n rhaid i chi wneud y ffrâm destun yn dryloyw fel eich bod yn parhau i weld y llun).

Mae Templedi yn Arbed Amser wrth Ddylunio Tudalennau

1) Y Rheol Aur ynglŷn â dylunio tudalennau yn dda gyda DTP ydy cadw cynllun y dudalen yn syml ac yn addas ar gyfer anghenion y gynulleidfa. Gall templedi wneud hyn yn haws.

2) Ffeiliau ydy templedi sy'n cynnwys y cynllun sylfaenol a'r fformat ar gyfer dogfen safonol. Mae digonedd o wahanol dempledi yn y rhan fwyaf o feddalwedd DTP. Maent yn arbed amser, ond gall pob dogfen edrych yr un fath os na fyddwch yn ofalus.

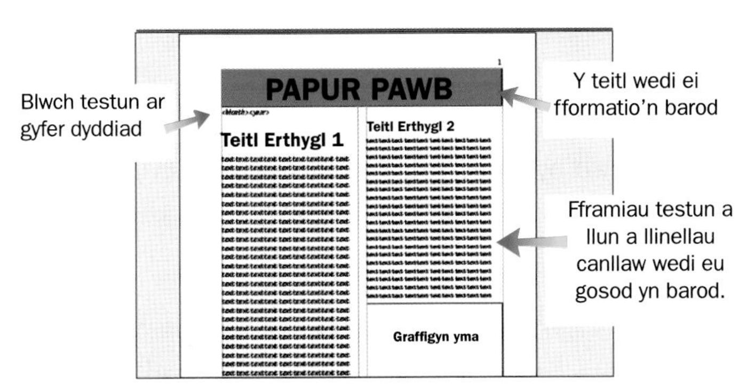

3) Bydd templed papur newydd yn cynnwys colofnau, fframiau testun a fframiau llun. Bydd y fframiau testun wedi eu fformatio â gwahanol ffontiau ar gyfer teitl y papur newydd, y penawdau a'r brif stori.

4) Gall templedi gael eu dylunio hefyd – e.e. ar gyfer cylchlythyr ysgol. Enw, cyfeiriad ac arwyddlun neu arfbais yr ysgol fyddai ar frig templed y dudalen gyntaf ynghyd â blwch testun ar gyfer y dyddiad. Gellir gosod cynllun sylfaenol y tudalennau eraill hefyd – e.e. gallai tudalen ar gyfer canlyniadau Ymarfer Corff gynnwys graffigwaith i gynrychioli'r prif chwaraeon, gyda thablau ar gyfer nodi'r canlyniadau hynny.

DTP – rhowch eich hun mewn ffrâm briodol o feddwl...

Dydy cyhoeddi bwrdd gwaith ddim yn anodd iawn. Gall sicrhau fod eich tudalennau'n edrych yn dwt fod yn hwyl. Mae cyhoeddi bwrdd gwaith yn fwy nag edrych yn dwt, fodd bynnag – dylai tudalennau gael eu dylunio gan gofio am eich cynulleidfa darged, a dylent gael eu cynllunio'n ofalus fel eu bod yn apelio at y gynulleidfa honno.

Cyhoeddi Bwrdd Gwaith (DTP) – Cylchlythyrau

Mae DTP yn bwysig iawn ar gyfer paratoi cylchlythyrau. Maen nhw'n ffordd dda i fusnes roi gwybodaeth i gwsmeriaid am nwyddau newydd a hyrwyddo gwerthiant.

Mae Cylchlythyr yn Tynnu ein Sylw oherwydd y Cynllun

Bydd cylchlythyr da yn defnyddio gwahanol nodweddion cynllun ac arddull i'w wneud yn fwy diddorol a deniadol.

LOGO CWMNI
Bydd pob deunydd oddi wrth y cwmni yn dangos y logo'n glir ac mewn arddull gyfarwydd – mae hyn yn helpu i hyrwyddo brand y cwmni.

Y PRIF DEITL
Defnyddir ffont bras a thrwm sy'n cyhoeddi'r neges mewn ychydig o eiriau byr ar gyfer y prif deitl bob amser.

GRAFFIGWAITH
Bydd y rhain fel arfer yn lluniau lliwgar a chlir sy'n cefnogi'r hyn a geir yn yr erthyglau.

December 2003

JJ PC

JJPC what's new?

Christmas is coming!
Just look at our prices!

Thinking of buying a new PC for Christmas? At JJPC we have a number of top quality, lightning fast machines at affordable prices, ready for immediate delivery. Our Pentium 4 Tandem features the latest Voodoo graphics card PLUS a DVD burner, all for an unbelievable JJPC price of £499. Add just £80 and get a huge 18" TFT flat screen bundled with your system. Hurry, as we expect these to fly out of the store!

If mobility is your thing, we also have a mobile Pentium 4 laptop, with a free carry case, a 54G wireless adaptor and three year warranty for a seasonal price of £799.

New Technical Manager

Many JJPC regulars have already met Herm, our new technical director, who joins us from Dell.

Formerly a technical manager at Dell, Herm has been involved in large scale product development for the past 7 years, before which he studied for a Phd in computer software engineering at Imperial College, London. Herm says that he is looking forward to working with the JJPC team, and introducing some of the latest technologies.

PENAWDAU
Bydd y rhain yn crynhoi neges y testun – maen nhw'n ei gwneud hi'n haws i sgimio drwyddo a dewis y rhannau sydd o ddiddordeb i chi. Arbrofwch gydag ARDDULLIAU yn eich rhaglen DTP i gael yr effaith orau.

TESTUN
Mae'r prif destun yn cael ei drefnu mewn colofnau.

ERTHYGL FER
Fel arfer, dull o hysbysebu cynnyrch neu wasanaethau a geir mewn cylchlythyrau – cedwir erthyglau'n fyr er mwyn cynnal diddordeb.

ARDDULL TESTUN
Ceir gwahanol ffontiau, meintiau, lliwiau a fformatio mewn gwahanol rannau o gylchlythyr. Dewisir pob un o'r rhain i gydweddu â naws y ddogfen, ac felly maen nhw'n cyfateb i'w gilydd. Gallwch gydosod arddull paragraffau o fewn y rhaglen DTP fel ei bod yn dewis fformat y gwahanol fathau o destun yn awtomatig.

Byddai gan gylchlythyr fel hwn ei dempled ei hun gyda'r cynllun sylfaenol a'r paragraffau wedi eu gosod yn barod. Pan fo'n amser cynhyrchu cylchlythyr o'r newydd, does dim i'w wneud ond gludo'r testun a'r graffigwaith i mewn i'r templed. Mae'n hawdd iawn gwneud mân addasiadau i'r cynllun i orffen y gwaith.

Arddull Cwmni sy'n Penderfynu Edrychiad y Dogfennau

Mae gan bob cwmni ei arddull cwmni ei hun – casgliad o reolau dylunio ac ysgrifennu mae pob un o'r tîm yn eu dilyn. Caiff arddull cwmni ei deilwra i siwtio cynulleidfa'r cylchlythyr. Mae'n cynnwys pethau fel y math o gynllun a ffontiau y dylech eu dewis yn ogystal â'r ffordd y dylech ysgrifennu – geiriau a brawddegau syml neu rhai hirion. Arddull cwmni hefyd sy'n penderfynu a ddylech ysgrifennu yn ffurfiol neu'n anffurfiol.

Arddull Cwmni...

Mae defnyddio arddull penodol yn helpu cwmni i greu brand cryf. Os ydy arddull cwmni yn un gwirioneddol dda, gallwch adnabod y cwmni hwnnw oddi wrth arddull y ddogfen yn unig – mae hyn yn berthnasol i hysbyseb, cylchlythyr, llythyr, taflen a phopeth y mae'r cwmni yn ei argraffu ar bapur.

Cyflwyniadau Amlgyfrwng – Y Pethau Pwysig

Mae meddalwedd cyflwyno yn cael ei defnyddio'n amlach y dyddiau hyn wrth roi cyflwyniad ac i ddangos syniadau. Mae angen ichi wybod at ba bwrpas y mae'n addas a beth ydy'r prif nodweddion.

Defnyddir Cyflwyniadau i Drosglwyddo Gwybodaeth Newydd

1) Mae cyflwyniadau yn cael eu rhoi i gyflwyno gwybodaeth i grŵp o bobl. Gallai athro/athrawes roi cyflwyniad i gyflwyno pwnc mewn gwers, neu gallai gwerthwr wneud hynny i berswadio pobl i brynu rhywbeth.

2) Gallan nhw fod yn ddigon anniddorol ar adegau – yn enwedig os nad ydy'r siaradwr yn gwneud dim ond siarad yn ddiddiwedd. Gall meddalwedd cyflwyno ddod dros hyn drwy ddefnyddio effeithiau amlgyfrwng ac animeiddio.

Gall Cyflwyniadau gael eu rhoi Gyda Siaradwr neu Heb Siaradwr

1) Y ffordd arferol o roi cyflwyniad ydy cael siaradwr i gyflwyno sleidiau ar sgrin. Mae'r gynulleidfa yn gallu darllen y wybodaeth sydd ar y sgrin tra bo'r siaradwr yn rhoi mwy o fanylion ar lafar iddyn nhw.

2) Y ffordd arall o roi cyflwyniad ydy gwneud hynny heb ddefnyddio siaradwr. Er mwyn i hyn fod yn llwyddiannus rhaid i'r sleidiau eu hunain fod yn ddigon da i ddangos yr holl wybodaeth angenrheidiol. Mae meddalwedd cyflwyno amlgyfrwng yn gallu helpu drwy ganiatáu i'r sylwebaeth gael ei recordio.

Mae Pedair Prif Nodwedd i Feddalwedd Cyflwyno

1) Mae meddalwedd cyflwyno yn creu cyfres o sleidiau o fewn dogfen unigol – ac mae pob sleid yn cynnwys nifer o fframiau (rhywbeth yn debyg i feddalwedd DTP). Mae hyn yn golygu y gellir rhoi testun a delweddau – a hyd yn oed ffilmiau a sain – ar y sleid.
2) Yr hyn sy'n glyfar iawn am feddalwedd o'r fath ydy y gall y siaradwr benderfynu pryd y mae pob ffrâm yn ymddangos ar y dudalen – fel bo pob pwynt bwled mewn rhestr yn ymddangos ar y sgrin ar yr union amser cywir.
3) Mae effeithiau animeiddio yn gallu gwneud i'r fframiau gyrraedd y sgrin mewn gwahanol ffyrdd, hyd yn oed. (Gweler tudalen 15.)

4) Mae'r effeithiau animeiddio yn gallu digwydd naill ai ar adegau penodol (defnyddiol os nad oes siaradwr yn siarad) neu gallan nhw gael eu rheoli gan y siaradwr fel y mae'n siarad – gyda chlic llygoden neu fotwm rheoli o bell fel arfer.

Sut oedd cyflwyniadau yn cael eu dangos

1) Yn draddodiadol roedd sleidiau naill ai mewn llawysgrifen neu'n cael eu paratoi gan brosesydd geiriau.
2) Yn anffodus, mae'n hawdd cymysgu'r drefn y dylai'r sleidiau ymddangos.
3) Problem arall ydy bod yn rhaid i siaradwr orchuddio gwybodaeth nad ydy am i'r gynulleidfa ei gweld ar y pryd.
4) Os nad ydy'r siaradwr yn un da iawn, mae'r cyflwyniad yn gallu ymddangos yn amhroffesiynol.

Os na ddysgwch unrhyw beth arall am gyflwyniadau, dysgwch hyn...

Dyma gyngor defnyddiol IAWN ynglŷn â defnyddio meddalwedd cyflwyno.
Defnyddiwch arddull 'pwyntiau bwled'.

Creu Cyflwyniad Amlgyfrwng

Mae creu cyflwyniad amlgyfrwng yn gofyn i chi gynllunio'r cyflwyniad, casglu data ac elfennau amlgyfrwng, adeiladu'r cyflwyniad, ei brofi ac yna ei ddefnyddio. Dydych chi'n lwcus?

Mae Cynllunio Eich Cyflwyniad yn Drylwyr yn Bwysig

Mae'n bwysig iawn eich bod yn cynllunio eich cyflwyniad yn drylwyr, neu bydd yn edrych yn wael. Wrth gynllunio, gwnewch yn siwr eich bod yn cofio am y pethau yma:

- Beth ydy pwrpas y cyflwyniad.
- Pa wybodaeth sydd angen ei throsglwyddo.
- Sut ydych am drefnu cynnwys a dilyniant y sleidiau.
- Sut i'w ddefnyddio a phwy sy'n ei ddefnyddio.

Mae dwy ffordd o gynllunio eich cyflwyniad:

BWRDD STORI – Brasluniwch gyfres o focsys i dangos sut rydych am i bob tudalen edrych, a pha elfennau rydych am eu cynnwys.

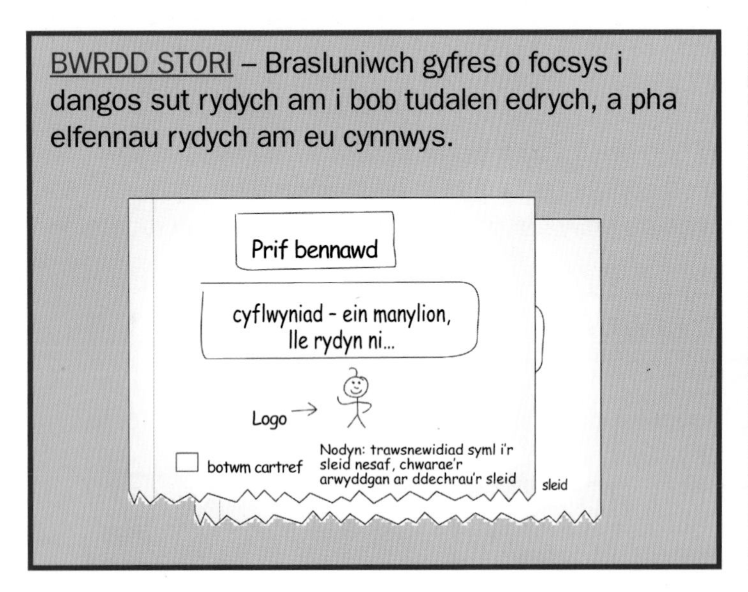

DIAGRAM FFRAMWAITH – Lluniwch gynllun i ddangos sut y bydd y sleidiau'n dolennu i'w gilydd. Gallai fod yn un sleid yn dilyn y llall, neu'n hierarchaidd fel yr un isod.

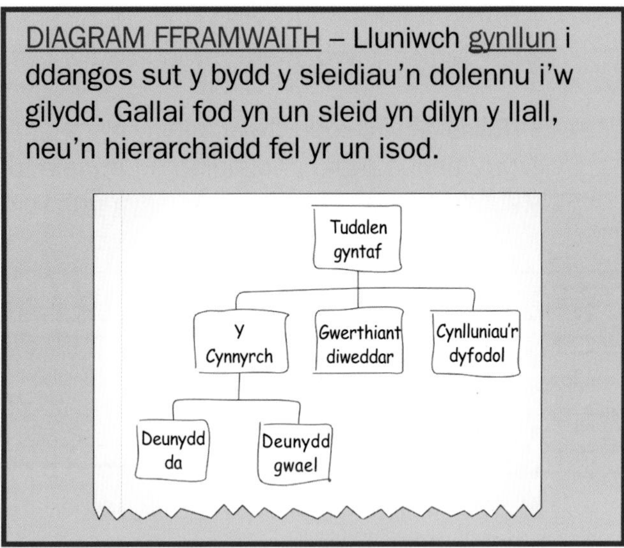

Wedi i chi orffen cynllunio, rydych yn barod i greu eich cyflwniad.

Defnyddio *Slide Master* i greu eich Cynllun Sleid Sylfaenol

Mae *Slide Master* yn eich galluogi i wneud newidiadau i gynllun sylfaenol y sleid. Mae'r newidiadau hyn yn ymddangos ym mhob un o'r sleidiau eraill. Bydd hyn yn helpu i roi cysondeb i'r cyflwyniad.

1) Gallwch newid y ffont a'r cefndir sy'n cael eu defnyddio ar gyfer y cyfan o'ch sleidiau.
2) Gallwch wneud newidiadau i dempled dylunio'r sleid sylfaenol.
3) Gallwch ychwanegu elfennau cyffredinol fel delweddau fydd yn ymddangos ar bob sleid (sy'n ddefnyddiol ar gyfer ychwanegu dolen cartref).

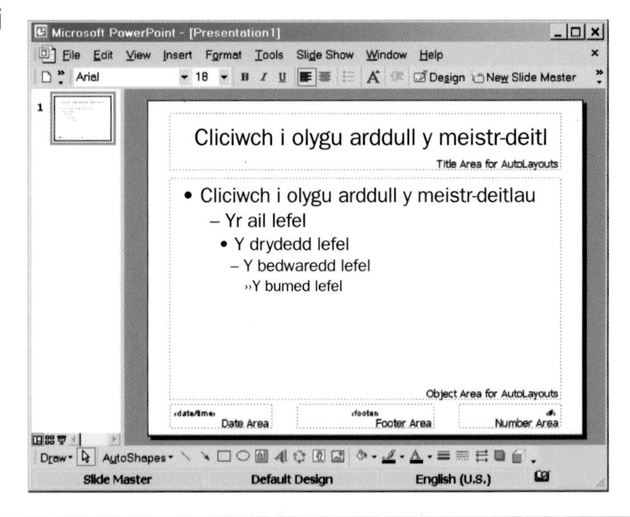

Cofiwch...

I gyrraedd *Slide Master* yn *Powerpoint*, cliciwch ar *View*, yna *Master*, yna *Slide Master*. Hawdd.

Creu Cyflwyniad Amlgyfrwng

Mae'n bwysig fod y cyflwyniad yn edrych yn broffesiynol. Bydd y wybodaeth yma yn eich helpu i wneud hynny.

Ychwanegu Llywio (Navigation) i symud o un Sleid i'r Llall

Bydd eich sleidiau'n ymddangos mewn trefn awtomatig yn ystod eich sioe sleidiau. Os ydych chi am wneud rhywbeth sy'n fwy cymhleth, yna bydd rhaid i chi ychwanegu llyw. Mae dwy ffordd o wneud hyn.

1) Ychwanegu botymau gweithredu *(action buttons)* i'ch sleidiau – botymau ydy'r rhain sy'n mynd yn ôl, ymlaen, adref neu i sleid o'ch dewis.

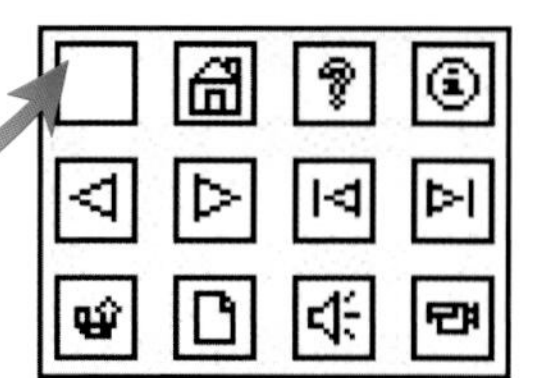

Yn *Powerpoint*, cliciwch ar *Slide Show*, yna *Action buttons*, i weld y dewis o fotymau. Cliciwch ar yr un rydych ei angen, yna cliciwch ar eich sleid i osod y botwm.

2) Defnyddio hypergysylltiadau *(hyperlinks)* – yn union fel ychwanegu dolennau i dudalennau'r we mewn gwefan, gallwch ychwanegu dolennau i sleidiau mewn cyflwyniad. Gallan nhw gael eu hychwanegu i graffigwaith, testun neu ran dewisol o ddelwedd (*hotspots*).

I ychwanegu dolen yn *Powerpoint*, amlygwch yr hyn rydych am ei ddefnyddio fel hypergyswllt ac ewch i *Insert*, yna *Hyperlink* yna *Bookmark*. Dewiswch y sleid rydych am ei hypergysylltu ac yna cliciwch *OK*.

Felly, wrth gyflwyno, cliciwch ar y botwm neu'r hypergyswllt i symud i'r sleid gywir.

Mae Effeithiau Animeiddio yn Cŵl

Mae yna lawer o bethau y gallwch eu gwneud gydag effeithiau animeiddio. Gallwch wneud i'ch ffrâm neidio i'w lle, chwyrlïo neu droelli o amgylch fel rhywbeth gwallgof.

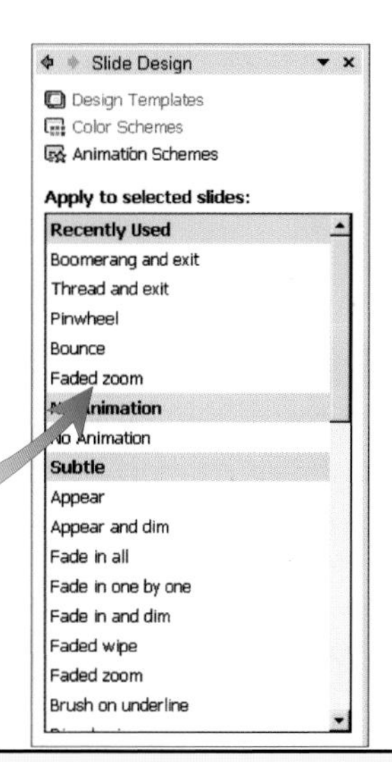

Yn *Powerpoint*, ewch i *Animation schemes* ac fe gewch restr i ddewis ohonyn nhw. Peidiwch â gor-wneud hyn, fodd bynnag – gall goranimeiddio edrych braidd yn wirion.

Defnyddiwch fwy nag un cyfrwng os ydych am ddangos pa mor glyfar ydych chi

O fewn *Powerpoint* mae yna rai synau y gallwch eu defnyddio wrth newid sleidiau.
Gallan nhw fod yn ddefnyddiol weithiau ond gallan nhw fod yn ddiflas ar ôl peth amser.

1) Gallwch ychwanegu eich synau eich hunan, sy'n llawer mwy o hwyl.
2) Y cyfan sydd angen ei wneud ydy mewnosod hypergyswllt, ond yn lle ei gysylltu â sleid, cysylltwch ef â ffeil sain ar eich cyfrifiadur.
3) Gallwch chwarae'r sain drwy glicio ar yr hypergyswllt. Gwych.
4) Gallwch ychwanegu fideo yn union yr un fath, ac mae'n edrych yn broffesiynol IAWN.

Animeiddio... wiiii!

Dyma gyngor eithaf defnyddiol... Cadwch eich cyflwyniad fel *PowerPoint show* (.pps) yna, pan fyddwch yn rhoi clic dwbl ar y ffeil, bydd yn lansio'n uniongyrchol i'r sioe. (Mae hyn yn edrych yn eithaf proffesiynol.)

Cyflwyniadau Amlgyfrwng – Tips Defnyddiol

Un peth ydy cael meddalwedd dda i gynhyrchu sleidiau sy'n apelio – peth arall ydy gwybod sut i ddefnyddio'r feddalwedd honno i greu cyflwyniad da. Gwnewch yn siwr eich bod yn dysgu'r rheolau

Cofiwch y Rheolau ar gyfer paratoi Cyflwyniad Da

1) PARATOI YN DRYLWYR – gwnewch yn siwr eich bod yn gwybod popeth am y pwnc rydych yn ei gyflwyno. Y pwrpas ydy creu diddordeb fel bod pobl eisiau gofyn cwestiynau – felly rhaid i chi fod â'r atebion i gyd.
2) PENDERFYNU AR FFORMAT y cyflwyniad – penderfynwch a fyddwch yn ei gyflwyno'n bersonol, neu'n ei gynnig fel ffeil gyfrifiadurol.
3) YSGRIFENNU SGRIPT y cyflwyniad i ddechrau – penderfynwch wedyn sut bydd y sleidiau yn eich helpu i ddangos pwyntiau allweddol y neges. Crynodeb o'r prif bwyntiau sydd i'w cyflwyno ddylai'r sleidiau fod.
4) CADW'R SLEIDIAU'N SYML – peidiwch â gadael i liwiau'r cefndir wrthdaro gyda'r testun a'r lluniau. Yn ddelfrydol, dylech ddefnyddio'r un cefndir i bob un o'r sleidiau, a pheidiwch â defnyddio ffontiau sy'n anodd i'w darllen. Peidiwch â defnyddio mwy na dau lun ar gyfer pob sleid.
5) DEFNYDDIO SLEIDIAU AGOR A CHAU – dechreuwch y cyflwyniad gyda sleid agoriadol sy'n tynnu sylw Dylai'r sleid olaf ddangos prif neges y cyflwyniad.
6) CADW CYNNWYS POB SLEID I'R LLEIAFSWM – Y Rheol Aur ydy peidio â chael mwy na chwe gair ym mhob llinell o destun a dim mwy na phum llinell o destun ar sleid. Dylai maint y ffont fod yn ddigon mawr i bobl sydd yng nghefn y gynulleidfa allu gweld.

   Dylai maint rhwng 30 a 60 pwynt fod yn addas.

7) PEIDIWCH Â DEFNYDDIO GORMOD O SLEIDIAU – os ydych yn rhoi sylwebaeth, dylai pob sleid fod ar y sgrin am ddau funud. Mae hynny'n golygu nad oes angen mwy na phum prif sleid yn ystod cyflwyniad o ddeg munud.
8) PROFWCH UNRHYW EFFEITHIAU ANIMEIDDIO gan ddefnyddio'r galedwedd gaiff ei defnyddio yn ystod y cyflwyniad. Gallai rhai darnau hir o ffilm redeg yn araf iawn ar rai systemau.
9) RHAID YMARFER – ymarfer, ac ymarfer eto.

Ariannu'r Feddalwedd Cyflwyno Newydd
Un aelod o staff i fynd
Dim mwy o de a choffi

Mae Manteision ac Anfanteision i Feddalwedd Cyflwyno

MANTESION DEFNYDDIO MEDDALWEDD CYFLWYNO
1) Mae'n creu cyflwyniad sy'n edrych yn broffesiynol
2) Mae'n gallu defnyddio mwy nag un cyfrwng ddenu a chynnal sylw'r gynulleidfa.
3) Gellir cadw'r cyflwyniad a'i ddefnyddio eto – gyda'r siaradwr yn bresennol neu'n absennol.
4) Mae'n hawdd golygu cyflwyniad a'i addasu ar gyfer cynulleidfa wahanol.

ANFANTESION DEFNYDDIO MEDDALWEDD CYFLWYNO
1) Mae'n hawdd iawn mynd dros ben llestri gyda'r dechnoleg a pharatoi sleidiau sydd wedi eu cynllunio'n wael.
2) Mae angen caledwedd gostus i redeg y feddalwedd ar gyfer y cyflwyniad – gall gliniadur *(laptop)* a thaflunydd LCD gostio dros £3,000.

Gwnewch gyflwyniad da – peidiwch â gwneud sioe ohonoch eich hunan...

Mae meddalwedd cyflwyno yn ddefnyddiol iawn, ond mae angen llawer o ymarfer i'w baratoi a'i ddefnyddio'n iawn.

Adran 1.1 – Crynodeb Adolygu

Waw, dyna'r adran gyntaf drosodd. Un ddigon hir hefyd. Cyn i chi fynd ymlaen, edrychwch ar y cwestiynau isod. Byddan nhw'n profi a ydych chi'n cofio'r gwaith hyd yma ai peidio. Y cam cyntaf ydy gwybod a deall beth ydy pwrpas pob math o feddalwedd a beth mae'n gallu ei wneud. Yna, gwnewch yn siwr eich bod yn gallu ei defnyddio…

1) Disgrifiwch ddwy ffordd o amlygu testun rydych am ei olygu.
2) Beth mae'r llwybrau byr hyn yn ei wneud?
   a) Ctrl x b) Ctrl v c) Ctrl c ch) Ctrl z
3) Esboniwch sut mae symud rhan o destun o un dudalen i'r llall.
4) Sut y fformatiwyd y geiriau hyn? (Defnyddiwch y geiriau cywir.)
   a) **pastai bysgod** b) *pastai bysgod* c) pastai bysgod
5) Rhestrwch gymaint o ffyrdd ag y gallwch feddwl amdanyn nhw o wneud i eiriau sefyll allan ar dudalen.
6) Beth ydy'r gwahaniaeth rhwng alinio ar y chwith, alinio ar y dde, alinio yn y canol ac unioni.
7) Pa un ydy'r maint papur mwyaf o'r rhain: A4 neu A5? Faint yn fwy na'r llall ydy'r maint mwyaf?
8) Pam y mae angen osgoi gweddwon ac amddifaid?
9) Enwch bedwar o bethau a allai gael eu cynnwys yn y pennyn mewn dogfen busnes.
10) Nodwch un o fanteision defnyddio rhaglen gwirio sillafu ac un o'r problemau.
11) Pam y mae angen fformat ffeil cyffredin i fewnforio data o ffeil graffigwaith i brosesydd geiriau?
12) Beth ydy templed?
13) Esboniwch sut mae postgyfuno'n gweithio.
14) Esboniwch beth ydy un o fantesion postgyfuno a beth ydy un o'r problemau.
15) Beth ydy'r gwahaniaeth rhwng graffigwaith wedi ei seilio ar bicseli a graffigwaith wedi ei seilio ar fectorau?
16) A ydy meddalwedd lluniadu wedi ei seilio ar bicseli neu fectorau?
17) Sut y gallwch drosglwyddo llun wedi'i brintio i system gyfrifiadurol?
18) Pa fath o ddelwedd ffeil ydy'r fwyaf – DIDFAP neu JPEG?
19) Esboniwch y gwahaniaeth rhwng newid maint delwedd a thocio delwedd.
20) Beth ydy'r prif wahaniaeth rhwng y ffordd y caiff tudalennau eu creu drwy ddefnyddio meddalwedd prosesu geiriau a thrwy ddefnyddio meddalwedd DTP?
21) Nodwch ddwy o fanteision defnyddio meddalwedd DTP yn hytrach na meddalwedd prosesu geiriau.
22) Nodwch dair ffordd y gallwch gynllunio cylchlythyrau er mwyn tynnu sylw.
23) Beth ydy arddull cwmni neu arddull tŷ? Beth ydy'r manteision i gwmni o gael arddull cwmni?
24) Nodwch dair o fanteision defnyddio meddalwedd cyflwyno yn hytrach na'r taflunydd dros ysgwydd traddodiadol.
25) Pa ddau beth allwch chi eu gwneud i baratoi ar gyfer eich cyflwyniad?
26) Beth ydy pwrpas *Slide Master*?
27) Mae dwy brif ffordd o ychwanegu llywio i'ch cyflwyniad. Beth ydyn nhw?
28) Nodwch 5 peth sydd angen ei wneud i sicrhau cyflwyniad da.
29) Ydych chi'n barod i symud i Adran 1.2? a) Ydw b) Ydw c) Ydw

Taenlenni – Y Pethau Pwysig

Mae'r rhan fwyaf o bobl yn meddwl bod taenlenni *(spreadsheets)* yn anodd – ychydig iawn sy'n eu deall yn llwyr. Er hynny, maen nhw'n ddigon syml. Gwnewch yn siwr eich bod yn deall cynnwys y dudalen hon yn iawn cyn symud ymlaen at waith sy'n fwy anodd.

Cyfrifiannell Clyfar ydy Taenlenni

1) Rhaglen sy'n gallu dangos a phrosesu data mewn ffordd wedi'i strwythuro ydy taenlen. Mae'r rhan fwyaf yn credu mai prosesu rhifau ydy eu hunig bwrpas – ond maen nhw'n gallu delio gyda thestun yn ogystal.
2) Gellir defnyddio taenlenni i:
   a) cofnodi data
   b) chwilio am eitemau penodol o ddata
   c) gwneud cyfrifiadau sy'n defnyddio data
   ch) cynhyrchu graffiau a siartiau.
3) Mae enghreifftiau o'u defnydd yn cynnwys cadw cofnodion o gleifion mewn meddygfa, cyfrifo canlyniadau arholiad grŵp o ddisgyblion a chynhyrchu graffiau a seiliwyd ar ganlyniadau holiadur.

Mae data yn cael ei fwydo i Gelloedd

1) Mae taenlen yn cynnwys rhesi a cholofnau. Mae'r rhain yn rhannu'r ddalen yn gelloedd unigol.
2) Gellir adnabod pob cell drwy ddefnyddio llythyren y golofn a rhif y rhes fel cyfesurynnau.

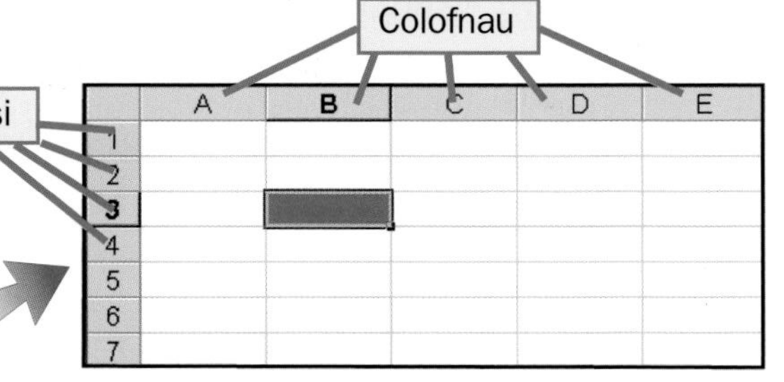

Mae'r gell goch yng Ngholofn B ac yn Rhes 3 - felly cyfeirnod y gell ydy B3.

Mae pob cell yn gallu cynnwys Un o Dri Pheth

Mae pob cell yn gallu cynnwys un (a dim ond un) o dri pheth...

DATA RHIFIADOL

e.e. rhifau, dyddiadau ac arian. Mae'r rhan fwyaf o daenlenni'n adnabod dyddiadau ac arian ac yn eu trosi i fformat addas – felly, os rhowch 23-6 i mewn, caiff ei drosi i 23 Mehefin.

DATA TESTUN

e.e. enwau pobl, teitlau CD.
1) Mae teitlau colofnau fel arfer yn cynnwys testun.
2) Un broses y gellir ei gweithredu gyda thestun ydy ei osod yn nhrefn yr wyddor.
3) Term TGCh am ddarn o destun ydy llinyn o destun.

FFORMIWLÂU

1) Mae'r rhain yn caniatáu i ganlyniadau cyfrifiadau gael eu harddangos o fewn cell.
2) E.e. gallwch wneud i'r cyfrifiadur adio'r holl rifau o fewn colofn ac arddangos yr ateb mewn cell ar waelod y golofn honno.
3) Yr hyn sy'n wych am daenlenni ydy, os ydych yn newid un rhif, mae'r cyfan o'r fformiwlâu yn cael eu diweddaru.

Y Rheol Aur ydy gosod dim ond un darn o ddata mewn cell – mae hyn yn golygu na ddylech gymysgu unrhyw ddata o'r math hwn.

1) Os ydych yn rhoi pwysau un cilo o bysgod i mewn fel '1000g' yna mae gennych ddata rhifiadol (1000) a data testun (g).
2) Mae taenlenni'n trin celloedd gydag unrhyw destun ynddyn nhw fel eu bod yn cynnwys dim ond data testun sydd â gwerth rhifiadol o sero.
3) Mae hyn yn golygu y bydd taenlenni'n darllen '1000g' fel eitem â gwerth rhifiadol o sero.

Mae'r rhan fwyaf o daenlenni'n caniatáu i chi gloi cell ar ôl i chi roi data i mewn fel na ellir ei newid. Rhaid i chi ddewis *Protect sheet* yn y ddewislen *Tools* yn ogystal er mwyn iddo weithio.

Yr eithriadau ydy pethau fel arian lle mae'r daenlen yn gwybod fod gan £5 werth o 5.

Cymerwch hoe fach – a dysgwch am gelloedd...

Y ffordd orau o ddeall taenlenni (neu unrhyw feddalwedd newydd arall) ydy arbrofi gyda nhw. Mae hyn yn wir am weddill yr adran hon. Ar ôl i chi ddarllen tudalen, ewch i ymarfer ar y cyfrifiadur – efallai y cewch hwyl arni!

Taenlenni – Y Pethau Pwysig

Mae taenlenni'n cael eu defnyddio i brosesu data ac yna i drosglwyddo'r wybodaeth. Mae hynny'n golygu ei bod yn bwysig eich bod yn deall sut i osod taenlen yn gywir.

Tair ffordd o Wella Dyluniad Taenlen...

1) Rhowch deitl y daenlen ar y top – yng nghell A1 fel arfer.
   - Os ydy'r teitl yn rhy fawr i ffitio i mewn i A1, bydd yn mynd drosodd i gelloedd A2, A3 ac yn y blaen – peidiwch â phoeni am hynny.
   - Os byddwch am ddefnyddio'r daenlen fel y ffeil ddata wrth bostgyfuno, bydd yn rhaid i'r rhes gyntaf gynnwys enwau maes *(field names)* – felly rhowch y teitl fel pennyn *(header)*.
2) Nesaf, nodwch benawdau'r colofnau a'r rhesi.
   - Peidiwch â gadael unrhyw golofnau na rhesi yn wag – maen nhw'n achosi trafferth gyda siartiau a graffiau.
   - Gallwch gynyddu lled y golofn os bydd angen.
3) Rhowch y data yn y celloedd.
   - Newidiwch fformat y celloedd i ddangos rhifau hyd at nifer arbennig o bwyntiau degol, neu i ddangos symbol arian os ydych yn delio ag arian.
   - Mae'r rhan fwyaf o daenlenni'n caniatáu i chi ddefnyddio fformiwlâu dilysu *(validate)* data – felly os rhowch oed i mewn fel 1290, cewch neges i ddweud eich bod wedi gwneud camgymeriad.

	A	B	C
1	Siop Offerynnau Cerdd Meic – Cyfrifon Cwsmeriaid		
2	Enw'r cwsmer	Swm a dalwyd hyd yma	Swm sydd eto i'w dalu
3	Gillian Clarke	£70.00	£80.00
4	Matthew Miller	£0.00	£550.00
5	Prittih Patel	£115.00	£640.00
6	Joshua Scott	£430.00	£770.00
7	Nancy Westwood	£55.00	£20.00
8	Malika Dawson	£320.00	£230.00
9	Simon Chester	£25.00	£75.00

... a Thair Ffordd o Wella'r Diwyg

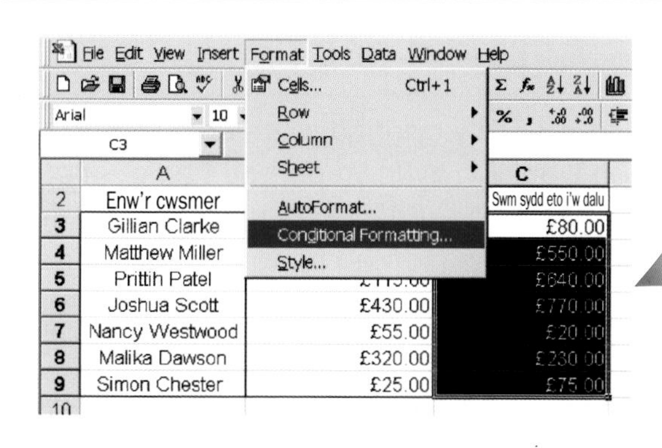

1) Fformatiwch y data mewn ffyrdd tebyg i brosesydd geiriau. Defnyddiwch italig, print trwm, gwahanol ffont, lliwiau, maint ac yn y blaen.
2) Mae rhai taenlenni'n caniatáu fformatio amodol. Bydd fformat cell yn cael ei newid os ydy cynnwys y gell yn cytuno â rhai amodau – e.e. gallwch ddewis gwneud i'r gell droi'n goch os oes gan berson ddyled o dros £100.
3) Mae rhai taenlenni'n caniatáu i chi osod graffigwaith, ffilmiau, a seiniau. Peth digon defnyddiol – o bosib.

Gellir Mewnforio ac Allforio Data Taenlen

1) Os ydy'r data rydych am eu rhoi mewn taenlen mewn ffeil yn rhywle arall (fel cronfa ddata neu ddyfais logio data), gallwch eu mewnforio'n uniongyrchol i'r daenlen – hynny ydy, os ydy'r data mewn fformat ffeil cyffredin fel CSV. Mae hyn yn arbed y drafferth o aildeipio'r cyfan eto.
2) Ystyr CSV ydy *Comma-Separated Variable*. Pan fo'r data'n cael eu cadw, caiff coma ei osod rhwng pob darn o ddata o fewn rhes, a chaiff toriad llinell ei osod rhwng y darn olaf o ddata o fewn un rhes a'r cyntaf yn y rhes nesaf. Gellir trosglwyddo data CSV rhwng taenlen, tabl a chronfa ddata'n rhwydd.
3) Mae cyfresi meddalwedd integredig sy'n cyfuno taenlenni a phrosesyddion geiriau yn gallu trosglwyddo data rhwng rhaglenni drwy ddefnyddio copïo a gludo.

CSV Cyf. – Busnes Mewnforio ac Allforio...

Os nad ydych yn gwybod sut i fewnforio ac allforio gwaith yn barod, ewch ati ar unwaith i lwytho taenlen a rhoi cynnig ar bopeth a ddisgrifir ar y dudalen hon. Mae'n hwyl!

Taenlenni – Fformiwlâu Syml

Heb fformiwlâu dydy taenlenni'n ddim ond tablau ffansi. Fformiwlâu sy'n gyfrifol am y cŵl mewn 'taenlenni cŵl'.

Rhaglen Gyfrifiadurol Syml ydy Fformiwla

1) Fformiwla ydy cyfarwyddyd i gyfrifiadur brosesu data a gedwir mewn celloedd penodol – mae'n defnyddio ffwythiannau y gallwch naill ai eu teipio i mewn neu eu dewis o restr.

CAM 1 – Cliciwch ar y gell lle rydych eisiau'r ateb.

CAM 2 – Teipiwch hafalnod (=).

CAM 3 – Teipiwch y fformiwla. C3+D3+E3 fyddai yma.

Mae'r hafalnod (=) yn dweud wrth y cyfrifiadur i ddisgwyl fformiwla

SUM ▾ ✕ ✓ = =C3+D3+E3

	A	B	C	D	E	F
1	Perfformiad y Tîm Gwerthu					
2	Enw	Cyfenw	Gwerthiant 1	Gwerthiant 2	Gwerthiant 3	Cyfanswm
3	Teresa	Wood	24	15	32	=C3+D3+E3
4	Tanya	Hide	33	30	41	
5	Colin	Moore	27	32	29	
6	Phillip	Farley	18	19	22	
7	Mia	Fernandez	35	33	26	

2) Y ffwythiannau symlaf ydy +, –, * (ar gyfer lluosi) a / (ar gyfer rhannu), ond mae llawer iawn o rai eraill, e.e. mae *SUM* yn ffeindio cyfanswm grŵp o rifau'n awtomatig ac mae *AVERAGE* yn cyfrifo'r cymedr.
3) Unwaith i chi roi fformiwla i mewn, gallwch ei chopïo i gelloedd eraill. Felly, gallai'r fformiwla yn F3 gael ei chopïo i gelloedd F4 hyd F7 – a byddai'r cyfrifiadur yn mewnosod y fformiwlâu cywir yn awtomatig i roi cyfanswm y rhesi hyn.

Mae hyn yn golygu fod taenlenni'n ffordd hawdd o wneud cyfrifiadau sy'n debyg o fewn set fawr o ddata.

Mae Fformiwlâu yn gallu bod â Chyfeirnod Cell Absoliwt neu un Perthynol

1) Yn yr enghraifft uchod, mae'r fformiwla F3(=C3+D3+E3) yn dweud wrth y cyfrifiadur am adio data'r tair cell ar y chwith gyda'i gilydd. Os copïwch chi'r fformiwla hon i gell F4, bydd yn parhau i adio cynnwys y tair cell sydd ar y chwith, ac felly bydd F4 yn mynd yn "=C4+D4+E4". Dyna pam y gelwir hwy'n gyfeirnodau cell perthynol *(relative)* – mae'r data a ddefnyddir yn yr un man mewn perthynas â chell yr ateb.
2) Weithiau bydd angen i ran o fformiwla gyfeirio at un gell benodol gydol yr amser – nid ydych eisiau i'r cyfrifiadur newid cyfeirnod y gell. Yn yr achosion hyn rhaid i chi ddefnyddio cyfeirnod cell absoliwt – un na chaiff ei newid. Gallwch wneud hyn drwy roi arwydd doler o flaen cyfeirnodau'r gell. Felly, cyfeirnod cell perthynol ydy B12 – ond cyfeirnod cell absoliwt ydy \$B\$12.
3) Defnyddir cyfeirnod cell absoliwt ar gyfer y daenlen isod (i gynrychioli'r % o gomisiwn y mae asiantaeth gosod tai yn ei godi).

	A	B	C	D
1	Eiddo	Rhent misol	Comisiwn yr Asiant	Swm i'r Perchennog
2	Bryn Derw	£450	£45	£405
3	Yr Hen Bost	£300	£30	£270
4	Llwyn Onn	£250	£25	£225
5	Bwthyn Lelog	£150	£15	£135
6	Ty'n y Coed	£500	£50	£450
7			£165	£1,485
8				
9	Comisiwn yr Asiant (%)		10	

Colofn C:	Colofn D:
=B2 / 100 * \$C\$9	=B2 – C2
=B3 / 100 * \$C\$9	=B3 – C3
=B4 / 100 * \$C\$9	=B4 – C4
=B5 / 100 * \$C\$9	=B5 – C5
=B6 / 100 * \$C\$9	=B6 – C6

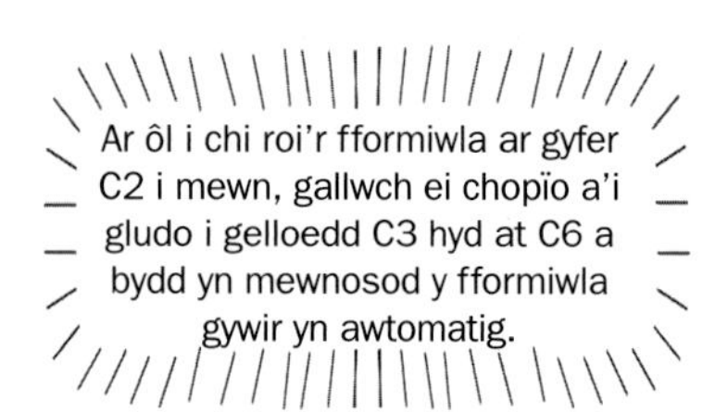

Ar ôl i chi roi'r fformiwla ar gyfer C2 i mewn, gallwch ei chopïo a'i gludo i gelloedd C3 hyd at C6 a bydd yn mewnosod y fformiwla gywir yn awtomatig.

Cell Berthynol...

Mae digon i'w ddysgu yma. Gwnewch yn siwr eich bod yn gwybod sut i roi fformiwlâu i mewn a sut i'w copïo. Yn ogystal â gwybod beth ydy'r gwahaniaeth rhwng cyfeirnod cell absoliwt a chyfeirnod cell perthynol, byddai'n werthfawr i chi hefyd wybod am rai enghreifftiau o pryd i'w defnyddio.

Taenlenni – Gwaith Anoddach

Os oes rhywbeth rydych am ei wneud â thaenlen, y siawns ydy fod yna fformiwla ar gael. Handi iawn. Efallai y bydd y cyfan yn edrych yn anodd ar y dechrau ond, unwaith i chi ei ddeall, byddwch yn sylweddoli faint o amser ac ymdrech y gall taenlenni ei arbed i chi.

Mae Ffwythiannau Rhesymeg yn caniatáu i'r Daenlen Benderfynu Beth i'w Wneud

1) Mae ffwythiannau rhesymeg yn gwneud gwahanol bethau sy'n dibynnu ar y data sydd mewn celloedd eraill – e.e. os ydy'r rhif mewn cell sy'n cynnwys tymheredd yn negyddol, gallai allbwn y ffwythiant rhesymeg fod yn 'Oer'. Os ydy'r rhif yn bositif gallai fod yn 'Cynnes'.

2) Yn y daenlen hon, mae cyfanswm y gwerthiant yng ngholofn C. Bydd staff a fydd wedi gwerthu llai nag 80 eitem yn gorfod cael hyfforddiant ychwanegol. Mae'r ffwythiant rhesymeg yng ngholofn D yn dweud wrth y daenlen am arddangos y gair 'Oes (Yes)' os ydy'r rhif yng ngholofn C yn 80 neu lai, a 'Nac Oes (No)' os ydy dros 80.

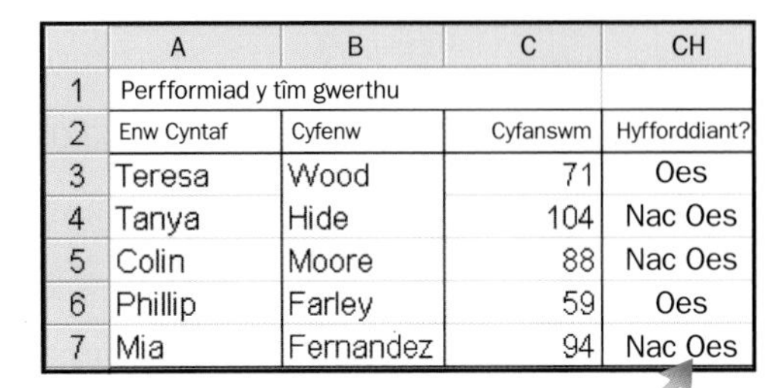

	A	B	C	CH
1	Perfformiad y tîm gwerthu			
2	Enw Cyntaf	Cyfenw	Cyfanswm	Hyfforddiant?
3	Teresa	Wood	71	Oes
4	Tanya	Hide	104	Nac Oes
5	Colin	Moore	88	Nac Oes
6	Phillip	Farley	59	Oes
7	Mia	Fernandez	94	Nac Oes

Y fformiwla hon ydy '=IF(C7>80,'No', 'Yes')' – sy'n golygu os caiff yr amod 'C7>80' ei fodloni, yna dylai 'No' gael ei ddangos. Fel arall, dylai 'Yes' gael ei ddangos.

3) Mae hyn yn defnyddio'r ffwythiant rhesymeg 'IF'. Bydd y gell allbwn yn arddangos allbwn arbennig os ydy amod yn cael ei fodloni.

4) Gall ffwythiannau rhesymeg arbed llawer iawn o amser, a lleihau'r siawns o wall dynol

Mae Wil yn profi nad oes dim yn fwy dychrynllyd na ffwythiannau rhesymeg.

Mae Tablau yn Arddangos Data Penodol

1) Mae tabl am-edrych *(look-up table)* yn ddigon tebyg i gronfa ddata. Mae data yn cael eu storio mewn tabl yn un rhan o'r daenlen, ac mewn rhan arall gallwch arddangos data o'r tabl hwnnw.

2) Yma, mae siop sy'n gwerthu nwyddau fampiriaid wedi rhestru ei nwyddau ar waelod y daenlen. Ar frig y daenlen mae'r defnyddiwr yn gosod cod y cynnyrch yng nghell B1 – yna mae'r daenlen yn arddangos enw'r cynnyrch yn awtomatig yn B2 a'r pris yn B3.

3) Mae'r fformiwlâu yng nghelloedd B2 a B3 yn achosi dychryn – ond y cyfan y maen nhw yn ei wneud ydy archwilio'r data yng nghelloedd A6-A12, a dangos y data hynny wrth ochr y cod cynnyrch perthnasol.

4) Mae tablau yn ddigon diwerth ar gyfer setiau bychain o ddata fel y rhain gan y gallwch ganfod y wybodaeth eich hunan yn ddigon hawdd. Ond mae'n ddefnyddiol iawn ar gyfer setiau mawr o ddata fel rhestri stoc siopau.

Gosodwch y cod ymaa…

…a bydd y manylion yn ymddangos yma.

	A	B	C
1	Cod Cynnyrch	26346	
2	Enw'r Cynnyrch	Gwrthyrrwr garlleg	
3	Pris	£0.50	
4			
5	Cod Cynnyrch	Enw'r Cynnyrch	Pris
6	12532	Clogynnau du	£25.99
7	65489	Dannedd miniog	£5.50
8	26346	Gwrthyrrwr garlleg	£0.50
9	57343	Sbectol haul	£15.99
10	23908	Ystlumod amrywiol	£25.99
11	31092	Paent wyneb gwyn	£5.99
12	23412	Mesurydd golau	£34.50

Tablau…

Byddwch yn defnyddio taenlenni symlach, gan amlaf, yn eich gwaith ar gyfer TGCh Gymhwysol TGAU, ac felly nid ydy'n hawdd deall pam y mae angen gwneud y gwaith dyrys hwn. Serch hynny, mae ymchwilio i'r ffyrdd y mae TGCh yn cael ei defnyddio gan wahanol sefydliadau yn bwysig o fewn y cwrs, felly ceisiwch feddwl amdano o'r safbwynt hwnnw.

Taenlenni – Graffiau a Siartiau

Peidiwch â phoeni am y gwahaniaeth rhwng graffiau a siartiau – dim ond gwahanol ffyrdd o ddangos data mewn ffordd weledol ydyn nhw.

Gwaith Hawdd Iawn ydy Creu Siart...

Mae pob taenlen fodern yn gallu creu graffiau a siartiau – ond mae pob un yn defnyddio dull ychydig yn wahanol. Mae'r syniad gwreiddiol, er hynny, bob amser yr un fath.

	A	B
1	Cynnyrch	Nifer a werthwyd
2	Bybls	18
3	Gel	25
4	Hufen croen	30
5	Siampŵ	28
6	Sebon	32

CAM UN: Gosodwch yr holl ddata rydych am eu rhoi mewn graff mewn un bloc. Mae'n fanteisiol os ydy'r data wedi eu trefnu mewn colofnau.

CAM DAU: Amlygwch y data sydd i'w ddefnyddio – efallai y bydd angen i chi amlygu penawdau'r colofnau yn ogystal.

CAM TRI: Dewiswch y math o siart rydych ei angen – dewiswch yn gall gan wneud yn siwr fod eich dewis yn addas.

CAM PEDWAR: Dewiswch deitl ystyrlon ar gyfer y siart sy'n crynhoi'r cynnwys. Labelwch bob echelin.

CAM PUMP: Penderfynwch os oes angen allwedd i'r siart.

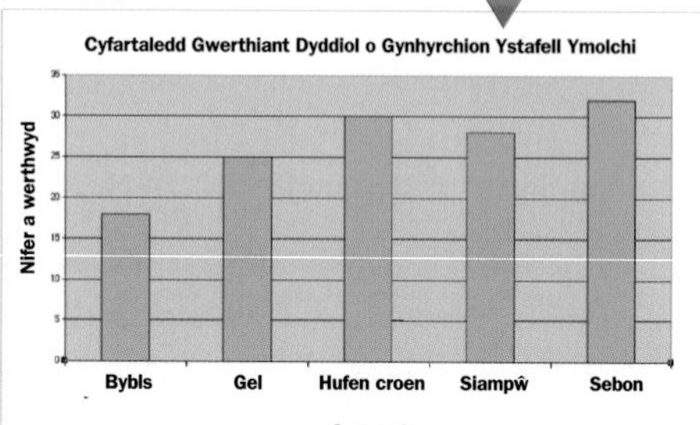

...ond rhaid i chi wybod pa rai sy'n Addas

Mae taenlenni yn gallu creu gwahanol fathau o graffiau – ond rhaid i chi ddewis y math addas. Weithiau, mae'n dibynnu ar eich chwaeth, ond dro arall mae yna ddewisiadau cywir a rhai anghywir.

1) **GRAFF BAR** – Maen nhw'n dangos categori ar yr echelin x a gwerth ar yr echelin y. Defnyddiwch graff bar pan fo pob categori ar wahân i rai eraill – e.e. y cynnyrch a werthwyd.

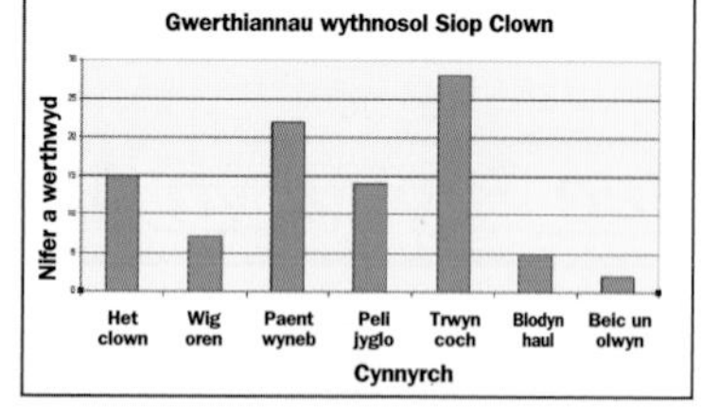

2) **GRAFF LLINELL** – Maen nhw'n debyg ond maen nhw'n cael eu defnyddio pan nad ydy'r data ar yr echelin x mewn categorïau – fel 'amser' pan fyddwch yn dangos elw wythnosol cwmni dros gyfnod o rai misoedd.

3) **GRAFF GWASGARIAD** – Maen nhw'n dangos y berthynas rhwng dwy set o ddata – plotiwch un set ar yr echelin x a set arall ar yr echelin y ac adiwch linell tuedd *(trend line)* i ddangos y berthynas yn gliriach.

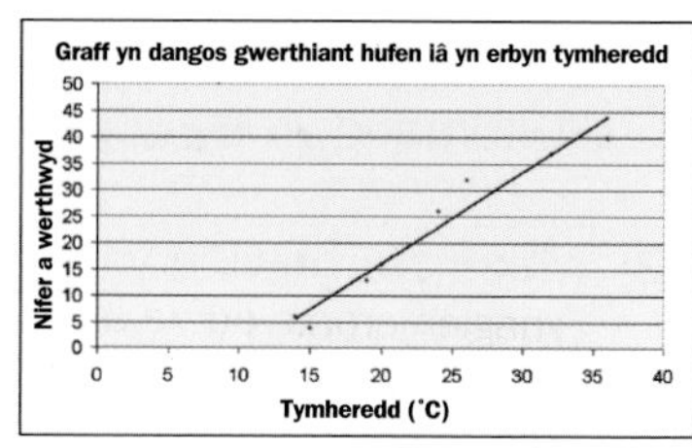

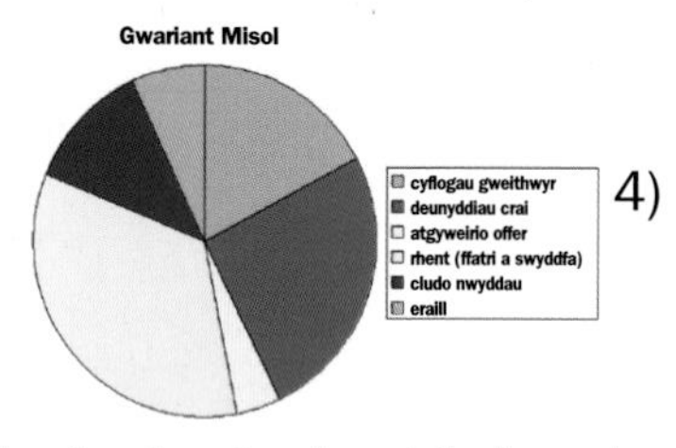

4) **SIART CYLCH** – Mae'n dangos cyfraniad categorïau gwahanol tuag at gyfanswm – e.e. siart sy'n dangos ar beth y gwariodd y cwmni ei arian.

Mae'n demtasiwn i fod yn rhy glyfar ac i ddefnyddio graffiau ffansi nad ydyn nhw damaid yn gliriach na rhywbeth elfennol. Unwaith eto, y rheol ydy cadw pethau'n syml – gwnewch yn siwr fod y graff yn ateb y pwrpas. Yn ddelfrydol, profwch y graff drwy ei ddangos i rywun fydd yn edrych arno.

Graffiau – gallan nhw wneud argraff...

Nawr, dyma lle mae taenlen yn ddefnyddiol iawn. Mae'n llawer haws pwyso botwm neu ddau a chael y cyfrifiadur i greu graff deniadol ar eich cyfer nag eistedd am ugain munud gyda phensil a phren mesur. Ewch ati i ymarfer – mae'n ddigon hawdd ar ôl i chi ddysgu.

Cronfeydd Data – Cyflwyniad

Ffyrdd hwylus o storio a rheoli llawer o ddata ydy cronfeydd data. Nid tablau o wybodaeth yn unig ydynt – mae yna bob math o bethau clyfar y gallwch eu gwneud gyda nhw. Darllenwch ymlaen...

Stôr o Ddata ydy Cronfa Ddata

1) Casgliad trefnus o ddata ydy cronfa ddata sy'n cynnwys un neu fwy o dablau fel hwn.
2) Caiff y wybodaeth ei rhannu'n gofnodion a meysydd.
3) Colofnau tabl y gronfa ddata ydy'r meysydd gyda chofnod gwahanol yn mhob rhes.

Maes allweddol

Tabl : Rhestr gyflogau

Adran	Rhif y gweithiwr	Dyddiad geni	Cyflog
Gwerthiant	100345	26/09/1964	£18,000
Marchnata	100346	13/08/1976	£30,000
Gweithrediadau	100347	11/02/1982	£22,000
Cyllid	100348	16/04/1973	£33,000
Gwerthiant	100349	23/12/1959	£19,000
Pryniant	100350	10/10/1985	£21,000

Tabl syml mewn cronfa ddata ar gyfer y rhestr gyflogau

4) Mae'r maes allweddol yn cynnwys eitem o ddata sy'n unigryw i bob cofnod – felly, nid oes yr un gwerth i unrhyw gofnodion o fewn y maes allweddol. Rhif y gweithiwr ydy'r maes allweddol yma.
5) Mantais fawr cronfeydd data ydy y gallwch chwilio drwyddynt yn gyflym i ddod o hyd i ddata penodol, neu eu defnyddio i gynhyrchu adroddiadau – e.e. pa lyfrau o fewn cronfa ddata cwmni cyhoeddi sydd wedi gwerthu orau.

Mae'n Bwysig Iawn eich bod yn Cynllunio Meysydd yn Dda

1) Y cam cyntaf wrth greu cronfa ddata ydy penderfynu pa feysydd sydd eu hangen. Unwaith i chi benderfynu hynny, rhaid i bob maes gael enw, disgrifiad o'i gynnwys, y math o ddata a fformat.
2) Mae'r math o ddata yn hollbwysig gan y gellir gwneud gwahanol brosesau gyda gwahanol fathau o ddata. Gwelir y mathau mwyaf cyffredin o ddata yn y blwch – mae'r rhan fwyaf o raglenni'n caniatáu rhai eraill.

TESTUN e.e. Banana, RHIFAU e.e. 25.67
DYDDIADAU e.e. 26-09-82 neu 26/09/82
ARIAN CYFRED e.e. £12.59 neu €4.32

3) Gallwch osod rheolau dilysu ar gyfer pob maes o fewn eich cronfa ddata. Gall y rhain gael eu defnyddio i sicrhau fod data a osodwyd mewn maes arbennig o'r math cywir neu o fewn amrediad arbennig. E.e. gallech drefnu fod maes 'Dyddiad Geni' yn gwrthod derbyn data os ydy'n fwy diweddar na'r dyddiad ar y pryd.

Gall Cronfeydd Data fod ar ffurf Ffeil Fflat neu Ffeil Berthynol

CRONFEYDD DATA FFEIL FFLAT

1) Cronfeydd data ffeil fflat fydd y rhai a ddefnyddir gennych y rhan fwyaf o'r amser.
2) Bydd y cyfan o'r data wedi ei drefnu mewn un tabl y gellir edrych arno drwy agor un ffeil ddata.
3) Gellir creu cronfeydd data ffeil fflat gyda phob rhaglen cronfa ddata a'r rhan fwyaf o daenlenni.

CRONFEYDD DATA PERTHYNOL

1) Mae cronfeydd data perthynol yn storio data mewn tablau a ffeiliau sydd ar wahân.
2) Cysylltir y tablau gyda'i gilydd gan feysydd arbennig sy'n gyffredin iddynt.
3) E.e. yn y gronfa ddata 'Rhestr gyflogau' ar frig y dudalen hon gwelir y maes 'rhif y gweithiwr' sy'n gallu adnabod pob un o weithwyr y cwmni mewn ffordd unigryw.
4) Mae'r un maes yn cael ei ddefnyddio yn y tabl hwn sy'n cynnwys manylion cysylltu â'r gweithwyr yn ogystal.
5) Ni all rhif y gweithiwr ymddangos fwy nag unwaith ym mhob tabl – gelwir hyn yn berthynas un i un.
6) Gallwch gael perthnasoedd un i nifer lle bo un darn o ddata yn ymddangos unwaith yn unig mewn un tabl ond nifer o weithiau yn y tabl y mae'n gysylltiedig ag ef. Waw!

Tabl: Manylion Cysylltu

Enw cyntaf	Cyfenw	Cyfeiriad 1	Cyfeiriad 2	Cod Post	Rhif y gweithiwr
Rachel	Belgrave	5 Beanthwaite Close	Houghton	NW12 7RS	100345
Jenny	Underway	33 South Avenue	Beanthwaite	NW25 2HI	100346
Kate	Broughton	12 Bell View	Millom	LA12 7WU	100347
Kate	Redman	48 Rydal Gardens	Barrow-in-Oven	LA18 8GY	100348
Ed	Robin	28 King George Rd	Daltonia	LA29 9GG	100349
Dominic	Hurl	13 Devils Close	West Shields	NW13 8UV	100350

Gallai'r gwaith hwn eich troi yn erbyn perthnasau...

Mae'n cymryd tipyn o amser i ddeall cronfeydd data perthynol. Er hynny, rhaid i chi wybod amdanynt, felly mae'n well i chi geisio gwneud hynny nawr. Canwch gyda mi 'Cronfeydd data ...beth ydy eu gwerth... DIM o gwbl... Cronfeydd data...beth ydy...' (Wedi dweud hynny, maen nhw'n ddigon defnyddiol a dweud y gwir.)

Cronfeydd Data – Didoli a Chwilio

Yn ogystal â gwybod sut i greu cronfa ddata mae'n rhaid i chi wybod hefyd sut i chwilio am wybodaeth. Gwnewch yn siwr eich bod yn gwybod am y prif ddulliau a gaiff eu hegluro ar y dudalen hon.

Gellir Didoli Cofnodion Cronfeydd Data...

1) Didoli ydy'r broses symlaf y gallwch ei gwneud gyda chronfa ddata. Byddwch yn dewis maes, a bydd y cofnodion o fewn y maes hwnnw'n cael eu didoli mewn trefn.
2) Gellir didoli wrth ddefnyddio meysydd testun a meysydd rhifiadol. Didolir meysydd testun yn nhrefn yr wyddor drwy roi gwerth rhifiadol i bob llythyren (e.e. A = 1, B = 2, … Z = 26).
3) Mae didoli yn gallu bod mewn trefn esgynnol (gyda'r gwerth lleiaf yn gyntaf), neu mewn trefn ddisgynnol (gyda'r gwerth uchaf yn gyntaf).

TABL: CYFRIFIADURON

ID	Model	Gyriant caled	RAM	Cost
2	GX452	60	128	£550.00
4	LEN557	20	64	£599.00
3	LEN556A	20	64	£650.00
5	JJPC3324	20	256	£655.99
6	JJPC3324DVD	30	128	£700.00
8	CAH5567RW	60	256	£729.99
7	CAH5567DVD	60	256	£729.99
1	GX3345	60	128	£799.99

Mae'r gronfa ddata hon sy'n ymwneud â chyfrifiaduron wedi ei didoli yn nhrefn cost – y rhataf yn gyntaf.

...Neu Chwilio drwyddyn nhw gan wneud Ymholiad

1) Chwiliad ydy pan fo'r cyfrifiadur yn edrych am ddata o dan rai amodau. I wneud hynny rydych yn gwneud ymholiad – sy'n ddim mwy na rhestr o'r pethau rydych am i'r cyfrifiadur chwilio amdanyn nhw.
2) Mae chwiliad syml yn gofyn i'r gronfa ddata edrych am gofnodion sy'n ateb un amod yn unig.

CHWILIAD SYML

I chwilio am bob cyfrifiadur sydd â gyriant caled o 60Gb yn y gronfa ddata uchod, byddech yn rhoi:

Gyriant caled = 60

=	mae'n canfod gwerthoedd sy'n hafal i swm arbennig.
<	mae'n canfod gwerthoedd sy'n llai na'r swm a nodwyd.
>	mae'n canfod gwerthoedd sy'n fwy na'r swm a nodwyd.
< >	mae'n canfod gwerthoedd nad ydyn nhw'n hafal i'r swm a nodwyd.
< =	mae'n canfod gwerthoedd sy'n llai na, neu'n hafal i'r swm a nodwyd.
> =	mae'n canfod gwerthoedd sy'n fwy na, neu'n hafal i'r swm a nodwyd.

3) Gallwch hefyd wneud chwiliad bras *(wildcard search)*. Mae hyn yn golygu mai dim ond rhan o'r hyn rydych yn chwilio amdano rydych chi'n ei wybod, e.e. gallwch chwilio am fodelau o gyfrifiadur sy'n cynnwys "DVD"...

CHWILIAD BRAS

Defnyddiwch * i gynrychioli rhywbeth.
Wrth chwilio

Model = "*DVD"

gall y seren gynrychioli rhywbeth (neu ddim). Felly, yn y gronfa ddata uchod, byddai hyn yn rhoi dau ganlyniad – JJPC3324DVD a CAH5567DVD.

4) Gallwch wneud chwiliad cymhleth hefyd – sef pan fyddwch yn defnyddio AND, OR, a NOT i chwilio am gofnodion sy'n ateb mwy nag un amod.
5) Gweithrediad rhesymeg Boole ydy AND, OR a NOT. Defnyddir hwy mewn mynegiadau na allan nhw ond bod naill ai'n wir neu'n anwir.

CHWILIAD CYMHLETH

Mae'r rhain yn chwilio am ddata sy'n ateb mwy nag un amod. E.e. er mwyn canfod pob un cyfrifiadur gyda gyriant caled 40Gb neu 60Gb yn y gronfa ddata uchod, rhowch:

Hard drive = "40" OR "60".

Neu pe baech eisiau canfod cyfrifiaduron gyda gyriant caled 60Gb sy'n costio llai na £700, byddech yn rhoi:

Hard drive = "60" AND Cost <£700.

Neu i ganfod cyfrifiaduron sydd heb faint RAM o 512Mb ac sydd â'u pris heb fod yn fwy na £750, gallech ddefnyddio:

NOT (RAM = "512") AND Cost <=£750.

Gan fod gwyddoniaduron CD-ROM a pheiriannau chwilio'r Rhyngrwyd yn gweithio fel cronfeydd data mawr, gellir defnyddio'r rhan fwyaf o'r dulliau chwilio a restrir yma arnyn nhw hefyd.

Sut y galla i adnabod fy hun? – drwy chwilio...

Nid ydy'r gwaith hwn yn anodd iawn – ac nid ydy'n gyffrous iawn chwaith. Mae'n bwysig eich bod yn rhoi cynnig ar y gwaith hwn eich hun – dydy darllen amdano ddim yn ddigon.

Cronfeydd Data – Adroddiadau

Gallwch ddangos canlyniadau chwilio mewn tabl syml neu gallwch eu cyflwyno mewn adroddiad...

Gallwch wneud Ymholiad mewn Adroddiad Cronfa Ddata

Mae adroddiadau yn dangos gwybodaeth o dabl cronfa ddata neu ymholiad mewn ffordd sy'n hawdd eu darllen ac yn haws dod o hyd i'r wybodaeth.

1) Pan fyddwch yn paratoi adroddiad gallwch ddewis:
   – pa feysydd rydych am eu dangos
   – sut rydych am i'r cofnodion gael eu didoli
   – sut rydych am i'r ddogfen gael ei chynllunio (yn cynnwys ffontiau a lliwiau).

Mae gan lawer o raglenni cronfa ddata (e.e. MS Access) ddewin fydd yn eich helpu i greu adroddiad. Mae ganddyn nhw gynlluniau ac arddulliau sydd wedi eu rhagosod i chi ddewis ohonyn nhw.

Cynhyrchwyd yr adroddiad cronfa ddata hwn gan ddefnyddio adroddiad dewin MS Access. Mae tri maes yn cael eu dangos a didolir y cofnodion yn nhrefn esgynnol dyddiad prynu. Dewiswyd y cynllun gweledol a'r arddull o ddewisiadau wedi eu rhagosod.

Offer Sain a brynwyd cyn 2001

DYDDIAD PRYNU	23/03/1999
DISGRIFIAD	SOUND MIXER
COST	£300.00
DYDDIAD PRYNU	23/03/1999
DISGRIFIAD	SOUND MIXER
COST	£750.00
DYDDIAD PRYNU	23/03/1999
DISGRIFIAD	EFFECTS UNIT
COST	£500.00
DYDDIAD PRYNU	01/02/2000
DISGRIFIAD	SPEAKER
COST	£200.00
DYDDIAD PRYNU	01/02/2000
DISGRIFIAD	SPEAKER
COST	£200.00
DYDDIAD PRYNU	01/02/2000
DISGRIFIAD	STEREO AMPLIFIER
COST	£150.00
DYDDIAD PRYNU	01/02/2000
DISGRIFIAD	STEREO AMPLIFIER
COST	£130.00
DYDDIAD PRYNU	21/02/2000
DISGRIFIAD	SMALL SOUND SYSTEM
COST	£580.00

2) Gellir defnyddio canlyniadau ymholiad cronfa ddata hefyd i greu llythyrau wedi eu postgyfuno. Er enghraifft, gallai optegydd anfon llythyrau'n atgoffa'r holl bobl sydd ar eu cronfa ddata sydd heb dderbyn prawf llygad ers mwy na 12 mis.

3) Mae'r rhan fwyaf o feddalwedd cronfa ddata yn caniatáu i gyfrifiadau gael eu gwneud ar y data, gan ddangos y canlyniadau fel rhan o adroddiad. Efallai y byddai cyhoeddwr, er enghraifft, am ddefnyddio cronfa ddata i gadw manylion gwerthiant wythnosol llyfrau, gan osod gwerthiant pob wythnos mewn maes gwahanol. Yna gallai'r gronfa ddata adio'r gwerthiant wythnosol ar gyfer pob llyfr a dangos hyn mewn adroddiad fel Cyfanswm Gwerthiant.

Ac yn Olaf... Yr hyn sy'n Dda ac yn Ddrwg am Gronfa Ddata

O BLAID CRONFA DDATA

1) Maen nhw'n ffordd gyflym ac effeithiol o storio llawer o ddata ac o gael mynediad atyn nhw.
2) Mae angen llawer llai o le i'w storio o'u cymharu â system ar bapur, ac mae'r data'n llai tebyg o fynd ar goll.
3) Mae chwilio am ddata yn gyflymach ac yn haws na defnyddio cofnodion ar bapur.
4) Mae'n haws gwneud cyfrifiadau ac i ddefnyddio cronfa ddata i greu dogfennau eraill.

YN ERBYN CRONFA DDATA

1) Mae angen caledwedd a meddalwedd cyfrifiadurol drud ar gyfer cronfeydd data mawr.
2) Rhaid hyfforddi defnyddwyr sut i'w defnyddio'n gywir.

Rydw i wedi cael digon. Alla i ddim dioddef mwy...

Cronfeydd data – maen nhw'n rhan o'r maes llafur, felly does gen i ddim dewis ond sôn amdanyn nhw. Unwaith y byddwch wedi eu deall, rhaid i chi eistedd gyda'ch rhaglen cronfa ddata a rhoi cynnig arnyn nhw. Gwnewch dabl, chwiliwch am eitemau o wybodaeth, ewch ati i greu rheolau gwirio, ac yn y blaen.

Adran 1.2 – Crynodeb Adolygu

Da iawn! Rydych newydd ddod o hyd i'r dudalen gyfrinachol ar ddiwedd Adran 1.2. Rydych yn glyfar iawn! Ewch drwy'r cwestiynau hyn gan wneud yn siwr eich bod yn gallu ateb pob un. (Wedi meddwl, efallai nad oedd dod o hyd i'r dudalen mor glyfar â hynny wedi'r cwbl...)

1) Beth ydy'r enw ar y darn lleiaf o daenlen?
   a) Cawell b) Cangell c) Cell
2) Ym mha res mae cell G14?
3) Beth ydy llinyn testun *(text string)*?
4) Sawl darn o ddata y dylid ei osod mewn un gell?
5) Pan fyddwch yn creu ffeil ddata bostgyfunol, lle dylech chi osod penawdau'r meysydd?
   a) Yn y rhes gyntaf b) Yn yr ail golofn c) Rhywle yn Nhalybont
6) Esboniwch beth ydy fformatio amodol.
7) Beth ydy ystyr CSV? Pam y mae'n ddefnyddiol?
8) Pa fformiwla fydd Dafydd y ffermwr yn ei rhoi yng nghell B5?

	A	B
1	Buwch	Pris gwerthu
2	Seren	£48.50
3	Gwenno	£65.00
4	Glesni	£70.00
5	Cyfanswm incwm	

9) Esboniwch beth sy'n digwydd yn arferol pan fyddwch yn copïo a gludo fformiwla i resi a cholofnau eraill.
10) Beth ydy ystyr 'cyfeirnod cell absoliwt'?
11) Sut ydych chi'n newid 'C6' i gyfeirnod cell absoliwt?
12) Beth ydy ffwythiannau rhesymeg?
13) Beth ydy ystyr y ffwythiant =IF(C2>£15,000,"No pay rise","Pay rise")?
14) Esboniwch yn llawn sut mae tabl am-edrych *(look-up table)* yn gweithio.
15) Rhestrwch dri darn o wybodaeth angenrheidiol y dylid eu cynnwys mewn siartiau taenlen.
16) Nodwch dri math gwahanol o siart y gallwch eu creu gyda meddalwedd taenlen.
17) Beth ydy cronfa ddata?
18) Beth ydy maes allweddol?
19) Beth ydy'r maes allweddol mewn cronfa ddata sy'n rhestru gwybodaeth am lyfrau gwahanol?
20) I beth y defnyddir rheolau gwirio mewn cronfeydd data?
21) Esboniwch y gwahaniaeth rhwng cronfa ddata ffeil fflat a chronfa ddata berthynol.
22) Beth ydy perthynas un i un? Beth ydy perthynas un i nifer?
23) Pwy fydd yn ymddanos ar frig rhestr sydd wedi ei didoli mewn trefn ddisgynnol yn ôl Enw Olaf – Alice Zybrynski, neu Zack Alphonsus?
24) Beth ydy'r gwahaniaeth rhwng > a <>?
25) Beth ydy chwiliad bras? Sut y gallwch chi ddefnyddio un i chwilio am yr holl bobl sydd â'u cyfenw'n dechrau gyda McD?
26) Beth ydy rhesymeg Boole? Sut gellir ei defnyddio i gynnal chwiliad cymhleth?
27) Edrychwch ar y tabl ac ysgrifennwch ymholiadau i ganfod:
   a) pob ffôn sy'n costio llai na £100 ac sydd â galwadau'n costio llai na 20c.
   b) pob ffôn nad ydyn nhw gyda O2 ac sydd â mwy na 100 munud am ddim bob mis.

ID Ffôn	Rhwydwaith	Pris	Cost galwadau (bob munud)	Nifer o funudau am ddim (bob mis)
01	O2	£59.00	£0.15	100
02	Vodafone	£132.50	£0.25	200
03	Vodafone	£85.00	£0.10	500
04	Orange	£70.00	£0.17	0
05	O2	£114.00	£0.20	100
06	Orange	£45.50	£0.30	250
07	O2	£108.99	£0.10	200
08	Vodafone	£39.99	£0.15	0

28) Beth ydy adroddiadau cronfeydd data? Pam byddech chi'n dewis gwneud adroddiad wedi i chi gwblhau ymholiad cronfa ddata?
29) Esboniwch dair mantais defnyddio cronfeydd data ac un anfantais.

Y Rhyngrwyd – Y Pethau Pwysig

Y Rhyngrwyd – mae pawb yn gwybod amdano ac mae bron pawb yn ei hoffi (ar wahân i'r rhai sy'n aros am rywbeth i'w lawrlwytho!). Dyma'r maes sy'n datblygu fwyaf o fewn TGCh ar hyn o bryd ac mae'n werth dysgu amdano.

Rhwydwaith Rhyngwladol o Gyfrifiaduron ydy'r Rhyngrwyd

1) Rhwydwaith Ardal Eang *(Wide Area Network - WAN)* anferth ydy'r rhyngrwyd (gweler t.58).
2) Datblygwyd y rhyngrwyd yn wreiddiol gan lywodraeth UDA i wella cysylltiadau rhwng eu cyfrifiaduron milwrol. Erbyn hyn mae wedi tyfu yn aruthrol.

Rhaid cael Caledwedd a Meddalwedd i gysylltu â'r Rhyngrwyd

1) Caiff y rhan fwyaf o bobl fynediad i'r Rhyngrwyd drwy ddefnyddio cyfrifiadur personol, PC, wedi ei gysylltu i linell ffôn gyffredin. Mae cyfrifiaduron yn cael eu cysylltu i linell ffôn drwy ddefnyddio darn arall o offer o'r enw modem – mae hwn yn trawsnewid signal cyfrifiadurol digidol i signal analog sy'n cael ei drosglwyddo drwy linellau ffôn (ac yn groes i hynny).
2) Er mwyn cysylltu â'r Rhyngrwyd, rydych yn defnyddio eich modem i ddeialu cyfrifiadur sy'n perthyn i Gyflenwr Gwasanaeth Rhyngrwyd *(Internet Service Provider - ISP)* – mae gan y cyflenwyr hyn gyfrifiaduron sydd wedi eu cysylltu â'r Rhyngrwyd yn barhaol. Bydd yr holl wybodaeth a anfonir o'ch cyfrifiadur yn mynd drwy'r ISP.
3) Y darnau pwysicaf o feddalwedd sydd eu hangen arnoch ydy porwr gwe *(web browser)* i ddangos tudalennau gwe a chleient e-bost, sy'n trosglwyddo a derbyn e-bost o gyfrifiadur.
4) Weithiau, mae angen ategion *(plug-ins)* ar borwyr gwe – darnau bach o feddalwedd ychwanegol – cyn y gallan nhw chwarae rhai mathau penodol o ffeiliau amlgyfrwng, fel fideos er enghraifft.

Mae Dwy Brif Ran i'r Rhyngrwyd

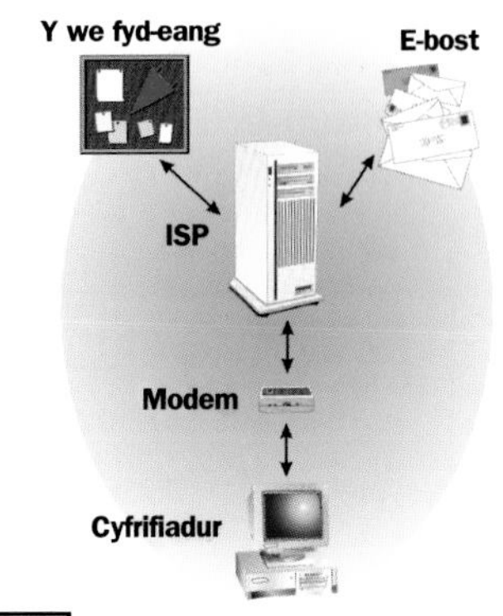

1) Y We Fyd-eang *(World Wide Web - WWW)* ydy'r rhan sy'n cynnwys tudalennau gwe. Mae'n debyg i hysbysfwrdd mawr – mae unrhyw beth sy'n cael ei osod ar y we yn gallu cael ei ddarllen gan unrhyw un arall (er y gallwch reoli mynediad i safle drwy ddefnyddio cod adnabod defnyddiwr (ID), a chyfrinair).
2) Post Electronig (E-bost) ydy'r rhan lle mae neges yn cael ei hanfon o un person i'r llall – mae'n debyg i anfon llythyr.

Mae Tri Pheth yn effeithio ar Gyflymder Mynediad

Mae cyflymder cysylltiad â'r Rhyngrwyd yn cael ei fesur mewn cilobitiau yr eiliad *(kilobits per second)* – KBps (hynny ydy, faint o ddata sy'n cael ei drosglwyddo bob eiliad). Mae cyflymder mynediad yn dibynnu ar dri pheth:

1) **CYFLYMDER Y MODEM:** Mae modem fel arfer yn gweithio ar gyflymder o 28KBps neu 56KBps (mae rhif uwch yn golygu cysylltiad cyflymach, fel arfer), ond mae cyflymder y modem sydd ar yr ochr arall hefyd yn bwysig.
2) **Y LLINELL FFÔN:** Llinell ffôn analog ydy'r rhai mwyaf araf. Mae llinell ddigidol fel ISDN a ADSL yn cyflymu trosglwyddiad data rhwng y defnyddiwr a'r ISP. Mae band llydan yn gyflymach eto ac, yn wahanol i'r rhan fwyaf o wasanaethau ffôn, mae bob amser ymlaen. Rydych yn gwneud taliad sefydlog sy'n dibynnu ar pa mor gyflym ydy eich cysylltiad band llydan.
3) **PRYSURDEB Y TRAFFIG:** Y mwyaf o bobl sy'n defnyddio'r Rhyngrwyd, y mwyaf araf ydy'r cyflymder wrth gael mynediad. Yng ngwledydd Prydain mae'n fwy araf yn y prynhawn am ei bod yn fore yn UDA – yr amser brig o ran y defnydd sy'n cael ei wneud o'r Rhyngrwyd.

> Gallwch fesur cyflymder cysylltiad â'r rhyngrwyd hefyd drwy ddefnyddio amser ymateb – yr amser a gymer cyfrifiadur pell i ateb.

Y Rhyngrwyd – allwedd i'r dyfodol...

Mae'r rhan fwyaf o bobl yn gyfarwydd â'r Rhyngrwyd ac e-bost heddiw – sy'n wych gan ei bod yn golygu y dylai'r adran hon fod yn hawdd. Ewch ymlaen...

Y Rhyngrwyd – Chwilio

Mae'r WWW yn anferth – felly rhaid i chi wybod sut i lywio eich ffordd. Mae hyn yn golygu gwybod sut mae cyfeiriadau gwefannau wedi eu trefnu a sut i ddod o hyd iddyn nhw.

Defnyddiwch Beiriant Chwilio a Portal i chwilio am wybodaeth...

Peiriant chwilio ydy gwefan sy'n eich helpu i chwilio am wefannau eraill.

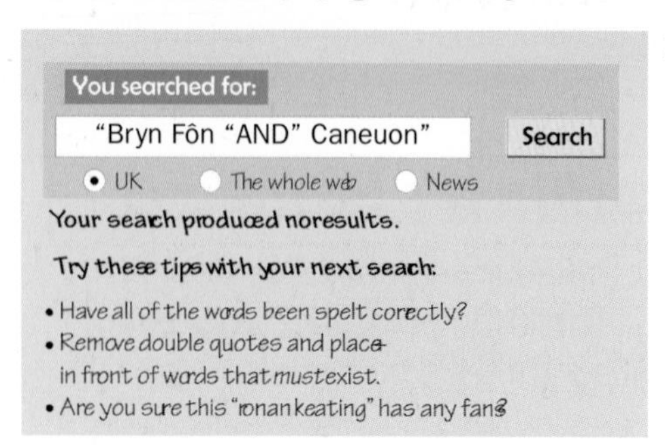

1) Y math syml o chwiliad ydy chwiliad sy'n defnyddio allweddair *(key word)*. Rydych yn teipio allweddair i mewn ac mae'r peiriant chwilio'n rhestru nifer o wefannau sy'n cynnwys y geiriau yma. Gallwch wneud chwiliad cymhleth drwy ddefnyddio mwy nag un allweddair gan eu cysylltu gyda'i gilydd ag AND neu OR.

Mae'r rhan fwyaf o beiriannau chwilio'n gweithio drwy storio manylion neu allweddeiriau o wahanol wefannau, ac ni fydd gan yr un peiriant chwilio ddata ar bob gwefan – felly mae'n werth defnyddio mwy nag un.

2) Gwefan sy'n cynnig gwasanaethau gwahanol ydy portal – fel peiriant chwilio, e-bost, siopa ar-lein ac yn y blaen. Yn wreiddiol, roedd portal wedi ei neilltuo i thema benodol (e.e. caws, felly roedd pob cyswllt â gwefannau yn ymwneud â chaws). Erbyn heddiw maen nhw'n fwy cyffredinol, fel arfer.

...neu Teipiwch yr URL i mewn

1) Ystyr URL ydy *Uniform Resource Locator* – cyfeiriad tudalen we, mewn geiriau eraill. Maen nhw'n edrych braidd yn gymhleth ar y dechrau – ond maen nhw'n ddigon hawdd unwaith i chi ddod yn gyfarwydd â nhw.
2) Nid ydy URL yn gallu cynnwys priflythrennau, na bylchau, na rhai mathau o atalnodi. Mae atalnod llawn, colon a slaes, fodd bynnag, yn angenrheidiol, ac mae'n rhaid iddyn nhw fod yn yr union fan cywir.
3) Teipiwch URL yn ofalus neu fe fyddwch chi'n edrych ar y wefan anghywir neu'n cael neges fod camgymeriad. Gwych.

Enghraifft: http://www.google.co.uk/advanced_search?hl=en

Dyma URL tudalen we "Chwiliad Uwch *(Advanced Search)*" Google.

http	Yr ystyr ydy hypertext transfer protocol sef yr iaith mae'r we yn ei defnyddio. Nid oes raid i chi ei deipio fel rheol gan fod y rhan fwyaf o borwyr gwe'n ei ychwanegu'n awtomatig.
www	Arwydd gwefan.
google	Dyma enw'r parth *(domain)* – enw, llysenw neu flaenlythrennau ac ati y cwmni, yr adran o'r llywodraeth neu unrhyw beth arall fel arfer.
.co	Dyma'r math o barth – gwefan sy'n cael ei rhedeg gan gwmni neu ar ran cwmni.
.uk	Mae'r darn yma'n dweud wrth y cyfrifiadur fod y wefan yn cael ei chadw ar ISP ym Mhrydain.
/advanced_search?hl=en	Mae'r darn yma'n dweud wrth y cyfrifiadur pa un ydy'r union dudalen ar wefan google.co.uk rydych yn chwilio amdani.

Cod rhai gwledydd:

us	- UDA
uk	- Y Deyrnas Unedig
ie	- Iwerddon
fr	- Ffrainc
de	- Yr Almaen
nz	- Seland Newydd

Prif fathau o Barthau:

com	- busnes (yn yr UDA gan amlaf)
co	- busnes (heb fod yn UDA)
gov	- llywodraeth
ac	- prifysgol/sefydliad academaidd
edu	- sefydliad addysgol
net	- cyffredinol, busnes yn aml
org	- sefydliad arall e.e. elusen

Gwnewch yn siwr eich bod yn dysgu...

Efallai eich bod wedi defnyddio peiriannau chwilio ac URL ers pan oeddech chi'n ifanc, ond dydy hynny ddim yn golygu eich bod yn deall beth oeddech chi'n ei wneud.

Y Rhyngrwyd – Chwilio

Gallwch ddod o hyd i dudalen hefyd drwy ddefnyddio hypergysylltiadau a ffefrynnau/nodau tudalen *(bookmarks)*. Ond hyd yn oed pan ddowch o hyd i dudalen dda, mae'n gallu cymryd oes i lawrlwytho unrhyw beth – felly gallai cywasgu *(compression)* ffeiliau fod o help.

Gallwch ddefnyddio Hypergysylltiadau...

Hypergyswllt ydy'r rhan ar dudalen we y gallwch glicio arni i fynd i rywle arall.

Mae'r pwyntydd yn newid i law pan fyddwch yn hofran uwchben hypergyswllt.

Maen nhw'n aml wedi eu lliwio'n las a'u tanlinellu. Maen nhw'n aml yn troi'n lliw gwahanol (e.e. coch) os wnaethoch eu defnyddio o'r blaen.

1) Mae hypergyswllt yn cysylltu gwahanol rannau o'r We.
2) I'r cyfrifiadur, cyfarwyddyd ydyn nhw i agor ffeil arbennig sydd wedi ei lleoli i lawr llwybr arbennig. Rydych yn clicio hypergyswllt a symud ymlaen.
3) Gallwch eu creu mewn rhaglenni eraill hefyd i gysylltu dogfennau gyda'i gilydd, e.e. rhwng dwy ddogfen prosesydd geiriau ar rwydwaith swyddfa, neu o daenlen i wefan.

... neu defnyddiwch eich Porwr Gwe

Nodweddion cyffredin porwyr gwe ydy'r rhain i'ch helpu i we-lywio.
Maen nhw'n ddull hawdd i ddod o hyd i wybodaeth ar y we:

NODAU TUDALEN *(Bookmarks)*

Gall porwyr gadw unrhyw URL rydych yn eu defnyddio'n aml, felly nid oes angen i chi eu teipio – dyfais sy'n cael ei alw yn nod tudalen neu ffefryn *(favourite)*.
Os ydych am wneud hynny, gallwch gadw nodau tudalen mewn grwpiau, sy'n ei gwneud yn haws i chi ffeindio'r hyn rydych yn chwilio amdano – e.e. efallai eich bod am roi eich hoff wefannau gyda'i gilydd.

Botymau YN ÔL ac YMLAEN

Os ydych wedi defnyddio cyfres o hypergysylltiadau a'ch bod am fynd yn ôl i dudalen, yna gall y porwr fynd yn ei ôl un dudalen ar y tro. Unwaith i chi fynd yn ôl fel hyn, gallwch hefyd fynd ymlaen eto.

HANES

Mae porwyr fel arfer yn cadw rhestr o bob gwefan rydych wedi ymweld â hi – hanes ydy'r enw ar hyn. Os ydych am ailymweld â gwefan, gallwch gael yr URL o'r rhestr hanes.

Mae'n Gallu Cymryd Amser Hir i Lawrlwytho Ffeiliau

1) Mae'n gallu cymryd amser hir i lawrlwytho tudalennau gwe, yn enwedig os oes llawer o luniau a gwaith celf arnyn nhw. Fel arfer mae'r cyfrifiadur yn cadw pob tudalen rydych yn ymweld â hi ar y gyriant caled. Yna, os ydych chi eisiau gweld tudalen eto, gall y cyfrifiadur ddefnyddio'r fersiwn sydd ar y ddisg yn lle ail-lwytho i lawr y llinell ffôn. *Cache* ydy'r enw ar y storfa dros dro hon o dudalennau gwe.
2) Mae ffeiliau eraill fel meddalwedd diweddaru neu ffeil o gerddoriaeth yn gallu cael eu cywasgu i leihau eu maint. Mae hyn yn golygu eu bod yn cymryd llai o amser i lawrlwytho. Er mwyn gallu defnyddio'r ffeil ar ôl ei lawrlwytho, rhaid i chi gael y feddalwedd iawn i'w datgywasgu *(decompress)*.

Y rhyngrwyd – effeithio ar fywyd pawb...

Mae llawer o wybodaeth am y Rhyngrwyd yn Adrannau 3.1 a 3.3 o'r llyfr hwn – sut y mae'n cael ei ddefnyddio gan fusnes a sut y mae'n effeithio ar fywydau pobl bob dydd.

Y Rhyngrwyd – Cynllunio Tudalen We

Mae'n ymddangos fod gan bawb dudalen we erbyn hyn.
Os ydych chi am gadw gyda'r oes, rhaid i chi wybod beth sy'n gwneud gwefan dda.

Mae Tudalennau Gwe sydd wedi'u Dylunio'n Dda yn dilyn 5 Rheol Aur

Mae angen i dudalennau gwe ddilyn yr un rheolau dylunio ag unrhyw ddogfen arall rydych am i bobl ei darllen – ond wrth greu tudalen we mae'n rhaid i chi ystyried hypergysylltiadau a'r amser lawrlwytho hefyd.

1) Cofiwch am y gynulleidfa darged – os ydy hi'n bosibl, profwch y dyluniad ar y defnyddwyr rydych yn eu targedu.
2) Cadwch y cefndir yn syml a dewiswch fformat testun a fydd yn cyferbynnu â'r cefndir. Bydd hyn yn gwneud y tudalennau'n haws eu darllen ar y sgrin ac ar bapur hefyd.
3) Cadwch y dyluniad cyfan yn syml – a defnyddiwch osodiad tebyg i bob tudalen fel ei bod yn haws llywio drwy'r safle.
4) Defnyddiwch cyn lleied o waith graffeg ag sy'n bosib – mae'n cynyddu maint y ffeiliau a'r amser i'w lawrlwytho. Nid ydy'r rhan fwyaf o bobl yn aros mwy na saith eiliad i dudalen lawrlwytho – maen nhw'n symud ymlaen i wefan arall.
5) Defnyddiwch cyn lleied o hypergysylltiadau i wefannau eraill ag sy'n bosib. Yn ddelfrydol, ni ddylai gymryd mwy na phedwar cyswllt i gyrraedd unrhyw fan ar eich gwefan.

Mae Tudalennau Gwe yn cael eu hysgrifennu mewn HTML

1) Mae tudalennau gwe yn cael eu hysgrifennu mewn iaith o'r enw HTML *(hypertext mark-up language).* Mae'r rhan fwyaf o feddalwedd prosesu geiriau a DTP yn gallu trawsnewid dogfennau i fformat HTML.
2) Gallwch gael rhaglenni cynllunio gwe sy'n gadael i chi greu tudalen we a'i chadw fel ffeil HTML.

Mae Tudalennau Gwe yn gallu cynnwys Ffurflen (Form) a Gwe-fot (Web-bot)

Yn ogystal â hypergysylltiadau, testun a delweddau, mae dau beth arall mae'n rhaid i chi wybod amdanyn nhw.

FFURFLEN Safle lle mae'r defnyddiwr yn gallu mewnbynnu gwybodaeth. Os byddwch yn prynu tocyn hedfan ar y we, er enghraifft, bydd lle i chi nodi eich cyrchfan a dyddiad y daith.

GWE-FOT Rhaglen sy'n nôl data o leoliad arall ar y Rhyngrwyd, fel peiriant chwilio a rhifyddion *(counters).*

RHIFYDDION Mae'r rhain yn dangos sawl ymweliad (neu drawiad *(hits)* y mae gwefan wedi'i gael. Maen nhw'n osgoi cyfrif pobl ddwywaith drwy chwilio am y cwci a osodwyd ar gyfrifiadur yr unigolyn y tro cyntaf iddo ymweld â'r safle. Os ydy'r gwe-fot yn ffeindio'r cwci, mae'r person hwnnw wedi cael ei gyfrif yn barod.

Gwe-fotiaid a chwcis ar y we

CWCIS
Enw'r Americanwyr ar fisgedi ydy cwcis.
(Maen nhw hefyd yn ffeiliau testun bychan sydd wedi eu lleoli ar gyfrifiadur gan dudalen we. Maen nhw'n ddigon diniwed ond gallwch atal eich cyfrifiadur rhag eu derbyn os ydych yn dymuno hynny.)

Byddwch yn gwci cŵl – dysgwch y dudalen hon

Mae yna gryn dipyn o fanylion ar y dudalen hon – felly gwnewch yn siwr eich bod yn ei deall. Ar ôl gwneud hynny, efallai y gallwch fynd ati i gynllunio eich tudalen we eich hunan.

E-Bost

Mae E-bost yn wych. Mae'n ddefnyddiol i gadw mewn cysylltiad â phobl sy'n byw ymhell i ffwrdd – yn enwedig os ydych yn eu ffansïo gan nad oes unrhyw saib annifyr tra byddwch yn meddwl am atebion clyfar!

Pum Cam i Anfon E-Bost

Dull o anfon neges (a dogfen) o un cyfrifiadur i'r llall ydy post electronig (e-bost). Yn aml, mae'r neges yn destun-seiliedig *(text-based)*, ac yn cael ei hanfon gan ddefnyddio PC sydd wedi ei gysylltu â'r Rhyngrwyd. Gallwch hefyd ddefnyddio ffôn symudol WAP neu deledu digidol.

CAM 1 Creu'r neges e.e. defnyddio prosesydd geiriau neu feddalwedd e-bost ar gyfrifiadur.

CAM 2 Cysylltu â'r Rhyngrwyd.

CAM 3 Pwyso'r botwm 'send'.

...yna mae'r peiriannau'n gwneud y gwaith...

CAM 4 Mae'r neges yn cael ei hanfon o ISP yr un sy'n anfon y neges i focs post system gyfrifiadurol ISP yr un sy'n derbyn y neges.

CAM 5 Yna, mae'r derbyniwr yn cysylltu â'r Rhyngrwyd, yn agor ei gyfrif e-bost, yn gweld y neges newydd ac yn ei lawrlwytho a'i hagor.

Gallwch ddefnyddio e-bost sy'n we-seiliedig *(web-based e-mail)* hefyd, sy'n golygu nad oes raid i chi fod wedi eich cysylltu ag ISP penodol. Rhaid i chi gael cyfeiriad e-bost drwy gofrestru ar wefan, ac yna gallwch anfon e-bost o unrhyw gyfrifiadur ar-lein yn y byd – perffaith os ydych yn cynllunio taith o amgylch y byd.

Efallai y bydd yn rhaid newid camau 1 a 2 ar gyfer e-bost gwe-seiliedig.

Byddwch yn Ofalus wrth agor Atodiad

1) Gydag e-bost mae'n bosibl anfon ffeiliau eraill, yn ogystal â thestun – gelwir y rhain yn atodiadau. Er enghraifft gallwch anfon llun neu ffeil gerddoriaeth i'ch ffrind.
2) Os nad ydych yn disgwyl atodiad, byddwch yn amheus wrth dderbyn atodiad – mae'n hawdd derbyn firws *(virus)* oddi wrth atodiad sydd wedi'i heintio *(infected).*
3) Mae'n bosibl edrych ar atodiad heb ei lawrlwytho'n llwyr, neu fe allwch ddefnyddio meddalwedd sy'n gallu canfod firws a'i sganio cyn ei lawrlwytho. Mae'r ddau ddull yn helpu i leihau'r risg o dderbyn firws.

Y rheol aur ydy peidio ag agor atodiad os nad ydych yn gwybod o ble mae'n dod.

Mae Manteision ac Anfanteision i E-bost

MANTEISION E-bost

1) Mae'n gyflym – mae'n cymryd eiliadau i anfon e-bost o'i gymharu â dyddiau i anfon llythyr.
2) Mae'n rhad – mae e-bost yn rhatach nag anfon llythyr neu ffacs, yn enwedig ar gyfer dogfennau mawr.
3) Mae neges yn gallu cael ei hanfon i wahanol bobl – ac os gwnewch chi grwpio cyfeiriadau, mae anfon neges i lawer o bobl yr un mor hawdd ag anfon neges i un person.

ANFANTEISION E-bost

1) Rhaid i'r anfonwr a'r derbyniwr gael mynediad i'r Rhyngrwyd a rhaid bod ganddyn nhw gyfrif e-bost.
2) Mae'r galedwedd a'r feddalwedd angenrheidiol yn ddrud os mai e-bost yn unig rydych ei angen.
3) Os gwnewch gamgymeriad gydag un llythyren yn unig mewn cyfeiriad e-bost, yna dydy'r neges ddim yn cael ei hanfon.
4) Bydd y neges yn aros yn y bocs post hyd nes y bydd y derbyniwr yn edrych ar ei e-bost.

Os byddwn i'n fugail – byddwn yn anfon me-bost...

Mae pobl sy'n creu firysau'n bobl ddrwg. Fe gefais i firws ar fy nghyfrifiadur sy'n golygu na alla i anfon e-bost. Nawr, rydw i'n gorfod siarad â fy ffrindiau a dydyn nhw ddim yn meddwl fy mod i'n ddoniol rhagor.

Adran 1.3 – Crynodeb Adolygu

Wel, dyna adran fach flasus! Ond dydy hi ddim ar ben eto. Hon ydy'r foment y buoch yn disgwyl amdani – y prawf. Canolbwyntiwch ar y cwestiynau hyn i weld os gallwch lwyddo. Byddwch yn ofalus – mae rhai cwestiynau digon anodd. Cofiwch mai'r ffordd i ddysgu ydy drwy fynd yn ôl a rhoi cynnig arall ar y cwestiynau gawsoch chi'n anghywir.

1) Rhowch un rheswm pam y gall fod angen modem arnoch i gysylltu â'r Rhyngrwyd.
2) Gwnewch ddiagram yn dangos sut mae defnyddiwr yn cysylltu â gwefan.
3) Beth ydy'r enwau ar ddwy brif ran y Rhyngrwyd?
4) Beth ydy ystyr y llythrennau KBps a beth y mae'n ei fesur?
5) Beth ydy'r tri pheth sy'n effeithio ar gyflymder mynediad i'r Rhyngrwyd?
6) Esboniwch y gwahaniaeth rhwng portal a pheiriant chwilio.
7) Esboniwch beth ydy URL a sut i'w greu.
8) Cod pa wlad ydy 'fr'?
9) Esboniwch beth ydy hypergyswllt a beth mae'n ei wneud.
10) Beth sydd i'w weld mewn ffolder hanes?
    a) cynllun Brwydr Hyddgen
    b) gwaith cwrs hanes
    c) dolennau i wefannau yr ymwelwyd â hwy'n ddiweddar
11) Esboniwch sut y gellir dangos tudalennau gwe yr ymwelwyd â hwy'n ddiweddar yn fwy cyflym.
12) Beth ydy enw'r broses o wneud ffeiliau'n llai? Beth ydy'r enw ar y ffeil pan gaiff ei hymestyn yn ôl i'w maint gwreiddiol?
13) Nodwch 5 rheol i ddylunio gwefan dda.
14) Ym mha iaith rhaglennu y caiff tudalennau gwe eu hysgrifennu?
15) Beth ydy Gwe-botiaid?
16) Esboniwch sut y mae rhifydd *(counter)* ar wefan yn gweithio.
17) Esboniwch yn llawn sut y mae anfon neges e-bost a sut y mae'n cael ei ddarllen gan y derbyniwr.
18) Beth ydy atodiad? Disgrifiwch un broblem bosib wrth agor atodiad.
19) Esboniwch ddwy fantais a dwy broblem o ddefnyddio e-bost.

Sefydliadau sy'n Trin Graffigwaith

Weithiau, mae angen trin graffigwaith er mwyn ei wneud yn addas i'w ddefnyddio mewn dogfen.

Mae Delweddau Graffig i'w Gweld Ym Mhob Man

Mae delweddau graffig yn cael eu defnyddio mewn pob math o ddogfennau a chan bob math o sefydliadau. Cipio *(capture)* delwedd ydy'r term am ddod o hyd i ddelwedd i'w defnyddio mewn dogfen. Unwaith i chi gipio'r ddelwedd, gallwch ddefnyddio meddalwedd graffigwaith fel *Adobe Photoshop* (ar gyfer lluniau) neu *Adobe Illustrator* (ar gyfer graffigwaith fector) i'w thrin a'i newid.

Mwy o wybodaeth am ddelweddau ar dudalennau 7-9

Isod fe welir enghreifftiau o'r math o sefydliadau sy'n gwneud defnydd o drin a gwella delweddau:

- Cylchgronau, papurau newydd a chwmnïau cyhoeddi eraill.
- Cwmnïau hysbysebu.
- Cynhyrchwyr ffilmiau a theledu.
- Yr heddlu (maen nhw'n defnyddio llawer ar wella delweddau).
- Maen nhw'n cael eu defnyddio hefyd mewn llyfrynnau, taflenni, catalogau ac ati a gynhyrchir gan gwmnïau.

Mae delweddau yn cael eu defnyddio'n aml gan y diwydiant cylchgronau.

Mae Hysbysebwyr yn Trin Delweddau Cyn i Ni Eu Gweld

Os ydy poster ar gyfer ffilm neu hysbyseb siampŵ ar gyfer cylchgrawn yn cael ei baratoi, fe fydd yna ryw gymaint o drin delweddau wedi digwydd cyn ei argraffu.

Efallai ei bod yn sioc i chi, ond dydy model nac actor ronyn yn fwy perffaith na'r gweddill ohonom, ac fe all fod rhai pethau ynglŷn â'u hymddangosiad sydd angen eu cywiro. Bydd y sefydliad yn cymryd y lluniau ac yna gallan nhw eu datblygu a'u cipio drwy ddefnyddio sganiwr. Dewis arall ydy defnyddio camera digidol. Yna mae amrywiaeth o bethau yn gallu cael eu gwneud i'r ddelwedd:

- Gwynnu'r dannedd
- Dileu smotiau
- Newid lliw y llygaid neu'r gwallt

smotiau wedi eu dileu
ymestyn amrannau
gwynnu'r dannedd
sglein wedi ei ychwanegu

Gallan nhw ystumio delweddau hyd yn oed fel bod pobl yn edrych yn deneuach neu i roi coesau hirach iddyn nhw. Felly, mae'n debyg nad ydy'r ddelwedd a welwch chi mewn hysbyseb yr un fath â'r ddelwedd wreiddiol a gymerodd y camera. Fe ymyrrwyd â hi fel bod pobl yn ei gweld ac yn meddwl "Hmm, os gwna i brynu'r siampŵ yna, efallai y bydda innau'n edrych mor berffaith â'r ferch yn y llun."

Mae Sefydliadau Eraill yn Gwella Ansawdd y Delweddau

Mae yna lawer o fusnesau y dyddiau yma yn cynnig adfer a digido eich hen luniau.

Gall lluniau gael eu niweidio a cholli eu lliw gydag amser. Y dyddiau hyn, mae'n debyg mai'r cyfan fyddech chi'n ei wneud fyddai argraffu copi arall o'ch camera digidol, ond ni allwch wneud hynny gyda hen luniau os na chawsan nhw eu cipio drwy ddefnyddio sganiwr. Felly mae rhai sefydliadau'n cynnig gwneud hynny yn eich lle, ac yna gallan nhw ddefnyddio meddalwedd trin delweddau i'w cael i edrych fel rhai newydd eto. Er enghraifft, gallan nhw wneud y canlynol:

- Cuddio dagrau
- Lleihau rhannau sydd wedi colli eu lliw
- Lliwio llun du a gwyn

Alla i gael benthyg eich brwsh aer os gwelwch yn dda...

Wel, am dwyll! Fydda i ddim yn prynu'r siampŵ yna eto. Technoleg glyfar er hynny – gallwch newid llawer ar ddelweddau a byddan nhw'n yn dal i edrych yn gredadwy. Wel, ar wahân i'r un yna o goesau Kate Winslet.

Sefydliadau sy'n defnyddio CAD/CAM

Mae Cynllunio Drwy Gymorth Cyfrifiadur *(Computer Aided Design - CAD)* a Gweithgynhyrchu Drwy Gymorth Cyfrifiadur *(Computer Aided Manufacture - CAM)* yn cael eu defnyddio i 'awtomeiddio a rheoli prosesau'. Ystyr awtomeiddio ydy gwneud i rywbeth weithio ar ei ben ei hun. Proses ydy darn o waith sydd angen ei wneud o fewn sefydliad.

Mae CAD yn cael ei ddefnyddio i Gynllunio Cynhyrchion Newydd

Mae CAD yn defnyddio cyfrifiadur i gynllunio cynnyrch. Mae'n gallu arbed llawer o amser a chwys.

1) Mae meddalwedd CAD yn edrych yn debyg i feddalwedd graffigwaith. Mae'n gweithio gyda graffigwaith fector, ac mae'n gallu cymryd delwedd 2D a chreu model 3D ohoni'n awtomatig. Mae cynhyrchion sydd wedi eu cynllunio drwy ddefnyddio CAD yn gallu bod yn unrhyw beth o ddarn o gar i wyneb siop.
2) Bydd technegydd sy'n defnyddio CAD yn creu lluniad dichonoldeb *(feasability drawing)* yn gyntaf. Drafft cyntaf ydy hwn i weld a ydy'n bosibl creu'r cynnyrch sy'n cael ei ddylunio.
3) Mae'r feddalwedd yn caniatáu i'r technegydd edrych ar y model 3D newydd o bob ongl. Gall wneud cyfrifiadau *(calculations)* i brofi sut y byddai'r cynnyrch gorffenedig yn ymateb i wahanol lefelau o straen. Gallwch ddefnyddio CAD i gynllunio pont ac yna ei phrofi (gan ddefnyddio'r rhaglen) i wneud yn siwr y gall ddal pwysau traffig drosti.

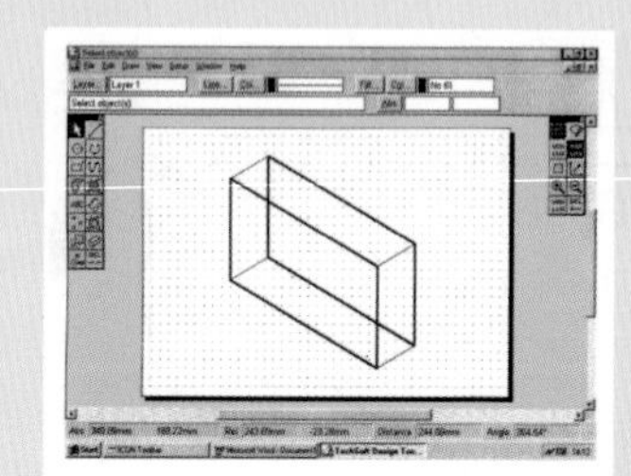

4) Gellir cysylltu'r lluniadau a gynhyrchwyd drwy ddefnyddio CAD yn uniongyrchol i feddalwedd CAM (gweler isod). Mae hyn yn golygu y gall rhai cynhyrchion, neu rannau, a ddyluniwyd drwy ddefnyddio CAD i gael eu gwneud yn gyflym ac yn effeithlon iawn drwy ddefnyddio meddalwedd a pheiriannwaith CAM.

Mae CAM yn Defnyddio Dyluniad i Gynhyrchu Cynnyrch

1) Proses o weithgynhyrchu nwyddau gan ddefnyddio gwybodaeth a dderbyniwyd o becyn CAD ydy Gweithgynhyrchu drwy Gymorth Cyfrifiadur (CAM).
2) Caiff data o feddalwedd CAD ei lawrlwytho i uned reoli peiriant gweithgynhyrchu.
3) Yna caiff cydrannau a chynhyrchion eu gwneud ar beiriannau sydd wedi eu rheoli a'u gweithredu gan gyfrifiaduron yn lle person.
4) Mae'r peiriannau a ddefnyddir o dan Reolaeth Rifiadol Gyfrifiadurol (Computer Numerically Controlled). Mae hyn yn golygu fod y rhaglenni CAD/CAM yn penderfynu sut mae'r peiriant angen symud gan anfon y data hyn i'r peiriant ar ffurf rhifau. Mae prosesydd y peiriant yn dehongli'r rhifau ac yn rheoli symudiad y peiriant.
5) Mae'r peiriannau sy'n cael eu rheoli fel hyn yn cynnwys peiriannau turnio, peiriannau drilio a fflamdorwyr *(flame cutters)*.

Mae Llawer o Fanteision i Systemau CAD/CAM

Mae defnyddio CAD/CAM yn gallu arbed amser, ymdrech ac arian, a chynhyrchu nwyddau o safon uwch a mwy diogel.

Unig anfantais CAD/CAM ydy ei fod yn gallu creu diweithdra yn y tymor byr. Eto i gyd, mae technoleg newydd, hefyd yn creu swyddi newydd, e.e. bydd angen technegwyr i gynnal a chadw systemau cyfrifiadurol a pheiriannau newydd.

Dim CAD/CAM yn fan hyn!

Fyddai ddim ots gen i edrych ar fodelau drwy'r dydd am fywoliaeth...

Efallai y byddaf yn dechnegydd CAD pan fyddaf yn hŷn. Mae'r gwaith CAD/CAM yma'n siwr o wneud argraff dda arnoch chi. Gallwch gael peiriannau i ddylunio, i brofi ac yna i adeiladu popeth. Mae'n wych i bobl ddiog.

Sefydliadau sy'n Monitro Data Ffisegol

Data ffisegol ydy pethau fel tymheredd, lefel sŵn a gwasgedd. Mae hefyd yn gallu cynnwys data amgylcheddol fel buanedd y gwynt a lefelau llygredd. Mae'r data yma yn cael eu casglu drwy ddefnyddio synhwyrydd *(sensor).*

Mae Synhwyrydd yn cael ei Ddefnyddio i Fonitro Data Ffisegol

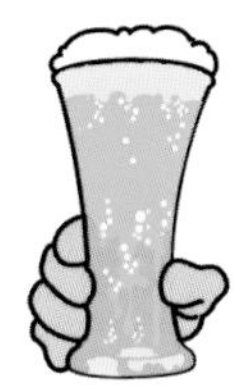

Mae synwyryddion yn cael eu defnyddio i gymryd mesuriadau ffisegol a'u trawsnewid i ddata cyfrifiadurol ar gyfer eu dadansoddi a'u dehongli. Mae enghreifftiau lle mae synwyryddion yn cael eu defnyddio yn cynnwys systemau monitro llygredd, systemau rheoli trafnidiaeth, larymau lladron, systemau tymheru *(air-conditioning systems)* – bron unrhyw beth, mewn gwirionedd, lle mae angen gwybodaeth am y byd tu allan. Maen nhw'n cael eu defnyddio hefyd ar gyfer cynhyrchu pob math o nwyddau fel cwrw (lle mae angen monitro'r tymheredd yn ofalus) a cheir (gweler tudalen 46).

Mae Data Ffisegol yn cael eu Defnyddio i Helpu i Reoli Trafnidiaeth

Gyda mwy a mwy o geir ar y ffyrdd, mae tagfeydd yn broblem. I geisio datrys y broblem, mae maint y traffig ar lawer o ffyrdd yn cael ei fonitro.

1) Mae synwyryddion electronig yn cael eu defnyddio i gofnodi nifer y cerbydau sy'n mynd heibio i fan arbennig ar y ffordd.
2) Synwyryddion pwysedd *(pressure sensors)* ydy llawer ohonyn nhw sy'n cofnodi wrth i gerbyd fynd dros gebl sydd wedi ei osod ar draws y ffordd.
3) Defnyddir y wybodaeth hon i ddod o hyd i'r rhannau mwyaf prysur, fel ei bod hi'n bosib datrys y broblem e.e. drwy ailgynllunio'r ffyrdd neu greu system unffordd. Mae'n cael ei ddefnyddio ar draffyrdd, o dro i dro, i reoli llif y traffig a lleihau problem tagfeydd.

Mae'r Swyddfa Dywydd yn Defnyddio Data i Baratoi Rhagolygon y Tywydd

1) Y Swyddfa Dywydd sy'n paratoi rhagolygon y tywydd. Maen nhw'n casglu data meteorolegol bob dydd (gweler y tabl). Caiff y data eu casglu gan synwyryddion mewn gorsafoedd tywydd sy'n casglu data yn awtomatig a'u hanfon i gyfrifiadur canolog.

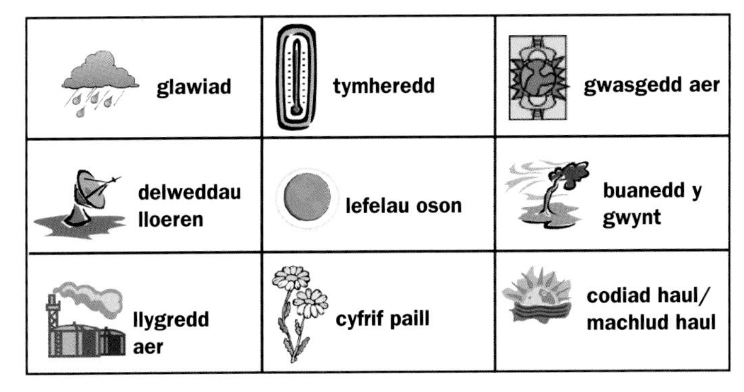

2) Yna caiff y data eu prosesu i greu mapiau tywydd manwl. Gellir cyfuno data a gasglwyd ar amserau gwahanol i greu delweddau symudol o system dywydd.

3) Gellir gwneud yr un peth gyda data a gasglwyd gan loerennau tywydd – delweddau ffotograffig ydy'r rhain fel arfer sy'n cael eu newid yn ddata digidol.

4) Mae'r data sy'n cael eu casglu yn cael eu bwydo i fodelau cyfrifiadurol *(computer models)* o'r ffordd y mae patrymau tywydd yn newid ac yn rhyngweithio. Mae hyn yn galluogi i ragolygon tywydd manwl gael eu paratoi. Fel mae'r modelau cyfrifiadurol yn dod yn fwy soffistigedig, fe fydd rhagolygon y tywydd yn fwy cywir.

Y Swyddfa Dywydd...

Darllenais ddoe mai 50% o'u rhagolygon tywydd sy'n gywir. Dydy hynny ddim yn swnio'n dda iawn i mi! Waeth iddyn nhw ddyfalu ddim. Dim ond 50% o lwyddiant ar ôl casglu'r holl ddata yna!

Creu Dogfennau Busnes

Rydych chi wedi gwneud dogfennau yn barod – llythyrau, cardiau pen-blwydd, darnau ar gyfer gwaith cartref ac ati. Heb i chi sylweddoli hynny fe wnaethoch yn siwr eu bod yn addas i'r pwrpas ac yn addas i'r bobl oedd yn eu darllen.

Ystyriwch ar gyfer Pwy y mae eich Dogfen ac i ba Bwrpas y cafodd ei chreu

1) Pwrpas dogfen ydy'r hyn y bwriadwyd iddi ei wneud. Pwrpas hysbyseb, er enghraifft, ydy dweud wrth bobl pa mor dda ydy cynnyrch arbennig.
2) Cynulleidfa dogfen ydy'r bobl hynny y mae'r ddogfen wedi'i hanelu atyn nhw. Cynulleidfa hysbyseb, er enghraifft, ydy'r bobl sy'n prynu'r cynnyrch.

Unwaith y byddwch chi'n gwybod ar gyfer pwy a pham rydych yn ysgrifennu, yna gallwch feddwl am sut i gyflwyno'r ddogfen. Mae angen targedu eich cynulleidfa yn ofalus iawn.

Dewiswch yr Arddull a'r Lefel Iaith

Mae'n bwysig eich bod yn dewis yr arddull a'r lefel iaith sy'n addas. Mae eich dogfen yn gallu bod yn ffurfiol neu'n anffurfiol. Mae'n gallu bod, yn berswadiol, yn fygythiol, yn ddoniol ac ati. Y gyfrinach ydy dewis y geiriau cywir i drosglwyddo eich neges.

Er enghraifft, byddai llythyr yn gwahodd rhywun i gyfweliad am swydd yn gofyn am arddull ffurfiol, gan gynnwys Cymraeg cywir a chlir. Gallai gynnwys arddull ysgrifennu fel "Yn dilyn eich ymholiad diweddar, ysgrifennaf i'ch hysbysu ynglŷn â'n trefn recriwtio...(ac yn y blaen)."

Ar y llaw arall, byddai taflen yn gwahodd pobl i barti'n fwy cartrefol ac anffurfiol. Fe allai fod yn ddoniol, hyd yn oed. Rhywbeth fel "*Hei! Wyt ti'n rhydd? Parti harti!*"

Byddwch yn Ofalus Gyda'r Gosodiad a'r Arddull Cyflwyno

1) Ystyr gosodiad ydy lle mae pethau wedi eu gosod ar dudalen a sut maen nhw'n cael eu trefnu. Mewn memo, er enghraifft, dylai enw'r person a'i hanfonodd fod rhywle ar dop y dudalen er mwyn i'r darllenydd sylwi arno'n syth.
2) Dewis arddull cyflwyno sy'n cynnwys lliwiau, ffontiau a lluniau sy'n addas. Ar boster hysbysebu, er enghraifft, byddwch yn defnyddio ffont bras a chlir er mwyn i bobl allu ei ddarllen o bellter, a lliwiau da er mwyn denu sylw.

Dewiswch arddull cyflwyno sy'n denu sylw.

Gair neu ddau...

Dyma olwg cyflym ar y geiriau pwysig sydd ar y dudalen hon. Ystyr pwrpas ydy beth ydy bwriad y ddogfen, ystyr cynulleidfa ydy ar gyfer pwy y cafodd ei hysgrifennu, ystyr arddull a lefel iaith ydy'r dewis cywir o eiriau fel ei bod yn swnio'n iawn, ystyr gosodiad ydy sut y cafodd y geiriau eu trefnu ar y dudalen ac ystyr arddull cyflwyno ydy sut mae'n edrych. Waw!

Creu Dogfennau Busnes

Mae yna lawer iawn o wahanol fathau o ddogfennau. Mae rheolau arbennig neu gonfensiynau sy'n rhaid eu dilyn ar gyfer pob dogfen er mwyn iddi fod yn addas ar gyfer y pwrpas a'r gynulleidfa.

Mae Memos yn Cael Eu Hanfon i Bobl y Tu Mewn i'r Sefydliad

1) Maen nhw'n gallu bod yn rhai i'w hargraffu, neu'n cael eu hanfon fel e-bost. Defnyddir memos i anfon neges i bobl eraill o fewn sefydliad. Fyddech chi ddim yn anfon memo i rywun y tu allan i'ch busnes, fel cwsmer.
2) Bydd yr enw 'Memo' neu 'Memorandum' ar dop y ddogfen, yn ogystal â manylion yn nodi ar gyfer pwy y mae'r memo, pwy a'i hanfonodd a'r dyddiad y cafodd ei anfon.
3) Gallai'r prif destun fod â theitl iddo, a bydd y neges yn gymharol fyr. Gallai lefel iaith y memo fod yn ffurfiol neu'n anffurfiol gan ddibynnu ar y pwrpas a'r gynulleidfa. Caiff memos eu hanfon am sawl rheswm, o wahoddiad i barti staff i atgoffa staff am reolau newydd.

Mae Llythyrau yn Cael Eu Hanfon i Bobl y Tu Allan i'r Sefydliad

Mae llythyrau busnes yn ffurfiol bob amser. Maen nhw wedi eu trefnu fel hyn:

1) Mae cyfeiriad yr anfonwr yn cael ei osod yn y gornel dde ar dop y llythyr. Mae gan rai busnesau bapur pennawd eu hunain, sy'n cynnwys eu cyfeiriad, logo a manylion cyswllt. Gosodir cyfeiriad y sawl a fydd yn derbyn y llythyr ar y chwith yn union uwchben 'Annwyl Mr Hughes'.
2) Rhaid i lythyrau agor a chloi'n gywir:

- Os ydych yn ysgrifennu at rywun nad ydych yn gwybod ei enw/henw, dylech agor eich llythyr gyda 'Annwyl Syr/Madam', ac yna ei gloi gyda 'Yr eiddoch yn gywir'.
- Os ydych yn gwybod enw'r person, gallwch agor y llythyr gyda 'Annwyl Mr Jones', a'i gloi gyda 'Gyda phob dymuniad da'.

Os ydych am anfon llythyr yn gyflym, gallwch ei ffacsio. Mae peiriant ffacs yn gwneud copi o ddogfen ac yn ei hanfon dros linell ffôn i beiriant ffacs arall. Gallan nhw gael eu hanfon yn ogystal drwy ddefnyddio cyfrifiadur. Maen nhw'n cynnwys taflen flaen sy'n cynnwys manylion am y cwmni.

1) Bydd taflen flaen y ffacs yn cynnwys manylion am y sawl sy'n anfon y ffacs, manylion cysylltu, enw'r sawl sy'n ei dderbyn a thestun y ffacs.
2) Mae llawer o wahanol ddogfennau yn cael eu ffacsio rhwng cwmnïau. Mae'r rhain yn cynnwys pethau fel cytundeb, llythyr, CV, agenda neu gofnodion.

Defnyddir Ffurflenni Cipio Data (Data Capture Forms) i Casglu Gwybodaeth

Gallwch lenwi un ohonyn nhw i agor cyfrif banc, neu i gwblhau holiadur neu arolwg.

1) Ar ffurflenni cipio data dylai fod â nifer o fylchau er mwyn nodi gwybodaeth – bydd cronfa ddata wedi ei chreu yn barod i dderbyn y wybodaeth. Er enghraifft, gallai fod yna linell fel hon:

Cyfenw | | | | | | | | | | | | | | | | | | | | |

Mae 20 lle gwag yma sy'n golygu fod maes y gronfa ddata yn cynnwys 20 lle gwag ar gyfer y cyfenw.

2) Mae rhai ffurflenni yn cynnwys dewis llai fel Ie/Nage.

Memo – dysga'r ffeithiau ar y dudalen hon...

Mae'n bwysig fod y dogfennau yn cael eu paratoi'n iawn. Ewch ati i'w dysgu!

Creu Dogfennau Busnes

Y bwriad gyda'r math o ddogfennau sydd ar y dudalen hon ydy eu defnyddio heb iddyn nhw gael eu hargraffu. Byddan nhw'n cael eu defnyddio gan amlaf ar y cyfrifiadur, neu'n cael eu gweld drwy ddefnyddio monitor neu daflunydd amlgyfrwng *(multimedia projector)*.

Edrych ar Dudalennau'r We ar y Rhyngrwyd

Mae tudalennau gwe wedi'u hysgrifennu, fel arfer, mewn iaith sy'n cael ei galw yn *Hypertext Markup Language (HTML)*. Erbyn hyn, fodd bynnag, gallwch ddefnyddio meddalwedd i wneud tudalennau gwe heb orfod deall yr iaith hon.

1) Dogfennau amlgyfrwng ydy tudalennau gwe. Mae hyn yn golygu eu bod yn cynnwys llawer iawn o wahanol fathau o wybodaeth, o destun syml a graffigwaith i animeiddiadau *(animations)* a chlipiau fideo gyda sain.
2) Mae tudalennau gwe wedi'u bwriadu i fod yn rhyngweithiol. Dylai'r darllenydd allu gwneud rhywbeth gyda thudalen we, fel dewis o ddewislen neu glicio hypergyswllt i'w symud i dudalen arall.
3) Mae cynulleidfa eang yn gallu edrych ar dudalen we, ac mae'n bwysig eich bod yn cadw hyn mewn cof wrth ei chreu – e.e. efallai mai darparu fersiwn testun yn unig o'ch tudalen a wnewch fel bod pobl â nam ar eu golwg yn gallu eu darllen, drwy feddalwedd darllen sgrin. Ond er y gall unrhyw un ddefnyddio tudalen we, dylech ei chynllunio i apelio at eich cynulleidfa darged.

Defnyddio Monitor neu Sgrin ar gyfer Cyflwyniad Rhyngweithiol

Mae cyflwyniad rhyngweithiol yn cael ei ddangos drwy ei daflunio ar sgrin gyda thaflunydd amlgyfrwng, neu ar fonitor fel y gall pobl ei ddefnyddio i ganfod neu gasglu gwybodaeth.

Gweler tudalennau 13–16 am fwy o gyflwyniadau.

1) Dogfennau amlgyfrwng ydy cyflwyniadau rhyngweithiol fel tudalennau gwe. Bydd y nifer a'r mathau o gyfryngau yn dibynnu os ydy'r cyflwyniad yn un sy'n sefyll ar ei draed ei hun (un sy'n cael ei wylio ar fonitor neu sgrin heb berson yn siarad) neu'n rhan o gyflwyniad gyda siaradwr.
2) Os oes person yn siarad yn ystod y cyflwyniad, mae'r cynnwys yn debygol o fod yn un gyda phwyntiau bwled byr a diagramau, gan y bydd y siaradwr yn rhoi manylion ychwanegol yn ystod ei sgwrs.
3) Os mai'r bwriad ydy bod y cyflwyniad i sefyll ar ei draed ei hun (e.e. arddangosfa ryngweithiol mewn amgueddfa), fe fydd yna fwy o fanylion ar y sleidiau. Fe fydd yna hypergysylltiadau hefyd rhwng y sleidiau fel y rhai sydd ar dudalennau gwe.

Rhaid i'ch Dogfennau Chi Fod Wedi Eu Cynllunio'n Ofalus

Wrth gynhyrchu dogfennau, fe fydd gennych chi lawer o benderfyniadau i'w gwneud gan ystyried pwrpas y ddogfen a'r gynulleidfa. Yn gyntaf, bydd angen i chi ddewis dogfen o'r math iawn, ac yna cofiwch am arddull a lefel yr iaith, y gosodiad a golwg y cyflwyniad.

Dyma rai enghreifftiau o'r adegau pryd y gallwch chi ddefnyddio dogfennau gwahanol:

PWRPAS A CHYNULLEIDFA	AWGRYM O'R MATH O DDOGFEN
Dweud wrth weithiwr ei fod wedi colli ei swydd.	Llythyr ffurfiol.
Gwahodd staff swyddfa i gyfrannu tuag at anrheg i un sy'n gadael ei swydd.	Memo anffurfiol.
Hysbysebu gwasanaethau eich busnes.	Tudalen we ffurfiol gyda nodweddion rhyngweithiol.
Anfon cynllun ariannol i gwsmer.	Ffacs.
Darparu mapiau a gwybodaeth am atyniadau lleol mewn canolfan dwristiaeth.	Cyflwyniad rhyngweithiol sy'n sefyll ar ei draed ei hun.

Ffurfiol
Anffurfiol

Iawn Bob, rwyt ti'n cael y sac, mêt. Hwyl, y Bos...

Ydych chi'n deall? Mae'n hanfodol fod eich dogfennau'n addas ar gyfer eu pwrpas a'r gynulleidfa. Unwaith i chi benderfynu ar y math o ddogfen mae'n haws penderfynu ar lefel yr iaith, y gosodiad/y cynllun, y lliw ac yn y blaen.

Dulliau Safonol o Weithio – Materion Diogelwch

Yn olaf, dyma un neu ddau o bethau mae'n rhaid i chi wybod amdanyn nhw sy'n ymwneud ag Adran 1 – iechyd a diogelwch, a diogelwch data.

Mae Defnyddio Cyfrifiadur yn gallu creu Tair Problem

Mae cyfarpar sydd wedi'i gynllunio'n wael neu'n cael ei ddefnyddio'n anghywir yn gallu arwain at broblemau. Bychan ydy'r risg ym mhob achos ond mae'r effeithiau yn gallu bod yn ddifrifol.

1) Y term cyffredinol am gur pen, poen a niwed i gyhyr neu dendon sy'n cael ei achosi drwy orddefnyddio bysellfwrdd neu lygoden ydy Anaf Straen Ailadroddus (*Repetitive Strain Injury* - RSI). Weithiau mae'n cael ei alw yn ULD *(Upper Limb Disorder)*.
2) Mae treulio gormod o amser o flaen VDU yn achosi straen ar y llygad a chur pen. Mae disgleirdeb y sgrin a delwedd o ansawdd gwael ar hen fonitor yn gallu ei gwneud hi'n anodd i'r llygaid ffocysu'n iawn.
3) Mae cylchrediad y gwaed, ffitrwydd a phroblemau gyda'r cefn yn cael eu hachosi o eistedd drwy'r dydd o flaen cyfrifiadur yn hytrach na cherdded. Mae hon yn broblem hirdymor.

...a dyma Dri Ateb Posib

1) Cymryd egwyl rheolaidd oddi wrth waith cyfrifiadurol. Mae edrych i ffwrdd oddi wrth y sgrin, cerdded ac ymarfer eich bysedd a'ch dwylo hefyd yn lleihau'r perygl.

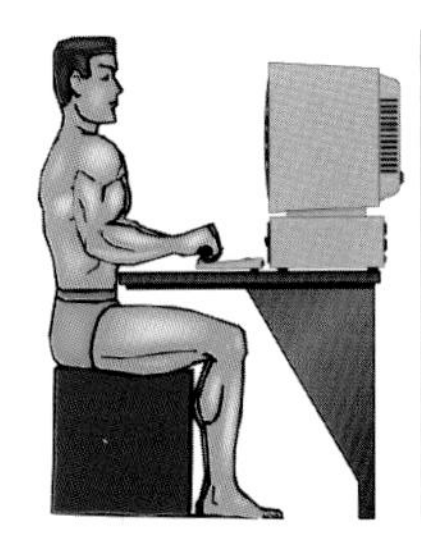

FEL RHEOL
1) Dylai blaen eich breichiau fod fwy neu lai'n llorweddol.
2) Dylai eich llygaid fod yn lefel â rhan uchaf y VDU.

2) Defnyddiwch yr offer cywir. Bydd angen:
   a) cadair bwrpasol ar gyfer cyfrifiadur sy'n dal y cefn,
   b) bysellfwrdd sydd wedi ei gynllunio'n ergonomig ac sy'n ei gwneud yn haws i deipio heb roi straen ar y bysedd.
   c) golau cefndir da,
   ch) hidlydd sgrin *(screen filter)* i leihau disgleirdeb y VDU.

3) Trefnwch yr offer yn ofalus. Addaswch y gadair a'r VDU i gael y safle mwyaf cyfforddus i weithio. Gwnewch yn siwr nad oes ceblau ar lawr lle gallai pobl faglu drostyn nhw.

Mae yna Ddeddfau yn ymwneud ag Iechyd a Diogelwch yn y Gweithle

Mae hyn yn cael sylw manwl yn Adran 3.2, ond mae'n werth cofio fod gan gyflogwr gyfrifoldeb cyfreithiol i sicrhau bod pawb yn ddiogel yn y gwaith. Mae'n rhaid iddyn nhw ddarparu offer sy'n cael ei ddisgrifio uchod, talu am brofion llygad rheolaidd i weithwyr sy'n defnyddio cyfrifiaduron, a gwneud yn siwr eu bod yn cymryd egwyl yn rheolaidd.

Mae'n werth cofio hefyd fod gan weithwyr eu hunain gyfrifoldeb o dan y ddeddf – i gymryd gofal synhwyrol yn eu gwaith ac i wneud yn siwr nad ydyn nhw'n peryglu eu hunain na phobl eraill. Felly, os ydych yn cael damwain wrth ddawnsio'r can-can ar eich desg, allwch chi ddim rhoi'r bai ar y bos!

O, a cheisiwch ddod i'r gwaith wedi gwisgo'n addas...

Efallai bod y model yn y llun uchod yn dal ei hun yn dda, ond mae wedi anghofio ei ddillad a gallai'n hawdd gael annwyd!. Cofiwch mai'r pethau bychain sy'n rhaid i chi gadw llygaid arnyn nhw, ac mai dim ond synnwyr cyffredin ydy'r cyfan. Cael egwyl yn rheolaidd, cael yr offer cywir, a chofiwch am eich trowsus...

Dulliau Safonol o Weithio – Diogelwch

Mae tri math o ddiogelwch o ran diogelwch y rhwydwaith: diogelwch ffisegol, diogelwch mynediad a diogelwch data.

Diogelwch Ffisegol – Amddiffyn Caledwedd

Mae caledwedd yn gostus – dilynwch y 7 rheol yma:

Ydych chi'n adnabod hwn?
Ymmm... arhoswch... Ai toster ydy e?

1) **Rhifau cyfresol** *(serial numbers)* – Cadwch gofnod o bob rhif cyfresol, a marciwch enw'r sefydliad ynghyd â'r cod post ar yr holl offer – mae hyn yn helpu'r heddlu i adnabod eiddo sydd wedi ei ddwyn.
2) **Larwm** – Dylai ystafellodd cyfrifiaduron gael eu hamddiffyn gan larwm lladron.
3) **Drysau** – Dylai drysau gael eu cloi pan nad ydy'r ystafelloedd yn cael eu defnyddio.
4) **Diogelwch rhag tân** – Defnyddiwch ddrysau gwrthdan a larwm mwg. Gellir defnyddio systemau diffodd tân sy'n osgoi difrodi'r offer gyda dŵr.
5) **Cloi** ffenestri i atal mynediad.
6) **Osgoi** gosod cyfrifiaduron ar lawr isaf adeiladau lle gallan nhw gael eu gweld o'r tu allan.
7) **Cysgodlenni** a llenni ar gau yn y nos, a dylai'r sgrin fod wedi ei diffodd er mwyn gwneud y cyfrifiadur yn llai amlwg.

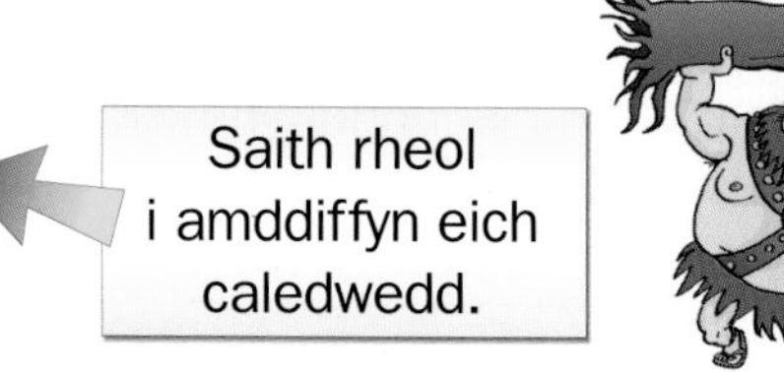

Diogelwch Mynediad – diogelu'r rhwydwaith

1) Dylid rhoi enw defnyddiwr i bob defnyddiwr sydd gydag awdurdod a dylai greu ei gyfrinair ei hun. Bydd hyn yn lleihau nifer y bobl sy'n defnyddio'r rhwydwaith heb ganiatâd.
2) Dylai defnyddwyr newid eu cyfrinair yn aml.
3) Gellir dynodi hawliau mynediad i ddefnyddwyr unigol – er enghraifft gall rheolwyr rhwydwaith gael mynediad i'r feddalwedd sy'n rheoli sut mae'r rhwydwaith yn gweithio. Gellir cyfyngu defnyddwyr eraill i fathau arbennig o feddalwedd rhaglenni fel prosesyddion geiriau.

Diogelwch Data – Osgoi Colli Data

1) Mae rhai meddalwedd a ffeiliau yn cael eu diogelu gan gyfrinair fel ei bod yn rhaid cael cyfrinair i edrych ar y data a'u newid.
2) Gellir gwneud ffeiliau'n rhai i'w darllen yn unig, fel na allan nhw gael eu haddasu na'u dileu. Gellir cuddio ffeiliau eraill fel nad ydyn nhw'n weladwy i'r defnyddiwr.
3) Dylid gwneud copïau wrth gefn o ddata sydd ar y system gan ddefnyddio storfa wrth gefn *(backing storage)* sy'n addas. Y prif ddull o storio wrth gefn a ddefnyddir i gadw data rhwydwaith ydy'r dull teuluol *(ancestral method).*
4) Dylai ffeiliau wrth gefn gael eu cadw'n ddiogel – mewn ystafelloedd gwrthdan dan glo mewn lleoliad gwahanol i'r rhwydwaith os ydy'n bosibl.
5) Ystyr archifo ydy copïo neu symud ffeil er mwyn ei storio dros dymor hir.

Y Dull Teuluol o Storio Wrth Gefn

Mab → Tad → Taid/Tad-cu

Y Copi Diweddaraf — Y Copi Hynaf

Y mab ydy'r copi diweddaraf o'r ffeil. Pan fydd y copi nesaf yn cael ei wneud hwn ydy'r copi wrth gefn nesaf, bydd hwn yn symud i fod yn dad.

Pan wneir y copi wrth gefn nesaf, bydd y tad yn symud i fod yn daid/dad-cu.

Bydd ffeil taid/tad-cu yn cael ei dileu pan gaiff mab newydd ei greu. Os caiff y ffeil wreiddiol ei cholli neu ei niweidio mae yna dair ffeil wrth gefn.

Cadwch yn ddiogel...

Synnwyr cyffredin ydy bron y cyfan o hyn – yn enwedig os ystyriwch chi sut mae rhwydwaith cyfrifiadurol ysgol yn gweithio. Mae'n syniad da i warchod rhag lladron yn eich cartref hefyd. Gwnewch gopïau wrth gefn o draethodau neu luniau pwysig ar gryno ddisg a storiwch y cryno ddisg hwnnw i ffwrdd oddi wrth y cyfrifiadur.

Adran 1.4 – Crynodeb Adolygu

Dyna ddiwedd adran 1.4. Rydym wedi trafod amrywiaeth o bethau, gan gynnwys graffigwaith dogfennau busnes, a diogelwch data ac iechyd a diogelwch. Rolercoster go iawn, heb y cynnwrf (ond yn cynnwys tipyn o sgrechian efallai). Beth bynnag, rhowch yr atebion i bob un o'r cwestiynau adolygu hyn gan edrych yn ôl drwy'r adran i weld a oeddech yn gywir.

1) Enwch dri math o sefydliad sy'n cipio, yn trin ac yn gwella delweddau graffig.
2) Awgrymwch dair ffordd y gallai delwedd o fodel gael ei newid mewn cylchgrawn ffasiwn er mwyn iddi edrych yn well.
3) Awgrymwch ddau beth y gellid eu gwneud i rai hen luniau'n ddigidol i wella eu hansawdd.
4) Beth ydy ystyr CAD a CAM?
5) Rhestrwch brif nodweddion meddalwedd CAD.
6) Sut y mae CAD a CAM yn gallu cael eu defnyddio gyda'i gilydd i gynhyrchu nwyddau?
7) Nodwch dair sefyllfa lle byddai data ffisegol yn cael eu monitro, eu dadansoddi a'u dehongli.
8) Esboniwch sut y gellir defnyddio synwyryddion i fonitro trafnidiaeth a'r hyn y gellir ei wneud gyda'r data a gasglwyd.
9) Sut mae'r Swyddfa Dywydd yn defnyddio data ffisegol i greu adroddiadau tywydd a rhagolygon y tywydd?
10) Beth fyddai pwrpas hysbyseb am swydd? Pwy fyddai'r gynulleidfa?
11) Mae angen i chi ysgrifennu llythyr yn gwahodd rhywun i gyfweliad, ac mae angen i chi baratoi gwahoddiad i barti. Nodwch sut y byddai'r canlynol yn gwahaniaethu rhwng y ddwy ddogfen:
    a) Lefel iaith ac arddull. b) Gosodiad. c) Y defnydd o liw, lluniau a ffontiau.
12) Pe byddech am anfon nodyn byr i berson mewn adran arall o'r gwaith, pa fath o ddogfen allech chi ei defnyddio?
13) Os nad ydych yn adnabod y person rydych yn ysgrifennu llythyr ato, beth ydy'r ffordd gywir o ddiweddu'r llythyr?
14) Beth sy'n rhaid i chi ei gynnwys bob amser gydag unrhyw ddogfennau pan ydych yn eu hanfon drwy ffacs?
15) Sawl gofod fyddech chi'n ei gynnwys ar gyfer dyddiad geni person ar ffurflen cipio data?
16) Dogfennau amlgyfrwng ydy tudalennau gwe. Beth ydy ystyr hyn?
17) Beth sy'n rhaid i rywun sy'n darllen tudalen we allu ei wneud er mwyn i'r dudalen honno fod yn rhyngweithiol?
18) Ym mha ddwy ffordd y gellir edrych ar gyflwyniadau rhyngweithiol?
19) Beth ydy cyflwyniad rhyngweithiol sy'n sefyll ar ei draed ei hun, a lle gallai un gael ei ddefnyddio?
20) Beth allai gael ei gynnwys mewn cyflwyniad sy'n sefyll ar ei draed ei hun na fyddai i'w gael mewn cyflwyniad sydd i'w ddefnyddio mewn sgwrs?
21) Beth ydy ystyr RSI, a sut gallai gael ei achosi drwy weithio gyda chyfrifiadur?
22) Nodwch dair problem iechyd arall y gallai gweithio'n rheoliadd gyda chyfrifiadur eu hachosi?
23) Nodwch dair ffordd y gellir osgoi problemau iechyd os ydych yn gweithio'n rheolaidd gyda chyfrifiadur.
24) Beth ydy'r saith rheol y dylech eu dilyn i wneud yn siwr fod caledwedd ddrud yn cael ei diogelu'n ffisegol?
25) Nodwch ddwy ffordd o ddiogelu data ar rwydweithiau.
26) Beth ydy'r dull teuluol o storio ffeiliau wrth gefn?

Defnyddio TGCh i Ateb Anghenion Sefydliadau

Mae sefydliadau'n defnyddio systemau TGCh i ateb eu hanghenion ac i gyflawni eu hamcanion. Mae rhai o'r amcanion hyn yn gallu bod yn bethau digon bychan, ond eto, mae angen systemau effeithiol i'w cyflawni.

Tair Rhan yn bennaf sydd i System TGCh

MEWNBWN
Pa wybodaeth sy'n mynd i mewn i'r system.
PROSES
Beth sy'n cael ei wneud â'r wybodaeth.
ALLBWN
Beth sy'n dod allan o'r system.

Er enghraifft, wrth y til mewn archfarchnad:
1) Y mewnbwn ydy'r data sydd yn y cod bar (sy'n cael ei ddarllen gan y peiriant sganio).
2) Y broses ydy dod o hyd i enwau a phrisiau'r eitemau mewn cronfa ddata, a'u hadio.
3) Yr allbwn ydy'r dderbynneb sy'n cael ei rhoi i'r cwsmer gyda'r eitemau wedi eu rhestru, a'r cyfanswm sydd i'w dalu.

Mae Angen Systemau Gwahanol ar Sefydliadau Gwahanol

Mae busnesau gwahanol yn defnyddio systemau TGCh gwahanol sy'n dibynnu ar eu hanghenion penodol eu hunain.
Edrychwch ar yr enghraifft hon o siop rhentu fideos:
Mae siopau fideos yn caniatáu i bobl ymaelodi'n rhad ac am ddim os gallan nhw roi tystiolaeth sy'n dangos eu cyfeiriad. Yna codir tâl bychan bob tro y byddan nhw'n rhentu fideo.
Mae gan siop fideo lawer o anghenion y gellir eu hateb drwy ddefnyddio TGCh:

- Mae siop fideo yn gallu defnyddio cronfa ddata i gadw cofnod o'i holl aelodau, eu rhifau aelodaeth a'u cyfeiriad cartref.
- Byddai angen cronfa ddata hefyd i ddangos pa fideos sydd ar fenthyg ar unrhyw gyfnod arbennig, pwy wnaeth eu benthyca a pha bryd y disgwylir hwy'n ôl.
- Mae rheolwr y siop yn gallu defnyddio'r Rhyngrwyd i ddiweddaru ei restr o'r fideos diweddaraf sydd ar gael, a gallai hefyd ddefnyddio TGCh i archebu stoc newydd ar gyfer y siop (gweler t.44).
- Mae staff y siop yn gallu defnyddio taenlenni i gyfrifo'r dirwyon sy'n ddyledus gan aelodau nad ydyn nhw'n dychwelyd eu fideos mewn pryd.
- Gellid defnyddio cronfa ddata'r aelodau ynghyd â phostgyfuno i greu deunydd marchnata sy'n rhoi gwybodaeth i aelodau ynglŷn â chynigion arbennig a'r fideos diweddaraf sydd ar y farchnad.
- Gallai fod yn ddefnyddiol hefyd i gadw cofnod o ba fideos sydd wedi eu llogi gan ba gwsmeriaid. Byddai hyn yn helpu'r siop fideos i gynllunio a pharatoi ei deunydd marchnata yn ôl diddordebau aelodau arbennig, a byddai hefyd yn eu helpu i benderfynu pa fidoes sydd ddim mor boblogaidd.

Bydd gan unrhyw sefydliad restr o anghenion y mae TGCh yn gallu eu hateb dim ond iddyn nhw feddwl ychydig amdano.

Fy hoff ffilm i ydy...

Dewiswch sefydliad arall a gwnewch restr o anghenion fel yr un uchod ar gyfer y siop fideos. Gallech ddewis bwyty, siop elusen, ysbyty neu ysgol (cofiwch nad sefydliadau sy'n gwneud elw'n unig sydd o ddiddordeb i ni). Yna meddyliwch am ffyrdd y gallwch ddefnyddio TGCh i ateb yr anghenion a nodwyd gennych.

TGCh yn yr Adran Werthu

Mae sefydliadau yn cael eu rhannu'n adrannau fel bod y gwaith yn haws i'w reoli – mae gan y gwahanol adrannau gyfrifoldebau gwahanol o fewn y sefydliad. Y pedwar math o adran y mae angen i chi wybod amdanyn nhw ydy gwerthu, prynu, cyllid a gweithrediadau *(operations).*

Mae'r Adran Werthu'n Defnyddio TGCh i Gadw Cofnodion am Gwsmeriaid

Mae'r adran werthu yn gwneud gwaith sy'n cynnwys gwerthu cynnyrch neu wasanaeth i fusnesau neu bobl eraill. Mae adrannau gwerthu'n aml yn defnyddio nifer o wahanol systemau TGCh.

1) Pan fydd cwsmeriaid newydd yn cysylltu â chwmni, fe fydd yr adran werthu yn cofnodi eu manylion gan roi cyfeirnod ar eu cyfer i'w ddefnyddio pan fyddan nhw'n galw y tro nesaf. Felly, yn y system hon:

2) Caiff y cyfeirnod hwn ei ddefnyddio gan y sefydliad i ddilyn archeb. Mae hyn yn golygu y bydd y cyfeirnod yn caniatáu i'r sefydliad chwilio o fewn cronfa ddata cwsmer, ac i weld a oes archeb wedi ei hanfon. Gallai gael ei ddefnyddio hefyd i weld os ydy anfoneb wedi cael ei thalu gan gwsmer.

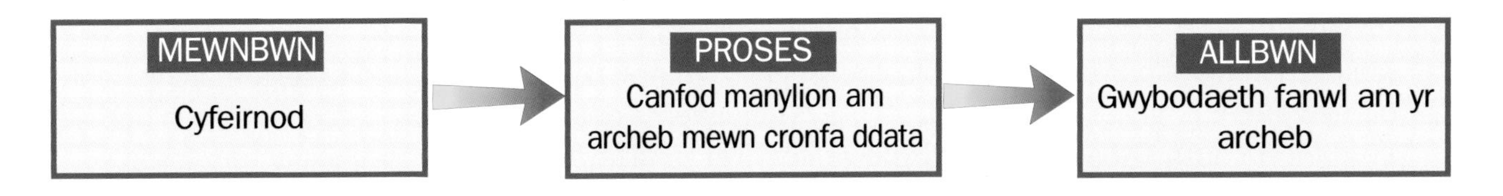

Mae Systemau TGCh yn gallu bod yn Ddefnyddiol hefyd wrth Farchnata

Mae'r adran farchnata'n aml yn ymdrin â marchnata nwyddau a gwasanaethau'r cwmni yn ogystal, am eu bod mewn cyswllt uniongyrchol â'r cwsmeriaid. Os ydy cwsmer wedi prynu un o gynhyrchion neu wasanaethau'r cwmni, yna mae'n werth edrych i weld a ydyn nhw am brynu un arall.

Dyma ddwy ffordd y mae busnes yn gallu marchnata'n effeithiol gan ddefnyddio TGCh:

1) Defnyddio cronfa ddata cwsmeriaid i bostgyfuno (gweler t.6) llythyrau a thaflenni sydd i'w hanfon at gwsmeriaid. Os ydy enwau a chyfeiriadau cwsmeriaid eisoes ar gadw mewn cronfa ddata cwsmer, mae'n synhwyrol i ddefnyddio'r wybodaeth i anfon deunydd marchnata atyn nhw.
2) Anfon e-bost hyrwyddo gwerthiant at gwsmeriaid. Yn aml bydd busnesau'n anfon e-byst i gadarnhau eu bod wedi derbyn eich archeb. Gallan nhw ddefnyddio'r un cyfeiriad i anfon negeseuon marchnata i'w cwsmeriaid ar adeg arbennig gan eu hysbysu ynglŷn â chynigion arbennig newydd ac ati.

Er mwyn gallu gwneud hyn, mae'n rhaid i'r busnes sicrhau fod y cwsmer wedi cytuno i dderbyn neges hyrwyddo gwerthiant ac e-byst. Os nad ydyn nhw, gellid cyhuddo'r sefydliad o anfon post sbam neu sothach. Fe ddylai fod dewis o fewn pob e-bost o'r fath i'r cwsmer ddod â'r trefniant i ben.

"Mae pob un o'n cynrychiolwyr yn brysur..."

"...Mae eich galwad mewn ciw a chaiff ei hateb yn fuan." Dyna'r cyfan y bydda i'n ei glywed gan werthwyr y dyddiau hyn. Maen nhw'n dweud yn ddiddiwedd bod fy ngalwad yn bwysig iddyn nhw, ond maen nhw'n gwrthod ateb. Mae hyn yn brifo fy nheimladau. Er hynny, rhaid dysgu amdanyn nhw.

TGCh yn yr Adran Brynu

Mae'r adran brynu'n delio gyda nwyddau a gwasanaethau y mae'n rhaid eu prynu i mewn i'r sefydliad. Er enghraifft, bydd angen deunyddiau ysgrifennu ac yn y blaen ar y rhan fwyaf o sefydliadau ar gyfer eu swyddfeydd, a bydd llawer ohonyn nhw angen prynu'r deunyddiau sydd eu hangen arnyn nhw i gynhyrchu'r nwyddau y maen nhw'n eu gwerthu.

Mae'r Adran Brynu'n Delio Gyda Rheoli Stoc

Un o gyfrifoldebau pwysicaf yr adran brynu ydy rheoli stoc. Os nad oes gan gwmni'r deunyddiau crai a'r nwyddau angenrheidiol eraill sydd eu hangen i weithredu, yna bydd yn dechrau colli arian.

Er enghraifft, meddyliwch am fusnes sy'n gwneud diodydd ffrwythau. Os nad oes digon o ffrwythau mewn stoc, ni fydd y busnes yn gallu gwneud diodydd a bydd yn colli incwm. Ar y llaw arall, os oes gormod o ffrwythau mewn stoc, bydd peth ohono'n difetha cyn y gellir ei ddefnyddio gan wastraffu arian.

Mae angen i adrannau prynu, felly, gadw golwg ar faint o bopeth sydd ganddyn nhw mewn stoc. Rhaid iddyn nhw wybod hefyd beth ydy lefel ailarchebu pob eitem – pan fo nifer eitem arbennig yn gostwng islaw y lefel hon, mae angen i'r cwmni archebu mwy. Bydd hyn yn wahanol ar gyfer pob eitem oherwydd mae'n dibynnu ar pa mor fuan mae eitemau'n cael eu defnyddio a pha mor hir mae'n cymryd i'r eitemau gyrraedd.

Mae TGCh yn cael ei defnyddio i Archebu Nwyddau ac i Gadw Cofnodion

Isod fe welir rhai o'r systemau y gallai adrannau prynu eu defnyddio.

1) Mae'r rhan fwyaf o systemau rheoli stoc yn gallu ymateb yn awtomatig pan fo angen archebu stoc o'r newydd. E.e. gallai taenlen neu gronfa ddata gael ei defnyddio i gadw cofnod o faint o bob eitem sydd mewn stoc. Cyn gynted ag y bydd y nifer hwn yn disgyn yn is na'r lefel ailarchebu, bydd y system yn rhoi rhybudd sy'n atgoffa'r adran brynu i archebu mwy. Yn y system hon felly:

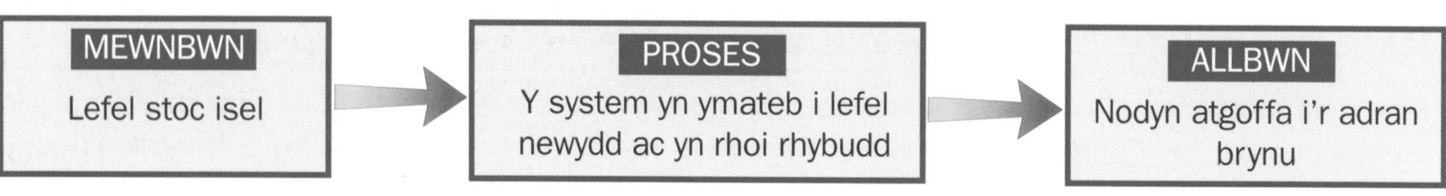

Nid dim ond cynhyrchu nodyn atgoffa y mae rhai systemau crand yn ei wneud – maen nhw hefyd yn anfon archeb yn uniongyrchol at y cyflenwr yn ogystal. Felly, cyn gynted ag y bydd angen stoc, caiff ei archebu'n awtomatig. Clyfar.

2) Mae rhai adrannau prynu'n defnyddio'r Rhyngrwyd i brynu'r cyflenwad sydd eu hangen arnyn nhw. Dychmygwch fod cwmni angen cetris argraffu. Byddai'r adran brynu'n agor gwefan y cyflenwr, rhywun fel www.ebuyer.com neu www.dabs.com. Bydden nhw'n teipio manylion eu cyfrif ac yn creu archeb am y cetris. Yna bydden nhw'n derbyn e-bost yn cadarnhau derbyn yr archeb oddi wrth y cyflenwr. Yn y system hon felly:

Rheoli stoc – mae'n fwy o hwyl os mai fferm ydy eich busnes...

...yna byddech yn rhedeg ar ôl moch, yn hytrach na dim ond archebu nwyddau. Mae'r adrannau prynu a gwerthu yr un mor bwysig â'i gilydd i gwmni – mae'r adran werthu yn gwneud yr union beth hwnnw, sef gwerthu, gan ddod ag arian i'r cwmni, ond mae'r adran brynu'n sicrhau fod gan y cwmni rywbeth i'w werthu.

TGCh yn yr Adran Gyllid

Mae'r adran gyllid yn cadw cofnod o'r holl arian sy'n cael ei dderbyn a'i wario gan sefydliad. Mae'n delio â cheisiadau am arian gan yr adrannau prynu a gweithredu ac yn prosesu'r arian sy'n dod i mewn o'r adran werthu.

Mae Adran Gyllid yn Defnyddio Taenlenni

Isod fe welir ychydig o enghreifftiau o systemau TGCh a ddefnyddir gan adrannau cyllid. Gallai pob un ohonyn nhw gynwys taenlenni. Y rheswm am hyn ydy bod taenlenni'n wych ar gyfer gwneud gwaith cyfrifo *(calculation)*.

Rhaid i Adrannau Cyllid Sicrhau Fod Pawb Yn Derbyn Tâl

Mae adrannau cyllid yn gweithredu systemau cyflogau. Gallan nhw ddefnyddio taenlenni neu becyn meddalwedd cyllid arbennig ar gyfer hyn. Mae'r adran yn mewnbynnu tâl pob person yn ôl yr awr ac yn cyfrifo faint i'w dalu i bob gweithiwr cyflogedig ar sail nifer yr oriau y mae wedi'u gweithio. Rhaid i'r sefydliad hefyd gyfrifo swm y dreth incwm a'r Yswiriant Gwladol (YG) sydd yn daladwy gan ddefnyddio'r un feddalwedd. Yna defnyddir system electronig o'r enw BACS i anfon y tâl cywir i gyfrifon banc eu gweithwyr. Yn y system hon felly:

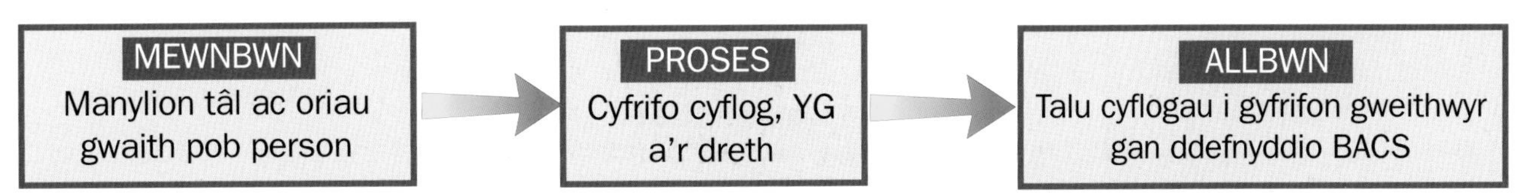

Rhaid i Adrannau Cyllid Gyllidebu ar Gyfer y Flwyddyn Ddilynol

Mae busnesau yn gallu defnyddio rhagolygon llif arian fel nad ydyn nhw'n wynebu problemau ariannol hanner ffordd drwy'r flwyddyn. Er mwyn eu helpu i ragfynegi eu llif arian, maen nhw'n defnyddio modelau ariannol sy'n cynnwys taenlenni. Drwy edrych ar fanylion ariannol y flwyddyn flaenorol gallan nhw wneud rhagdybiadau'n seiledig ar y ffigurau hynny. Maen nhw'n gallu mewnbynnu ffigurau'r flwyddyn flaenorol i'r daenlen gan wneud unrhyw newidiadau sydd eu hangen, e.e. byddai'n rhaid iddyn nhw addasu'r ffigurau pe byddai ganddyn nhw fwy, neu lai o staff. Yna gallai gwybodaeth o'r fath gael ei chyflwyno ar ffurf tabl neu siart, neu gael ei defnyddio i gynhyrchu cyllidebau blynyddol. Yn y system hon felly:

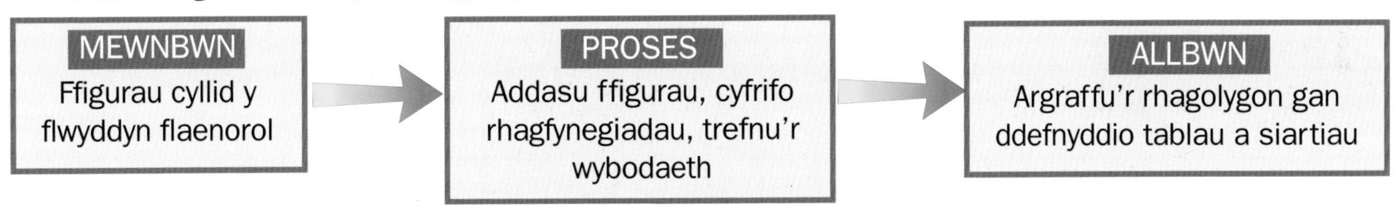

Rhaid i Adrannau Cyllid Gynhyrchu Adroddiadau Ariannol

Ym mis Ebrill, ar ddiwedd pob blwyddyn ariannol, mae'n ofynnol yn ôl y gyfraith i'r rhan fwyaf o fusnesau gynhyrchu adroddiad ariannol sy'n dangos faint o elw a gafodd ei wneud a faint o arian a gafodd ei wario – caiff y wybodaeth ei defnyddio i gyfrifo swm y dreth sy'n ddyledus gan y cwmni. Mae pecynnau meddalwedd arbenigol ar gyfer y gwaith hwn sydd yn cynnwys yr holl gyfrifiadau o'u mewn ar gyfer y gwaith. Cyflwynir yr adroddiad blynyddol maes o law fel dogfen ysgrifenedig. Bydd rhannau arbennig ohoni ar ffurf siartiau er mwyn i'r wybodaeth fod yn haws i'w dehongli. Yn y system hon felly:

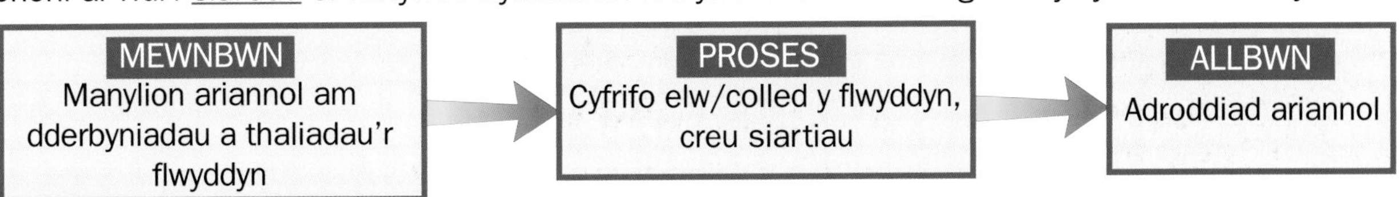

Allwch chi ddim mynd ag e gyda chi...

Gobeithio eich bod yn sylweddoli erbyn hyn fod y diagramau menbwn-proses-allbwn bychain yn werth eu dysgu. Os gallwch eu hysgrifennu'n fras, byddan nhw'n eich helpu i gofio'r eglurhad sydd ar gyfer pob un. Bydd yn arbed amser i chi os mai dysgu ychydig o focsys yn unig fydd ei angen.

TGCh o fewn yr Adran Weithrediadau

Mae'r adran weithrediadau yn gyfrifol am brif fusnes y cwmni llyfrau.
Os mai cynhyrchu llyfrau ydy gwaith y busnes, dyma'r bobl sy'n gwneud y llyfrau. Syml.

Mae Angen Systemau TGCh Gwahanol Ar Gyfer Gweithrediadau Gwahanol

O fewn yr adrannau gweithrediadau mae'r gwahaniaethau mwyaf rhwng sefydliadau. Isod fe welir enghreifftiau o systemau a allai gael eu defnyddio mewn adran weithrediadau.

1. Mae adran weithrediadau papur newydd yn fawr gan ei bod yn gyfrifol am gynhyrchu'r papur hwnnw. Un o'r swyddi o fewn yr adran ydy swydd yr is-olygydd. Gwaith yr is-olygydd ydy trefnu'r storïau a gafodd eu hysgrifennu gan y newyddiadurwyr mewn ffurf sy'n addas i'w hargraffu. Felly, gweithio ar osodiad y tudalennau ydy ei brif waith gan ddefnyddio meddalwedd DTP. Ar ôl i'r is-olygydd orffen ei waith bydd y tudalennau yn mynd at y golygydd ac mae'n bosib y gallai ef ofyn am newidiadau. Yn y system hon felly:

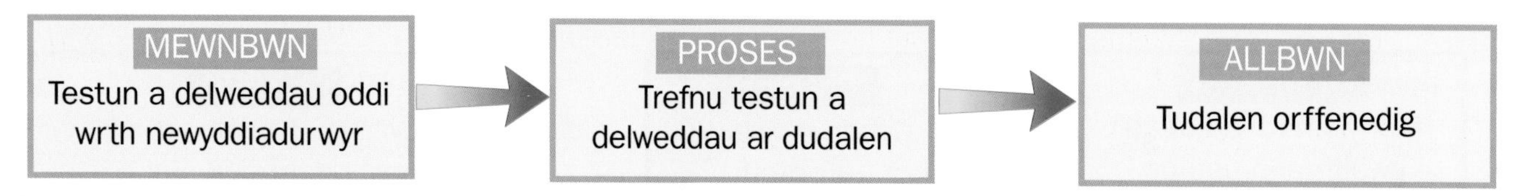
MEWNBWN
Testun a delweddau oddi wrth newyddiadurwyr
PROSES
Trefnu testun a delweddau ar dudalen
ALLBWN
Tudalen orffenedig

2. Prif fusnes archfarchnad ydy gwerthu cynnyrch. Caiff prisiau'r cynhyrchion eu gosod ar beiriant wrth y til a bydd gweithredwr y peiriant hwnnw'n sganio'r labeli gyda sganiwr cod bar. Mae'r sganiwr yn darllen y data o fewn y cod bar, sy'n cynnwys rhif adnabod, ac yn canfod y cynnyrch cywir a'i bris o gronfa ddata cynhyrchion y siop. Unwaith i'r holl gynhyrchion gael eu sganio, gall y gweithredwr ddweud wrthych beth ydy cyfanswm y gost ac argraffu derbynneb. Fel mae'r eitemau'n cael eu sganio, bydd y cyfrifiadur wrth y til yn newid y prisiau i gynnwys unrhyw gynigion arbennig.

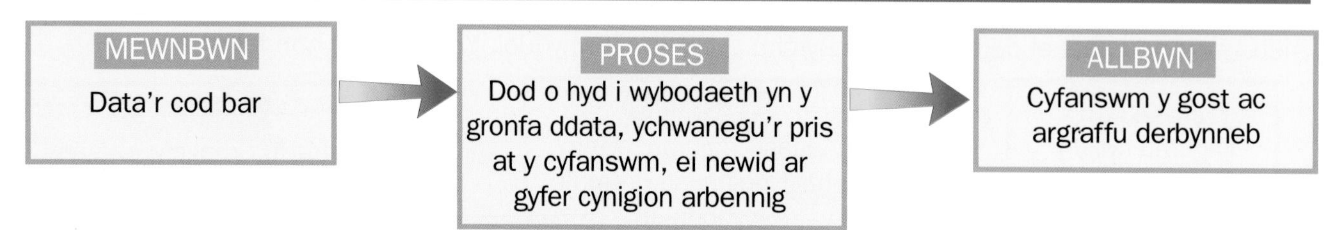
MEWNBWN
Data'r cod bar
PROSES
Dod o hyd i wybodaeth yn y gronfa ddata, ychwanegu'r pris at y cyfanswm, ei newid ar gyfer cynigion arbennig
ALLBWN
Cyfanswm y gost ac argraffu derbynneb

3. Mae rhai adrannau gweithrediadau'n defnyddio robotiaid. Mae robotiaid yn gallu gweithio mewn pob math o amgylchedd ac fyddan nhw byth yn blino nac yn gwneud camgymeriad. Nid oes yn rhaid eu talu chwaith. Gwneir defnydd helaeth o robotiaid yn y diwydiant cynhyrchu ceir lle maen nhw'n cael eu defnyddio ar gyfer nifer o dasgau ar y llinell gydosod, fel peintio ceir drwy'r dull chwistrell-beintio. Mae gan y robotiaid hyn synwyryddion i ganfod ymylon y ceir a gallan nhw beintio'r car yn berffaith.

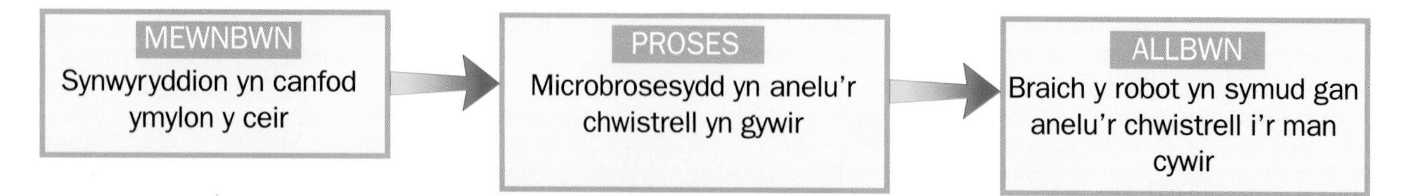
MEWNBWN
Synwyryddion yn canfod ymylon y ceir
PROSES
Microbrosesydd yn anelu'r chwistrell yn gywir
ALLBWN
Braich y robot yn symud gan anelu'r chwistrell i'r man cywir

Rhaid dysgu hyn i gyd cyn gweithredu...

Mae gan y pedair adran uchod eu rôl arbennig eu hunain o fewn y sefydliad, ond mae'n rhaid iddyn nhw gyfathrebu'n dda gyda'i gilydd, yn ogystal â chyda cwsmeriaid a darparwyr. Cyfeirir at y dogfennau a ddefnyddir gan fusnesau i wneud hyn yn Adran 1.4. Cofiwch edrych ar Uned 3 hefyd.

Adran 2.1 – Crynodeb Adolygu

Dyna ddiwedd Adran 2.1. Yn awr, dyma gwestiynau i ddilyn. Rwy'n siwr y byddwch yn gallu eu hateb yn gywir ar y cynnig cyntaf. Peidiwch â phoeni os na allwch chi – dim ond edrych yn ôl dros y tudalennau sydd raid ac mae'r atebion yno. Hwyl!

1) Beth ydy tair prif ran neu dri phrif gam system TGCh?
2) Pa fath o ddata y byddai angen i ysbyty ei gadw?
3) Sut y gallai TGCh gael ei defnyddio mewn ysbyty i ateb ei anghenion?
4) Enwch bedair prif adran unrhyw sefydliad.
5) Beth ydy gwaith adran werthu unrhyw sefydliad?
6) Mae adran werthu sefydliad eisiau defnyddio TGCh i ddarganfod a ydy anfoneb wedi cael ei thalu gan gwsmer. Gwnewch ddiagram yn dangos tri phrif gam y broses hon.
7) Nodwch ddwy ffordd y mae cwmni yn gallu defnyddio TGCh i'w helpu i farchnata ei gynnyrch.
8) Pam fod yn rhaid i fusnesau sicrhau fod cwsmeriaid yn gallu dewis peidio â derbyn eu negeseuon hyrwyddo cynnyrch?
9) Eglurwch beth ydy ystyr rheoli stoc.
10) Beth ydy ystyr "lefel ailarchebu" yn y broses o reoli stoc?
11) Esboniwch sut y gellir defnyddio TGCh i sicrhau fod stoc newydd yn cael ei archebu mewn digon o bryd.
12) Nodwch ffordd arall y gallai adrannau prynu ddefnyddio TGCh.
13) Beth ydy prif waith adran gyllid unrhyw sefydliad?
14) Pam y mae meddalwedd taenlenni mor ddefnyddiol i adran gyllid?
15) Disgrifiwch yn fyr sut mae system gyflogau arferol yn gweithio.
16) Gwnewch ddiagram yn dangos y tri phrif gam yn y broses o greu rhagolwg llif arian.
17) Beth mae adroddiad ariannol yn ei ddweud wrthych am fusnes?
18) Nodwch ddwy ffordd y bydd adrannau cyllid yn defnyddio TGCh i'w helpu i gynhyrchu adroddiadau ariannol.
19) Beth ydy prif waith adran gweithrediadau unrhyw sefydliad?
20) Dewiswch dri math o fusnesau ac esboniwch un ffordd y caiff TGCh ei defnyddio ym mhob un o'u hadrannau gweithrediadau.

Dyfeisiau Mewnbynnu

Dyfais fewnbynnu ydy unrhyw galedwedd sy'n cael ei defnyddio i fwydo data i system gyfrifiadurol.

Bysellfwrdd QWERTY ydy'r Ddyfais Fewnbynnu Fwyaf Cyffredin

1) Bysellfwrdd QWERTY ydy'r math mwyaf cyffredin o fysellfwrdd. Mae'r enw yn dod o'r rhes gyntaf o lythrennau ar y bysellfwrdd.
2) Mae pob bysell wedi ei chysylltu â switsh sy'n cau pan fo'r fysell yn cael ei phwyso. Mae hyn yn anfon signal i'r Uned Brosesu Ganolog (CPU).
3) Mae bysellfwrdd QWERTY wedi'i seilio ar gynllun yr hen deipiadur.
4) Os nad ydy'r defnyddiwr wedi ei hyfforddi i deipio, neu'n gwybod sut i wneud hynny, mae'r broses yn gallu bod yn araf.

Mae Cyffyrddell yn Gyflymach ond yn Fwy Cyfyngedig

1) Mae cyffyrddell i'w gweld yn aml mewn siopau a thai bwyta. Mae symbol (neu air) i bob swits sy'n cynrychioli darn o ddata (e.e. y pris) sydd wedi'i storio yn y cyfrifiadur.
2) Er enghraifft, os ewch i dŷ bwyta têcawe ac archebu byrgyr dwbl, bydd y weinyddes yn pwyso llun y byrgyr hwnnw. Yna bydd y CPU yn anfon neges i'r panel arddangos gyda'r pris cywir ac yn anfon neges arall i'r gegin ac i'r adran sy'n rheoli'r stoc.

Mae cyffyrddell yn ardderchog os ydych am fewnbynnu gwybodaeth o'r un math dro ar ôl tro.

Llygod ac ati...

Mae'r rhan fwyaf yn ei chael hi'n hawdd i ddefnyddio llygoden. Mae dwy brif ran i lygoden:

1) *Fel arfer mae dau neu dri botwm. Pan fo'r cyrchwr ar eicon, eitem ar y fwydlen, neu ar ymyl llun, gellir clicio neu ddwbl-glicio'r llygoden. Mae hyn yn anfon gorchymyn i'r cyfrifiadur. Gellir gwasgu'r botwm yn ogystal i lusgo rhywbeth ar draws y sgrin.*
2) *O dan y llygoden mae pelen. Pan fo'r llygoden yn symud ar draws wyneb fflat mae'r belen yn cylchdroi. Mae synwyryddion yn mesur symudiad y llygoden mewn dau gyfeiriad. Mae'r cyfrifiadur yn gweithio allan y pellter a'r cyfeiriad mae'r llygoden wedi symud. Defnyddir hyn i symud y cyrchwr ar y sgrin. (Nodyn: Mae llygod optegol yn defnyddio synwyryddion optegol i ganfod symudiad yn hytrach na phêl).*

Peli llwybro *(tracker balls)* sydd gan liniadur, neu blorod bychain, neu badiau cyffwrdd.

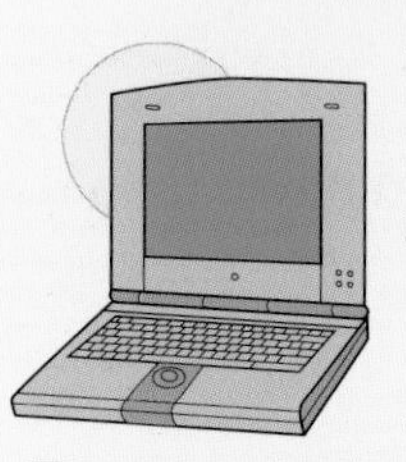

1) *Mae pêl lwybro yn gweithio yn yr un ffordd â llygoden, ond bod y bêl yn cael ei symud gan y llaw, felly mae'n cymryd llai o le. Mae llawer o bobl yn teimlo eu bod yn drafferthus, yn araf a heb fod yn gywir nac yn gyflym iawn.*
2) *Mae padiau sy'n sensitif i gyffyrddiad yn edrych fel sgriniau bychain. Rydych yn symud eich bys ar draws y pad i symud y cyrchwr. Maen nhw'n cymryd llai o le na llygoden, ond maen nhw'n hawdd i'w torri ac heb fod mor ddibynnol.*
3) *Mae plorod bychain (little pimples) yn gweithio drwy roi eich bys arnynt a'u gwthio i gyfeiriad arbennig sy'n symud y cyrchwr. Maen nhw'n fychan iawn, heb fod yn gwbl gywir.*

Mae Padiau Graffeg yn gwneud Arlunio'n Haws ac yn Fwy Cywir

1) Mae pad graffeg yn debyg i firo a phapur. Fe'u gwnaed o ddefnydd sy'n sensitif i gyffyrddiad (fel darn o bapur) a phwynt caled.
2) Mae'r defnyddiwr yn pwyso ar wyneb y pad gyda'r pwynt caled, ac mae'n nodi ei leoliad ar y sgrin.

defnydd sy'n sensitif i gyffyrdiad

pwynt caled

Llusgwch ymlaen i ddysgu llwyth o ffeithiau am y llygoden...

Does dim sy'n rhy anodd yma. Gwnewch yn siwr eich bod yn gwybod y gwahaniaeth rhwng y ddau fath o fysellfwrdd a'r tri math o lygoden. Cofiwch ddysgu am eu manteision a'u hanfantesion.

Dyfeisiau Mewnbynnu

Dyma bedair dyfais mewnbynnu arall. Gwnewch yn siwr eich bod yn deall sut maen nhw'n gweithio.

Mae Ffon Reoli yn gallu Mewnbynnu Symudiad

1) Caiff y rhain eu defnyddio gan amlaf i chwarae gemau cyfrifiadurol – ond gallan nhw gael eu defnyddio hefyd i symud dyfais reoli cyfrifiadur fel robot neu sganiwr mewn ysbyty.
2) Er nad oes modd codi'r ffon reoli allan o'r teclyn ei hun mae'n bosib ei symud i unrhyw gyfeiriad. Synwyryddion sy'n trawsnewid y symudiad i gyfesurynnau sy'n dweud wrth y cyfrifiadur sut i symud yr hyn sy'n cael ei arddangos ar y sgrin neu'r ddyfais robotaidd.

Daliwch ati Mrs Jones...

Mae Sganiwr yn Trawsnewid Delwedd i Ddata Digidol

1) Mae sganiwr yn gweithio yn debyg i beiriant ffacs. Caiff llun ei yrru drwy'r sganiwr a chaiff ei drawsnewid i ddata digidol – rhoddir cod gwahanol i rannau tywyll a rhannau golau'r llun. Yna mae'r cyfrifiadur yn adeiladu 'map' o'r wybodaeth wedi ei seilio ar 'ddidau' *(bits)* unigol o ddata.
2) Y broblem ydy y gall y ffeiliau didfap *(bitmap files)* hyn fod yn fawr iawn gan ddefnyddio llawer iawn o gof. Un o'r manteision ydy y gall y ddelwedd a sganiwyd gael ei thrin a'i golygu'n hawdd ac yn gyflym.
3) Fel arfer gellir dal sganwyr bychain yn y llaw. Gall sganwyr bwrdd gwastad *(flat-bed)* mwy o faint gael eu rhoi ar wyneb gweithio.

Mae Sganiwr OCR yn Gallu Darllen Testun

1) Ystyr OCR ydy *Optical Character Recognition*. Mae meddalwedd OCR yn cymryd y wybodaeth ddigidol a sganiwyd ac yn edrych am batrymau cyfarwydd a allai wneud llythrennau neu rifau.
2) Gellir golygu'r testun a sganiwyd gan ddefnyddio meddalwedd prosesu geiriau.
3) Mae hyn yn ei gwneud hi'n hawdd a chyflym i roi blociau mawr o destun i mewn. Er hynny, nid ydy'r feddalwedd yn berffaith, felly mae angen darllen proflenni. Dydy'r rhan fwyaf o feddalwedd OCR ddim yn gallu delio gyda thestun sydd wedi ei osod mewn colofnau chwaith.

Peidiwch ag Anghofio MICR ar gyfer Sieciau ac OMR ar gyfer Cofrestri

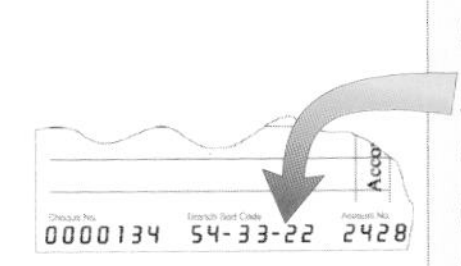

MICR – *Magnetic Ink Character Recognition*	OMR – *Optical Mark Recognition*
Defnyddir MICR gan y banciau i brosesu taliadau siec. Ar waelod siecau fe welwch rifau sydd wedi eu hargraffu ag inc sy'n cynnwys haearn. Pan gaiff yr inc ei fagneteiddio, gall sganiwr ddarllen y rhifau ac yna ddeall o ba gyfrif i gymryd yr arian. Mae hyn yn broses gyflym iawn a bron 100% yn gywir. Ond mae'r system yn ddrud iawn.	Defnyddir OMR mewn rhai ysgolion i gadw cofnodion cofrestr dosbarth. Bydd athrawon yn llenwi bocsys gwahanol gyda phensil os ydy disgybl yn bresennol neu'n absennol. Bydd sganiwr yn canfod y carbon yn y bocsys ar y dudalen ac yn mewnbynnu'r data i'r system gyfrifiadurol. Mae'r system yn gyflym ac yn gywir – ddim ond bod y daflen OMR wedi ei chwblhau'n gywir.

Jones
Lloyd
Morus
Price
Rogers
Williams

Mae Streipen Fagnetig ar Gefn Cardiau Credyd

stribed fagnetig

1) Mae cardiau magnetig yn cynnwys tamaid o dâp magnetig ar wyneb y cerdyn plastig.
2) Maen nhw'n cynnwys gwybodaeth fel bod y cyfrifiadur yn adnabod y cwsmer (cardiau credyd/debyd) neu rif yr unedau sydd heb eu defnyddio (cardiau ffôn).
3) Mae'r cardiau diweddaraf yn defnyddio microsglodyn i storio gwybodaeth yn lle tâp magnetig.

Peidiwch â sganio'r dudalen hon – darllenwch hi'n araf...

Mae yna lwythi o wahanol fathau o ddyfeisiau mewnbynnu (edrychwch ar y dudalen nesaf) ond rwy'n credu mai'r rhai pwysicaf ydy bysellfwrdd, llygoden, darllenydd codau bar a sganiwr. Rhaid i chi allu eu hadnabod a gwybod beth ydy pwrpas a nodweddion pob un.

Dyfeisiau Mewnbynnu

Dyma'r dudalen olaf am ddyfeisiau mewnbynnu. Edrychwch – dyma'r unig dudalen enfys yn y llyfr! Rhaid i chi ei darllen.

Mae Saith Dyfais Mewnbynnu Arall

1 CAMERÂU DIGIDOL – maen nhw'n debyg i sganwyr. Maen nhw'n cadw delwedd fel cyfres o ddotiau a elwir yn bicseli *(pixels)*. Yna, gellir eu llwytho i fyny i gyfrifiadur a'u golygu gan ddefnyddio meddalwedd golygu ffotograffau.
Manteision – nid oes angen ffilm ffotograffig ac mae'r ddelwedd ar gael i'w defnyddio'r funud honno. Gellir anfon y ddelwedd i unrhyw fan yn y byd fel atodiad e-bost yn ogystal.
Anfanteision – mae delweddau cydraniad uchel *(high-resolution images)* yn defnyddio llawer o gof ac, ar hyn o bryd, yn defnyddio llawer o bŵer batri.

2 PENNAU GOLAU neu SGANWYR LASER – mae'r rhain yn cael eu defnyddio gan archfarchnadoedd a llyfrgelloedd. Maen nhw'n cael eu defnyddio i ddarllen cod bar sy'n cynnwys data yn ymwneud â'r cynnyrch sy'n cael ei sganio.
Manteision – mae'n cyflymu'r broses o brynu nwyddau ac yn lleihau'r siawns o gamgymeriadau gan bobl.
Anfanteision – mae'r system yn gostus ac yn dibynnu ar y data o fewn y cod bar ac ar gywirdeb y system gyfrifiadurol.

3 DIGIDYDDION FIDEO – mae'r rhain yn trawsnewid lluniau fideo analog o dâp fideo neu gamera fideo i ddelweddau digidol y gellir eu trin wedyn gan ddefnyddio meddalwedd delweddu. Gelwir hyn yn gipio delwedd *(image grabbing)*. Defnyddir y dechneg i greu effeithiau arbennig ar gyfer fideos cerddorol a ffilmiau sinema.
Manteision – gellir creu effeithiau sy'n amhosibl mewn bywyd go iawn.
Anfantais – y gost.

4 SGRINIAU SENSITIF I GYFFYRDDIAD *(TOUCH-SENSITIVE SCREEN)* – maen nhw'n debyg i gyffyrddellau *(concept keyboards)* – ond yn hytrach na phwyso bysell, rydych yn cyffwrdd llun neu air ar y sgrin. Mae'r rhan fwyaf yn defnyddio grid o belydr isgoch dros y sgrin i synhwyro lleoliad eich bys. *(Mae rhai'n defnyddio defnydd y gallwch weld drwyddo yn hytrach na phelydr isgoch.)* Maen nhw'n cael eu defnyddio'n aml mewn canolfannau gwybodaeth a pheiriannau cwis mewn tafarnau. Manteision – maen nhw'n hawdd i'w defnyddio a gallwch gael dewisiadau gwahanol bob tro – mae'r hyn sydd ar y sgrin yn newid pob tro.
Anfanteision – maen nhw'n fwy costus na bysellfwrdd ac yn llai cywir os oes gennych fysedd mawr.

5 MICROFFONAU – maen nhw'n cael eu defnyddio'n fwy aml erbyn hyn fel dyfeisiau mewnbynnu. Maen nhw'n cael eu defnyddio i fewnbynnu data i systemau adnabod llais, sy'n trawsnewid sain i destun neu gyfarwyddiadau ar gyfer cyfrifiadur. Defnyddir nhw hefyd i recordio sain fel y gellir ei storio'n ddigidol a'i anfon dros y Rhyngrwyd neu fel e-bost.
Manteision – gallwch ddefnyddio arddywediad *(dictation)* yn hytrach na gorfod teipio.
Anfanteision – mae'r data'n defnyddio llawer o gof.

6 SYNWYRYDDION – caledwedd sy'n cofnodi gwybodaeth amgylcheddol ydy'r rhain gan ei drawsnewid i ddata. Mae fflyd o longau pysgota'n defnyddio synwyryddion i fonitro amodau'r tywydd – mae data cywir yn hanfodol am resymau diogelwch. Enghreifftiau eraill o synwyryddion ydy synwyryddion tymheredd, golau a synwyryddion isgoch (sy'n cael eu defnyddio mewn systemau larymau diogelwch rhag lladron).

7 FFONAU TÔN-GYFFWRDD – mae tôn gwahanol i bob botwm ar y rhain. Caiff y sain hon ei thrawsyrru dros y llinell ffôn a gellir ei defnyddio i fewnbynnu cyfarwyddiadau ar ben arall y lein. Maen nhw'n cael eu defnyddio gan swyddfeydd tocynnau ar-lein, gan fanciau ar gyfer bancio uniongyrchol, a busnesau eraill gyda llinell gymorth.

Cipio Delwedd...

Waw, dyna lwyth o ddyfeisiau mewnbynnu i'w cofio. Rhaid i chi gofio'r cyfan o'r manylion. Gallwch greu tabl i'ch helpu i gofio'r cyfan gyda help penawdau fel dyfais, sut mae'n gweithio, manteision ac anfanteision. Hwyl ar y gwaith!

Yr Uned Brosesu Ganolog (CPU)

Yr Uned Brosesu Ganolog *(Central Processuing Unit* - CPU) ydy ymennydd y system gyfrifiadurol, lle mae'r cyfan o'r data sy'n cael ei fewnbynnu yn cael ei brosesu. Rhaid i chi wybod am dair brif ran y CPU – a beth sy'n digwydd ym mhob un ohonyn nhw.

Yr Uned Reoli Sy'n Sicrhau Fod y System yn Gweithio

Mae'r Uned Reoli (*Control Unit* - CU) yn cydgysylltu gwaith y system gyfrifiadurol gyfan.
Mae Uned Reoli yn:

1) Rheoli'r caledwedd sydd o fewn y system. Mae'r CU yn monitro'r galedwedd i sicrhau fod y cyfarwyddiadau sy'n cael eu rhoi iddo gan y rhaglen gyfredol yn cael eu gwneud.
2) Rheoli mewnbwn ac allbwn y data, fel bod yr holl signalau'n mynd i'r lle cywir ar yr amser cywir.
3) Rheoli llif y data o fewn y CPU.

Uned ALU ydy'r man lle mae Data yn cael ei Brosesu

Ystyr ALU ydy Uned Rifyddol a Rhesymegol *(Arithmetic and Logic Unit)*. Dyma'r man lle mae'r cyfrifiadur yn prosesu data naill ai drwy eu trin neu drwy weithredu arno. Mae dwy ran iddo:

1) Y Rhan Rifyddol – mae'n gwneud yr union beth mae'n ei ddweud ar y tun, mae'n cyfrifo *(calculate)*. E.e. desg dalu gwerthwr llysiau'n cyfrifo fod 2kg o faip yn costio 60c os ydy 1kg yn costio 30c.
2) Y Rhan Resymegol – mae'n gwneud penderfyniadau e.e. a ydy rhif yn fwy na –5. E.e. bydd cyfrifiadur y siop lysiau'n troi switsh uned oeri'r rhewgell ymlaen os bydd y tymheredd sy'n cael ei gofnodi gan synhwyrydd tymheredd yn codi dros –5°C.

Storfa IAS ydy'r man lle mae Data Gweithredol yn cael eu Storio

1) Mae'r *Immediate Access Store* (IAS) neu'r Storfa Uniongyrchol yn dal unrhyw ddata a rhaglenni sydd eu hangen gan y cyfrifiadur pan maen nhw'n cael eu defnyddio. Mae'r CPU yn darllen data a rhaglenni sy'n cael eu cadw yn y storfa gynorthwyol *(backing storage)* gan eu storio dros dro yng nghof yr IAS.
2) Fel arfer, mae'n cymryd mwy o amser i ddarllen oddi ar y storfa gynorthwyol nag o'r IAS. Felly, mae'r IAS yn gwneud yr amser cyrchu yn llawer llai.
3) Edrychwch ar dudalen 56 a 57 i weld storfa gynorthwyol a'r cof yn gweithio.

Diagram mawr o'r CPU i chi i'w Ddysgu

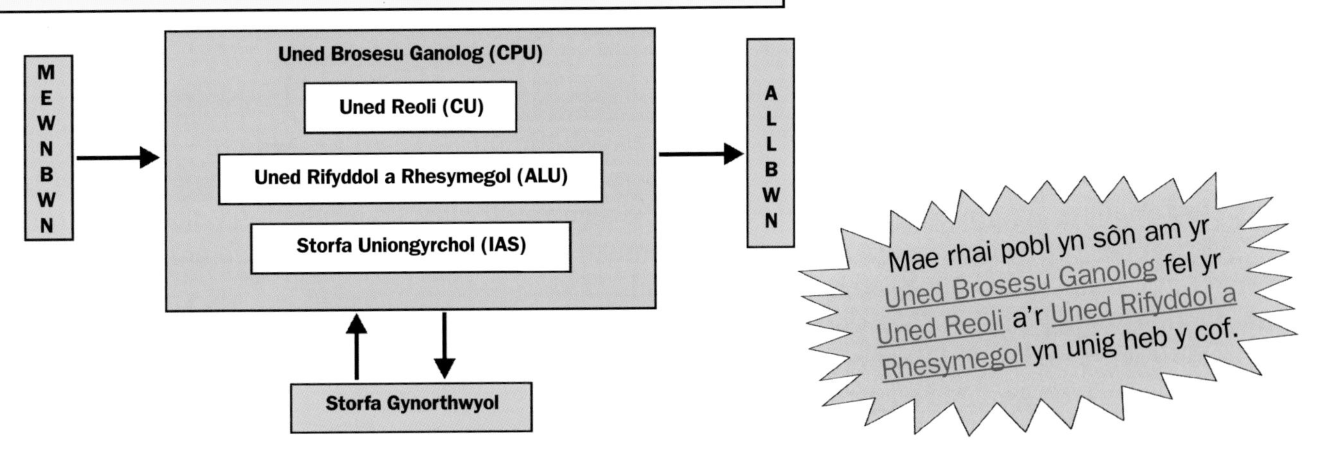

Wel, pa uned ydy eich ffefryn CHI yn y CPU?

Mae'r dudalen hon sy'n trafod y CPU yn cynnwys gwaith technegol iawn, gwaith sy'n debyg o flino'r meddwl. Wrth lwc, does dim rhaid i chi wybod ond ychydig amdano – sef y cyfan sydd ar y dudalen hon mewn gwirionedd. Unwaith y byddwch wedi darllen y dudalen hon, byddwch yn gallu esbonio beth sy'n digwydd ym mhob rhan o'r CPU. Mae'n swnio'n lot o hwyl.

Dyfeisiau Allbynnu

Dyfais allbynnu ydy unrhyw galedwedd a gaiff ei defnyddio i ddangos canlyniad y prosesu data sydd wedi'u gwneud gan y CPU. Rhaid i chi wybod sut mae pob un yn gweithio a pha bryd y dylid eu defnyddio.

Uned VDU

Y ddyfais allbwn fwyaf cyffredin ydy'r *Visual Display Unit* (VDU) sef yr Uned Arddangos Weledol neu fonitor. Maen nhw'n cael eu defnyddio pan fo angen gwybodaeth weledol heb gofnod parhaol ohoni. Mae pob monitor yn amrywio o ran:

1) Maint – sy'n cael ei fesur mewn modfeddi'n groeslinol *(diagonal)*. Y maint cyffredin ar gyfer monitor cyfrifiadur personol arferol ydy tua 17 modfedd. Maint sgrin gliniadur ydy tua 12 modfedd.
2) Cydraniad *(resolution)* – sy'n cael ei fesur mewn picseli neu ddotiau sy'n creu'r ddelwedd ar y sgrin. Y prif feintiau ydy uchel (1024 x 768 picsel), canolig (800 x 600) ac isel (640 x 480). Y cydraniad ar y rhan fwyaf o linaduron ydy 800 x 600.

Dylai dylunwyr graffig a chyhoeddwyr bwrdd gwaith sydd am weld dyluniad cyfan, neu dudalen gyfan, mewn llawer o fanylder ddefnyddio monitor mawr gyda chydraniad uchel.

Mae dau brif fath o fonitor:

1) Tiwbiau Pelydrau Catod (*Cathode Ray* Tubes - CRTs) ar gyfrifiaduron personol. Mae tiwbiau pelydrau catod yr un fath â'r rhai sydd i'w cael mewn setiau teledu. Gallan nhw niweidio'r llygaid os ydyn nhw'n cael eu defnyddio am amser hir. Dylai defnyddwyr gymryd gofal (gweler tudalen 39) wrth eu defnyddio am amser hir.
2) LCD – sef *Liquid Crystal Display* neu Arddangosiad Grisial Hylif. Sgrin fflat sydd i'r rhain. Maen nhw'n cael eu defnyddio mewn gliniaduron ac maen nhw'n dod yn fwy poblogaidd ar gyfer cyfrifiaduron personol hefyd. Mae nifer o fanteision iddyn nhw o'u cymharu â thiwbiau pelydrau catod – maen nhw'n ysgafnach ac yn cymryd llai o le, maen nhw'n defnyddio llai o ynni, yn allyrru llai o wres ac nid ydyn nhw'n fflicio. Ond, maen nhw'n fwy costus.

Mae Sain yn gallu bod yn Real neu wedi ei Syntheseiddio

1) Gellir recordio sain yn ddigidol gan ei storio fel data, a gellir ei phrosesu hefyd a'i hallbynnu drwy seinydd *(speaker)*. Dyma sut mae'r rhan fwyaf o samplu digidol ar gerddoriaeth fodern yn digwydd.
2) Mae'n bosibl trawsnewid nodau i seiniau drwy ddefnyddio syntheseisydd llais – sef synthesis lleferydd. Caiff ei ddefnyddio gan bobl sydd â nam ar y golwg. Caiff ei ddefnyddio hefyd i adrodd rhifau ar gyfeiriadur ymholiadau rhifau ffôn ac i gadarnhau manylion cwsmeriaid ar systemau talu ar ffôn awtomatig.

Y broblem gyda syntheseisydd llais ydy nad ydyn nhw'n swnio'n naturiol. Mae pob gair yn cael ei ddweud yn yr un ffordd heb ymdrech i wneud y llais yn fwy naturiol. Ond, mae pethau'n gwella...

Mae Ysgogwyr yn Rheoli Symudiadau Corfforol

Gellir defnyddio rhyngwyneb rheoli *(control interface)* i weithredu ysgogwyr *(actuators)* – dyfeisiau sy'n gallu cyflawni tasgau mecanyddol. Y prif ysgogwyr y mae'n rhaid i chi wybod amdanyn nhw ydy moduron *(motors)*. Mae moduron yn gweithio drwy ddefnyddio signalau trydanol o gyfrifiadur. Gellir eu defnyddio ar gyfer amrywiaeth o bethau, e.e. agor a chau ffenestri mewn tŷ gwydr neu swyddfa er mwyn rheoli'r tymheredd, neu i symud breichiau robot mewn ffatri.

a) Moduron camau mân *(Stepper-motors)* – moduron ydy'r rhain lle mae'r signal yn symud y modur mewn cyfres o gamau mân, ond cywir. Caiff sganwyr bwrdd gwastad eu gyrru ganddyn nhw.
b) Moduron serfo *(Servo-motors)* – moduron ydy'r rhain lle mae'r signalau'n galluogi'r modur i symud yn gyson ar gyflymder uchel. Defnyddir hwy i yrru driliau sy'n cael eu rheoli gan gyfrifiaduron.

Pryd maen nhw'n mynd i ddyfeisio un ar fy nghyfer i?

Dywedais wrth fy nghariad fod gen i VDU newydd – aeth hi'n wyllt!...

Trin a thrafod cyfrifiaduron. Fyddech chi ddim wedi cael cymaint o hwyl petaech chi wedi dewis tecstilau – wir yr!

Dyfeisiau Allbynnu

Defnyddir argraffydd i gynhyrchu copi caled parhaol o wybodaeth ar bapur. Mae tri math gwahanol o argraffydd. Rhaid i chi ddysgu sut maen nhw'n wahanol a beth ydy eu manteision a'u hanfanteision.

Mae Argraffydd Matrics yn Rhad ond yn ddigon Di-Fflach

Dyma'r math rhataf o argraffydd i'w brynu a'i ddefnyddio. Mae dwy ran iddo:

1) Matrics o binnau ydy'r pen argraffu – un ai 9 neu 24 o binnau wedi eu trefnu mewn llinell fertigol neu floc. Mae pob un o'r nodau neu lythrennau'n cael eu creu trwy ddefnyddio patrwm sefydlog o'r pinnau.
2) Stribed o ddefnydd ydy'r rhuban gydag inc ar un ochr iddo. Mae pinnau'r pen argraffu'n gwthio'r rhuban ar y papur argraffu gan argraffu dotiau. O bellter darllen arferol mae'r dotiau'n creu nodau neu lythrennau.

MANTEISION ARGRAFFYDD MATRICS

Rhad ac yn rhad i'w ddefnyddio. Mae'n gallu argraffu ar bapur di-dor neu bapur amlran.

ANFANTEISION

Cydraniad isel, araf iawn a swnllyd.

Mae Argraffydd Laser yn Wych ond yn Ddrud

Gelwir argraffydd laser yn argraffydd tudalen am fod y data sydd i'w hargraffu yn cael eu hanfon i'r argraffydd mewn tudalennau cyfan – un dudalen ar y tro. Mae'n gweithio'n debyg iawn i lungopïwr ac mae pedair prif ran iddo:

1) Drwm electrostatig sy'n cylchdroi – gyda gwefr drydanol.
2) Laser – sy'n ysgythru delwedd negyddol o'r dudalen sydd i'w hargraffu ar y drwm. Lle mae'r laser yn taro'r drwm, caiff y wefr drydanol ei thynnu i ffwrdd.
3) Cetrisen arlliwio – sy'n cynnwys inc. Pan fo'r drwm yn mynd heibio'r getrisen arlliwio caiff yr inc ei atynnu ar y darnau hynny o'r drwm sydd wedi eu gwefru. Yna, caiff yr inc ei drosglwyddo ar dudalen yr argraffydd.
4) Uned ymdoddi *(Fuser Unit)* – sy'n cynhesu'r papur gan wneud i'r inc doddi gyda'r papur.

MANTEISION ARGRAFFYDD LASER

Cydraniad uchel iawn, cyflym iawn a thawel.

ANFANTEISION

Drud (ond yn gostwng mewn pris) ac yn ddrud i'w atgyweirio. Ni ellir defnyddio papur di-dor na phapur amlran arnyn nhw.

Mae Argraffydd Chwistrell (Ink-Jet) yn Gyfaddawd Da

1) Mae hwn yn rhatach nag argraffydd laser ac yn cynhyrchu allbrint sy'n well ei ansawdd na rhai argraffyddion matrics.
2) Y brif gydran ydy'r pen argraffu. Mae nifer fawr o ffroenellau *(nozzles)* neu bigau *(spouts)* iddo a chaiff jetiau bychain o inc eu chwistrellu drwyddyn nhw ac ar y papur.
3) Mae'r ffroenellau mewn rhai argraffyddion yn cael eu rheoli gan risialau *(crystals)* y tu mewn i'r pen argraffu, sy'n newid ffurf pan fo gwefr drydanol yn symud drwyddyn nhw. Mewn eraill, mae'r inc yn cael ei gynhesu fel ei fod yn ymestyn ac yn ymwthio drwy'r ffroenellau ac ar y papur. Mae argraffydd llifiant parhaus yn chwistrellu inc trwy'r amser trwy'r ffroenellau, yna mae'r inc sydd heb ei ddefnyddio yn cael ei wefru'n drydanol a'i anfon yn ôl gan blatiau wedi eu gwefru.
4) Mae yna lawer mwy o ffroenellau ar argraffydd chwistrell nag sydd o ddotiau ar argraffydd matrics – felly mae'r cydraniad yn well.
5) Argraffydd chwistrell sy'n gweithio trwy gynhesu'r inc ydy argraffydd jet swigen *(bubble-jet printer)*.

MANTEISION ARGRAFFYDD CHWISTRELL

Cydraniad da, rhad a bychan.

ANFANTEISION

Araf a drud i'w gynnal.

Creu argraff…

Os ydych chi'n credu fod hon yn dudalen ddiflas, arhoswch nes i chi gyrraedd y dudalen ar storio data…

Pyrth a Cheblau

Mae pyrth *(ports)* a cheblau'n swnio braidd yn gymhleth os nad ydych yn gwybod beth ydyn nhw, ond maen nhw'n syml iawn, coeliwch fi! Diflas, ond syml iawn.

Mae Pyrth a Cheblau'n cael eu defnyddio i Gysylltu Dyfeisiau

Mae pyrth a cheblau'n cael eu defnyddio i gysylltu perifferolion *(peripherals)* (sy'n golygu dyfeisiau mewnbynnu, allbynnu a storio) i'r CPU - swyddogaeth bwysig iawn.

1) CEBLAU – ceblau ydy, wel, ceblau. Gallan nhw fod yn geblau gwifrau metel neu'n geblau opteg ffibr. Maen nhw'n cysylltu'r dyfeisiau caledwedd fel bysellfwrdd, sganiwr, monitor a gweddill y cyfrifiadur. Maen nhw'n cael eu defnyddio'n aml hefyd i gysylltu cyfrifaduron gyda'i gilydd a chreu rhwydwaith.

2) PYRTH – os dilynwch chi'r cebl o'ch monitor neu o'ch llygoden, bydd yn eich arwain i'r man lle mae'n cysylltu â phrif ran eich cyfrifiadur. Hwn ydy'r porth, sef y pwynt ar y cyfrifiadur lle gallwch gysylltu'r gwahanol geblau gyda'r cyfrifadur.

Mae Tri phrif fath o Borth

1) Porth paralel – Caiff ei ddefnyddio'n aml i gysylltu'r argraffydd. Mae'n caniatáu i ddata gael eu trosglwyddo yr un amser ar hyd gwifrau paralel. Mae hyn yn achosi iddyn nhw fod yn gyflym, ond mae'r signalau yn gallu cael eu heffeithio os byddan nhw'n teithio ar hyd cebl hir.
2) Porth cyfresol *(serial port)* – Caiff ei ddefnyddio'n aml i gysylltu dyfais gyfathrebu fel modem. Mae'n trosglwyddo data mewn ffrwd sengl ar hyd gwifren sengl. Mae hyn yn golygu ei fod yn arafach na phorth paralel, ond mae hefyd yn rhatach, yn defnyddio llai o gebl, ac nid ydy'r signalau'n cael eu heffeithio ar hyd ceblau hirion.
3) Porth USB *(Universal Serial Bus port)* – Dyma ddatblygiad mwy diweddar a disgwylir iddo gymryd lle pyrth cyfresol a phyrth paralel ar gyfer cysylltu offer eraill gyda'r cyfrifiadur. Mae gan y rhan fwyaf o gyfrifiaduron personol o leiaf un neu ddau borth USB erbyn hyn. Maen nhw'n gweithio mewn ffordd sy'n debyg iawn i linell ffôn, ac mae iddyn nhw nifer o fanteision dros byrth cyfresol a phyrth paralel:
   - Trosglwyddo llawer o ddata yn gyflym iawn (yn llawer cyflymach na phorth paralel).
   - Cysylltu gyda hyd at 127 USB ar unwaith
   - Offer pŵer-isel (e.e. modem) wedi eu cysylltu â phorth USB yn gallu gweithio o'r cyfrifiadur heb fod angen cyflenwad pŵer arall.

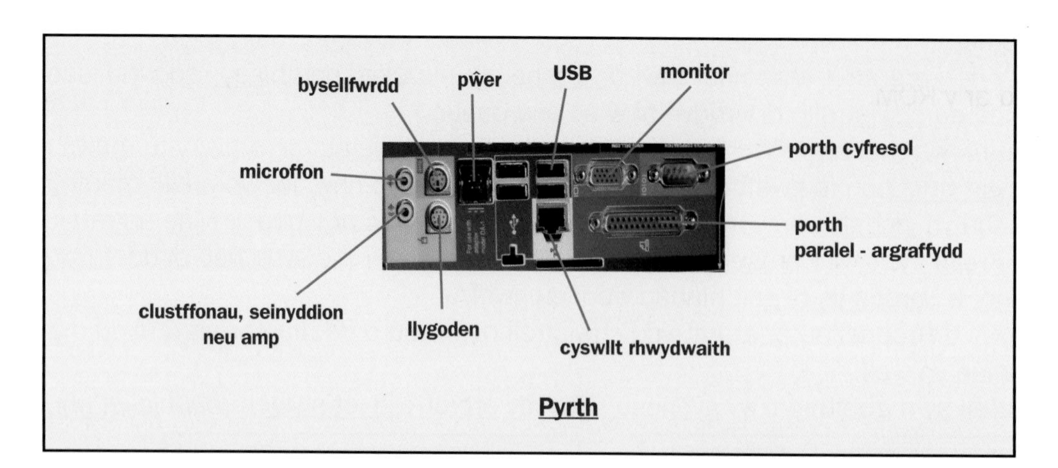

Pyrth

Pyrth a Cheblau – mae'r rhain yn gysylltiadau pwysig iawn...

Nid oes angen i chi boeni llawer am y dudalen hon. Mae'n ddigon amlwg beth ydy ceblau, a'r cyfan ydy porth ydy'r cyswllt rhwng eich cyfrifiadur a'r pethau rydych yn eu cysylltu iddo.

Storio Data – ROM a RAM

Cofiwch mai'r storfa uniongyrchol (IAS) ydy'r man lle mae'r CPU yn cadw'r data y mae'n ei brosesu – hwn ydy cof y cyfrifiadur. Rhaid i chi wybod am ddau fath o gof – a pham ei bod yn bwysig cadw *(save)* eich gwaith ar gyfrifiadur yn rheolaidd.

Cof Dros Dro ydy RAM

1) Ystyr RAM ydy cof hapgyrch – *Random Access Memory*.
2) Mae'r RAM yn storio data fel signalau trydanol dros dro. Os caiff y cyflenwad trydan ei ddiffodd – er enghraifft, yn ystod toriad yn y cyflenwad neu pan fo batri gliniadur yn pallu – yna fe gollir yr holl ddata a gadwyd o fewn y RAM.

3) Dyna pam ei bod yn hanfodol eich bod yn cadw eich gwaith yn rheolaidd. Yn ffodus, mae llawer o feddalwedd gyfoes un ai'n cadw eich gwaith yn awtomatig bob ychydig funudau, neu'n eich atgoffa chi i wneud hynny eich hunan. Fel arfer, gellir dweud wrth y cyfrifiadur am amseru pryd yn union y bydd hyn yn digwydd.
4) Gan nad ydy byth yn cadw data'n barhaol, ac am ei bod yn hawdd eu colli, caiff RAM ei adnabod hefyd fel cof dros dro.
5) Bydd maint y RAM mewn cyfrifiadur yn dylanwadu ar ei bŵer prosesu, ei gyflymder, a nifer y rhaglenni y mae'n gallu eu rhedeg yr un pryd. Er enghraifft, bydd cyfrifiadur gyda 256 megabeit (Mb) o RAM yn gallu rhedeg rhaglenni cymhleth yn gyflymach na chyfrifiadur tebyg gyda dim ond 128 Mb o RAM.
6) Mae llawer o bobl yn drysu rhwng RAM a storfa gynorthwyol ar y gyriant caled – ond maen nhw'n wahanol. Mae'r cyfrifiadur yn storio rhaglenni a data y mae eu hangen arno'n sydyn yn y RAM (os oes lle), gan fod mynediad iddo'n gyflymach. Fodd bynnag, rhaid i wybodaeth sydd yn y RAM gael ei chadw ar y gyriant caled cyn i chi ddiffodd y cyfrifiadur, neu fe fydd yn cael ei golli.

Cof Parhaol ydy ROM

Beth ddwedaist ti oedd ROM?
Cof parhaol ydy ROM.
Ym-mm, beth ydy ROM?
"ROM ydy cof parhaol".

1) Ystyr ROM ydy cof darllen yn unig - *Read-Only Memory*.
2) Gosodir data a rhaglenni sy'n angenrheidiol er mwyn i'r CPU ddechrau gweithio ar y ROM gan wneuthurwr y cyfrifiadur. Fodd bynnag, dydy'r sawl sy'n defnyddio'r cyfrifiadur ddim yn gallu ysgrifennu unrhyw ddata na rhaglenni newydd ar y ROM.
3) Cof parhaol ydy ROM, ac mae'n cynnwys y cyfarwyddiadau sy'n galluogi'r system weithredu i gael ei llwytho i'r IAS (h.y. cof y cyfrifiadur) o'r storfa gynorthwyol (h.y. gyriant caled ac ati.) (Ond eto, weithiau caiff system weithredu'r cyfrifiadur ei storio ar y ROM.)
4) Mae maint y ROM yn y rhan fwyaf o gyfrifiaduron yn fychan o'i gymharu â maint y RAM.
5) Am fod y data sydd wedi eu storio ar y ROM yn barhaol, ac am nad ydy'r data yn cael ei golli pan fo toriad yn y trydan, mae'r cof yma'n cael ei alw'n gof parhaol.
6) Mae llawer o bobl hefyd yn drysu rhwng ROM a'r storfa gynorthwyol ar y ddisg galed – peidiwch chi â gwneud hynny. Yn ffodus, caiff y storfa gynorthwyol ei hesbonio ar y dudalen nesaf, ac yna bydd diwedd ar yr holl ddryswch.

ROM a RAM. Pwy sy'n eu cofio nhw?...

Dyna ni – tudalen ddigon syml a dweud y gwir. (Hmm...) Gwnewch yn siwr eich bod yn deall y gwahaniaeth rhwng ROM a RAM, ac yna byddwch wedi ennill y dydd. Fodd bynnag, mae un trap posibl arall y mae'n rhaid i chi ei osgoi – peidwich â drysu rhwng yr un o'r rhain â'r gyriant caled.

Storio Data – Storfa Gynorthwyol

Storfa gynorthwyol (sy'n cael ei galw weithiau'n storfa eilaidd) ydy unrhyw storfa ddata tu allan i'r CPU. Rhaid i chi wybod pa rai ydy'r prif feysydd storio, sut maen nhw'n gweithio a beth ydy eu prif ddefnydd.

Y Ddisg Galed ydy'r brif Storfa Gynorthwyol Fewnol

1) Fel arfer, mae disgiau caled i'w cael o fewn cyfrifiadur. Platiau crwn caled wedi eu magneteiddio ydyn nhw, ac mae pob gyriant caled yn cynnwys nifer o ddisgiau mewn pentwr ar ben ei gilydd.
2) Mae pob disg yn cynnwys llawer o draciau gyda'r un canol iddyn nhw. Mae'r traciau hyn wedi'u rhannu'n sectorau. Caiff y data eu storio o fewn y sectorau hyn. Mae'r rhan fwyaf o ddisgiau yn gallu storio data ar y ddwy ochr.

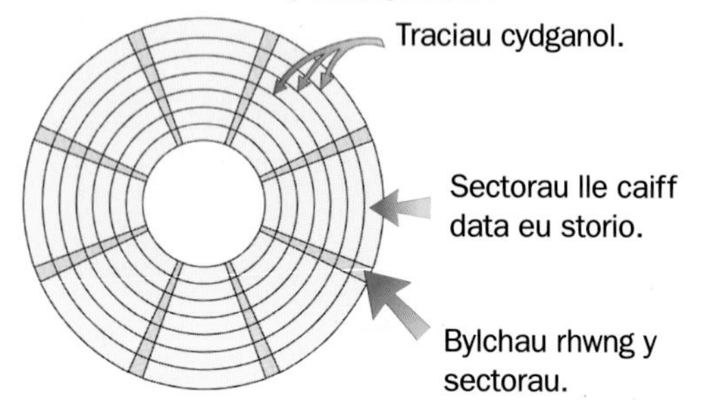

3) Mae'r disg yn cylchdroi ar gyflymder o rhwng 5400 a 7200 o gylchdroeon y funud (rpm) ac mae'r pennau darllen ac ysgrifennu (un bob ochr) yn arnofio uwchlaw wyneb y disg. Maen nhw mor agos fel y gallai sbecyn o lwch ddifetha'r gyriant caled – felly mae'r disgyrrwr yn cael ei gadw mewn uned wedi ei selio.
4) Gellir ychwanegu gyriant caled allanol os oes angen storfa ychwanegol.
5) Prif fantais gyriant caled ydy ei fod yn gallu cadw llawer iawn o ddata – mae 20 gigabeit neu fwy (1 gigabeit = 1024 megabeit) yn gyffredin mewn cyfrifiadur personol erbyn hyn, ac 8 gigabeit mewn gliniadur.
6) Un broblem ydy fod y gyriant caled wedi ei leoli y tu mewn i'r cyfrifiadur, ac felly nid ydy'n hawdd ei ddefnyddio ar beiriant gwahanol (er y gallwch brynu gyriant caled symudol arbennig). Gellir colli'r holl ddata sydd wedi eu storio ar yriant caled hefyd os oes problem.

Storfa Gynorthwyol Allanol Gyffredin ydy Disgiau Hyblyg

1) Y math mwyaf cyffredin o storfa gynorthwyol allanol ydy disg hyblyg *(floppy disk)* 3.5 modfedd.
2) Darn crwn o blastig wedi ei fagneteiddio ydy disg hyblyg, ac oherwydd ei fod wedi ei wneud o blastig, mae'n hawdd iawn ei niweidio – dyna pam ei fod yn cael ei warchod gan lawes blastig galed.
3) Maen nhw'n gweithio'n debyg iawn i ddisg caled. Y prif wahaniaeth ydy fod yn rhaid mynd at y pennau darllen ac ysgrifennu trwy dyllau yn y llawes galed.
4) Mae tab bychan ar y llawes y gellir ei symud i lawr i wneud y disg yn un i'w ddarllen yn unig. Mae hyn yn helpu i leihau'r siawns o drosysgrifo'r *(overwrite)* data a cholli'r cyfan yn ddamweiniol.
5) Mae disgiau hyblyg yn fychan a chludadwy, felly gallwch drosglwyddo data'n hawdd rhwng gwahanol gyfrifiaduron. Yn anffodus, mae faint o ddata y mae disg hyblyg yn gallu eu dal yn gyfyngedig – dim ond 1.44 megabeit yn arferol. Mae cyrchu'r data yn gallu bod yn araf iawn hefyd.
6) Mae'r pen darllen ac ysgrifennu hefyd yn gwneud cyswllt â'r disg, sy'n byrhau ei oes ac yn cynyddu'r siawns o lygru data *(data corruption)*. Yr ateb i hyn ydy gofalu gwneud copïau wrth gefn o ddisgiau hyblyg.

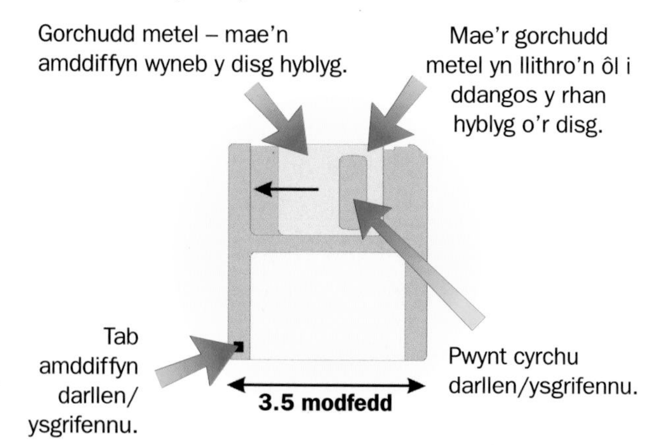

Beth am i chi storio'r data sydd ar y dudalen hon yn eich pen...

Mae disgiau caled a disgiau hyblyg yn debyg mewn sawl ffordd, ond maen nhw'n cael eu defnyddio at bwrpas gwahanol. Mae gyriannau caled yn llawer cyflymach, ac yn gallu dal mwy o ddata, felly, rhain sy'n cael eu defnyddio fel rheol. Fodd bynnag, gellir storio disgiau hyblyg yn ddiogel mewn lleoliad arall, ac felly maen nhw'n ddefnyddiol i wneud copïau wrth gefn o ffeiliau pwysig.

Storio Data – Storfa Gynorthwyol

Newyddion gwych! – mwy fyth am storio gwybodaeth. Unwaith eto, gwnewch yn siwr eich bod yn gwybod sut mae pob dull yn gweithio a beth ydy pwrpas y dull.

Mae Tâp Magnetig yn gallu Cadw Cronfa Fawr o Ddata Wrth Gefn

1) Defnyddir tâp magnetig yn aml pan fo angen storio cronfa fawr o ddata wrth gefn. Caiff y data eu hysgrifennu ar y tâp, a'u darllen oddi arno, fel y mae'r recordydd fideo yn gweithio.
2) Mae cronfeydd mawr o ddata yn gallu cael eu storio'n gymharol rad gyda thapiau magnetig. Mae hyn yn ddelfrydol i storio gyriant caled cyfan wrth gefn.
3) Fodd bynnag, mae'r amser cyrchu'n araf gan nad ydy'r pen darllen ac ysgrifennu yn gallu mynd yn uniongyrchol i ran benodol o ddata – rhaid iddo weindio drwy'r holl dâp. Gelwir hyn yn gyrchu cyfresol neu gyrchu dilyniannol *(serial/sequential access)*.

Mae Amserau Cyrchu cyflym i Ddisgiau Optegol

Mae disgiau optegol yn cynnwys cryno ddisgiau (CD) a DVD. Maen nhw'n storio data digidol fel didau *(pits)* (hynny ydy, crychiadau bychain) ar wyneb disg adlewyrchol *(reflective disk)*. Caiff pelydr laser *(laser beam)* ei symud ar draws wyneb y disg – a defnyddir hyd y pelydr i ddarllen y data.

Mae pedwar prif fath o ddisg optegol:

1) **CD-ROM:** Dyma'r math hynaf. Ni ellir eu defnyddio ond i ddarllen data, ond maen nhw'n gallu dal llawer mwy na disgiau hyblyg – tua 650 megabeit. Gwerthir meddalwedd, fel arfer, ar CD-ROM.
2) **CD-R:** Mae'r rhain yn cael eu gwerthu fel cryno ddisgiau gwag, ond gellir ysgrifennu data arnyn nhw unwaith yn unig (ac mae angen math arbennig o yriant CD i wneud hynny). Caiff CD-ROM a CD-R eu hadnabod fel disgiau WORM – *Write Once and Read Many times*.
3) **CD-RW:** Mae'r rhain yn dod yn fwyfwy poblogaidd. Ystyr RW ydy *Read and Write*. Mae'n debyg i CD-R y gellir dileu data oddi ar y disg ac ysgrifennu data newydd arno.
4) **DVD:** Mae'n golygu *Digital Versatile Disk* (neu *Digital Video Disk*). Mae'n debyg i gryno ddisg ond yn dal llawer mwy o ddata – hyd at 17 gigabeit. O ganlyniad, gallan nhw storio ffilmiau cyfan yn ddigidol. Mae systemau DVD-RAM (yn sylfaenol, DVD y gellir eu defnyddio i ysgrifennu data arnyn nhw) yn cymryd lle fideo cartref o dipyn i beth.

Mantais fawr unrhyw ddisg optegol ydy ei fod yn bosibl cyrchu'r data'n uniongyrchol – mae'r laser yn gallu teithio'n uniongyrchol i'r man lle mae'r data yn cael ei storio.
O ganlyniad, mae'r amserau cyrchu'n gyflymach na rhai tapiau magnetig.

Mae Disgiau ZIP yn debyg i Ddisgiau Hyblyg Anferth

Mae disgiau ZIP yn fwy, ac yn fwy trwchus, na disgiau hyblyg arferol – ond yn gweithio'n ddigon tebyg. Mae angen eu gyriant ZIP arbennig eu hunain arnyn nhw, ond mae'r disgiau yn gallu dal 100, 250 neu hyd yn oed 750 megabeit, sy'n llawer mwy na disgiau hyblyg. Maen nhw'n wych ar gyfer gwneud copïau wrth gefn o ffeiliau pwysig. Er hynny, os bydd CD-RW a DVD y gellir ysgrifennu arnyn nhw'n dod yn fwy poblogaidd, mae'n bosib na fyddan nhw'n cael eu defnyddio yn y dyfodol.

MAE STORFEYDD DATA'N FREGUS

Un peth arall y dylech wybod am storfeydd data – maen nhw fel blodau eiddil, felly gwnewch yn siwr eich bod yn eu diogelu rhag gwres, oerni, dŵr, meysydd magnetig, cawodydd meteor…

CD, DVD, CD-R, CD-ROM, CD-Zzz zzzz zzz zz … … … … …

Rhaid i bopeth da ddod i ben – gan gynnwys dwy dudalen o ddyfeisiau storio wrth gefn. Cofiwch y dylech wybod, erbyn hyn, enw pob math o storfeydd wrth gefn, eu pwrpas a'u nodweddion (yn cynnwys eu manteision a'u hanfanteision). Os nad ydych yn cofio, ewch dros y tudalennau yma eto.

Systemau Rhwydwaith

Mae sôn am rwydweithiau yn aml mewn TGCh, ac mae pawb yn tueddu i'w cymryd yn ganiataol, heb ystyried beth yn union ydyn nhw. Wel, dyma'r lle i ddysgu mwy amdanyn nhw. Difyr iawn!

Yn syml iawn, Rhwydwaith ydy Grŵp o Gyfrifiaduron

Rhwydwaith cyfrifiadurol ydy grŵp o ddau neu fwy o gyfrifiaduron sydd wedi eu cysylltu â'i gilydd fel y gallan nhw gyfnewid data. Mae yna ddau brif fath:

1) Rhwydwaith ardal leol (LAN) – Wedi ei gyfyngu i ardal fechan, un adeilad gan amlaf. Cysylltir y cyfrifiaduron gyda cheblau fel arfer. Bydd y rhan fwyaf o sefydliadau sydd â mwy na dau neu dri chyfrifiadur wedi eu cysylltu â'i gilydd mewn LAN. Mae hyn yn caniatáu i bob gweithfan unigol gael mynediad i'r prif weinydd ffeiliau *(file server)* (lle mae'r holl ddata wedi eu storio), ac mae'r prif weinydd ffeiliau yn gallu storio data wrth gefn yn awtomatig yn rheolaidd fel nad oes unrhyw beth yn cael ei golli.

2) Rhwydwaith ardal eang (WAN) – Mae cyfrifiduron yn gallu cysylltu gyda'i gilydd mewn unrhyw ran o'r byd. I hynny gymryd lle mae'n rhaid cael rhwydweithiau teleffon, cysylltiadau lloeren neu donfeddi radio. Y Rhyngrwyd ydy'r enghraifft orau o WAN. Mae'n caniatáu i wybodaeth gael ei rhannu ar draws y byd.

Mae Rhwydwaith yn defnyddio Caledwedd Arbennig

1) Gweinydd Ffeiliau – Cyfrifiadur o fewn rhwydwaith ydy hwn sy'n rheoli llif y data drwy'r rhwydwaith hwnnw. Weithiau mae'n storio y rhaglenni a'r ffeiliau a ddefnyddir gan y rhwydwaith.

2) NIC – Cerdyn Rhyngwyneb Rhwydwaith (*Network Interface Card*) – Mae angen hwn i gysylltu cyfrifiaduron o fewn LAN. Rhaid i bob cyfrifiadur o fewn y rhwydwaith fod â NIC wedi ei osod arno, ac yna bydd y ceblau sy'n eu cysylltu yn cael eu plygio i'r NIC.

3) Modem – Mae angen modem i gysylltu â WAN fel y Rhyngrwyd. Mae'n caniatáu i gyfrifiaduron drosglwyddo data ar hyd cebl y ffôn. Mae modem yn gwneud hyn drwy drawsnewid allbwn digidol cyfrifiadur i signalau analog, sy'n gallu teithio ar hyd llinell ffôn. Yna caiff y signalau hyn eu trawsnewid yn ôl i rai digidol gan fodem arall ar derfyn y lein.

4) ISDN – Ystyr hyn ydy *Integrated Services Digital Network*. Mae'n defnyddio llinellau ffôn, fel y modem, ond mae'n gyflymach oherwydd bod yr holl gysylltiadau cyfathrebu'n ddigidol gan ddefnyddio llinell breifat arbennig. Mae'n gostus, ac felly'n tueddu i gael ei ddefnyddio gan fusnesau'n bennaf.

5) ADSL – Ystyr hyn ydy *Asymmetric Digital Subscriber Line*. Math o fand llydan ydyw, ac mae'n caniatáu i fwy o wybodaeth gyrraedd eich cyfrifiadur o'r safle yr ydych yn ei chyrchu, gan anwybyddu gwybodaeth sy'n teithio i'r cyfeiriad arall. Mae'n parhau i ddefnyddio llinell ffôn gyffredin, ac mae o leiaf 40 gwaith yn gyflymach na modem cyffredin.

Set o Safonau ydy Protocol Rhwydwaith

Nid ydy cyfrifiaduron gwahanol gan gyflenwyr gwahanol wedi eu cynllunio i gyfathrebu â'i gilydd. Mae cyflymder trosglwyddo data, fformat data a'r iaith a ddefnyddir gan y system weithredu yn wahanol. Cytunwyd ar brotocolau rhwydwaith ac felly mae set o safonau ar gael. Mae hyn yn caniatáu i gyfrifiaduron sy'n defnyddio'r un protocol gysylltu â'i gilydd a chyfnewid data.

Rhwydweithio – gall eich helpu i gadw mewn cysylltiad...

Nid ydy'r rhan fwyaf o bobl yn ystyried sut mae rhwydweithiau'n cysylltu cyfrifiaduron ar draws y byd. Dysgwch bopeth y gallwch am hyn gan wneud i'ch ffrindiau ac aelodau eich teulu i ryfeddu at eich gwybodaeth!

Adran 2.2 – Crynodeb Adolygu

Rwy'n credu fod Adran 2.2 yn adran go bwysig. Mae'n rhoi'r holl wybodaeth angenrheidiol i chi am y gwahanol bethau sy'n creu system gyfrifiadurol. Gan eich bod wedi dysgu'r cyfan, daeth yn amser i chi roi prawf ar eich gwybodaeth drwy ateb y cwestiynau dyrys hyn i weld faint wnaethoch chi ei ddeall.

1) Disgrifiwch sut mae llygoden yn gweithio.

2) Nodwch un gwahaniaeth rhwng pad sy'n sensitif i gyffyrddiad a llygoden.

3) Pa fath o ffeil sy'n cael ei chreu pan fo delwedd yn cael ei rhoi drwy sganiwr? Pam ei bod yn cael yr enw hwn?

4) Beth ydy ystyr y llythrennau OCR, MICR ac OMR? Beth ydy'r gwahaniaeth rhyngddyn nhw?

5) Rhestrwch bump o ddyfeisiau mewnbynnu eraill – ac esboniwch sut maen nhw'n gweithio.

6) Gofynnwyd i Sali gyflawni'r tasgau hyn. Rhestrwch y ddyfais fewnbynnu y dylai ei defnyddio ym mhob achos:
a) teipio testun i greu llythyr,
b) recordio neges sain ar gyfer gwefan,
c) tynnu llun ohoni ei hun i'w e-bostio i ffrind.

7) Beth ydy'r enwau ar y tair rhan sydd i'r CPU? Beth mae pob rhan yn ei wneud?

8) Mae busnes eisiau paratoi llyfryn atyniadol ar bapur sglein i hysbysebu eu cynnyrch. Awgrymwch pa fath o argraffydd y gallan nhw ei ddefnyddio gan esbonio eich ateb.

9) Mae'r un busnes eisiau argraffu nifer mawr o gopïau o anfonebau. Nid ydy'r rhain yn cael eu gweld gan gwsmeriaid, dim ond y staff. Rhowch un rheswm o blaid defnyddio argraffydd matrics i argraffu'r anfonebau, ac un rheswm yn erbyn hynny.

10) Bydd yr anfonebau'n cael eu hargraffu mewn swyddfa brysur lle bydd y staff yn derbyn archebion gan gwsmeriaid dros y ffôn. Sut gallai hyn eu helpu i benderfynu pa un ai i ddefnyddio argraffydd matrics neu beidio?

11) Sut mae argraffydd laser yn gweithio? Nodwch ddwy fantais ac un anfantais defnyddio argraffydd laser o'i gymharu ag argraffydd matrics.

12) Beth a olygir wrth y term perifferolion?

13) Esboniwch y gwahaniaeth rhwng pyrth paralel a phyrth cyfresol.

14) Nodwch dair mantais porth USB o'i gymharu â'r ddau fath arall o byrth.

15) Beth ydy'r gwahaniaeth rhwng ROM a RAM?

16) Nodwch bedwar gwahaniaeth rhwng disgiau caled a disgiau hyblyg.

17) Beth ydy ystyr WORM? Rhowch enwau dau fath o ddisgiau WORM.

18) Rwyf angen storio recordiad o ffilm sy'n hanner awr o hyd. Gallwn ddefnyddio CD, DVD neu dâp fideo. Nodwch fanteision ac anfanteision pob un.

19) Beth ydy rhwydwaith? Enwch y ddau brif fath o rwydweithiau.

20) Sut mae modem yn gweithio?

21) Beth ydy ystyr ASDL? Pa fantais sydd iddo o'i gymharu â modem?

22) Esboniwch beth ydy protocol rhwydwaith.

Nodi Gofynion y Defnyddiwr

Trwy ddadansoddi systemau y mae systemau gwybodaeth cyfredol yn cael eu datblygu a'u gwella. Un o dasgau mawr eich gwaith cwrs ydy dysgu bod yn ddadansoddwr systemau, a datrys problem drwy ddefnyddio TGCh. Bydd yr adran hon yn sylfaen dda i chi allu gwneud hynny.

Cylch Bywyd System

Mae'r diagram hwn, sy'n cael ei alw yn gylch bywyd system, yn crynhoi beth mae dadansoddwr systemau yn ei wneud.

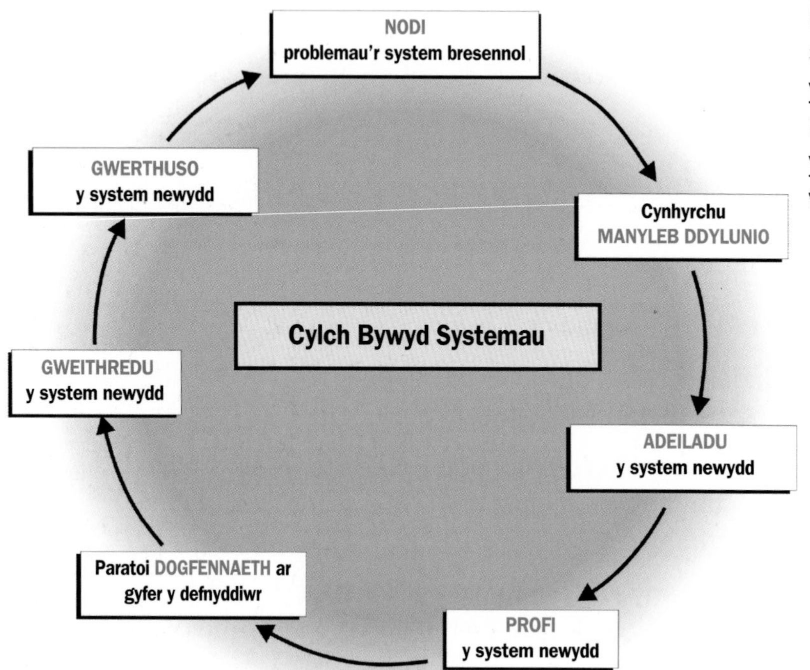

Dylai'r diagram hwn eich helpu i weld sut mae'r holl ddarnau'n ffitio i'w gilydd yn yr adran hon. Mae hefyd yn dangos nad ydy swydd dadansoddwr systemau yn gorffen pan fo'r system newydd yn weithredol.

Y Cam Cyntaf ydy Gweld Beth ydy'r Broblem

1) Yn aml, mae dwy broblem yn bennaf gyda systemau cyfredol. Yn gyntaf, gallai problemau ddigwydd gyda'r system â llaw *(manual system)* tra byddai cyflwyno system gyfrifiadurol yn gwella pethau. Yn ail, gallai problemau ddigwydd oherwydd bod y system gyfrifiadurol bresennol yn anabl i ymdopi â phrosesu'r wybodaeth y gofynnir iddi ddelio â hi.

2) Er mwyn dod o hyd i'r problemau, rhaid i'r dadansoddwr systemau gyfweld defnyddwyr y system honno i'w holi am eu profiad o ddefnyddio'r system; ddadansoddi canlyniadau holiaduron a roddwyd i ddefnyddwyr; arsylwi pobl yn defnyddio'r system; astudio dogfennau fel canllawiau defnyddio, allbrintiau ac adroddiadau yn ymwneud â gwallau.
3) O'r archwiliad hwn dylai'r dadansoddwr systemau ddeall sut mae'r system gyfredol yn gweithio a beth ydy'r problemau ynglŷn â hi.
4) Yna defnyddir y wybodaeth hon i helpu i ddadansoddi'r system newydd ac i greu astudiaeth dichonoldeb *(feasability study)*.

Gweld beth ydy'r broblem – TGAU, dyna'r broblem...

Mae'r diagram cylch uchod yn dangos yn glir beth ydy gwaith dadansoddwr systemau. Gan y byddwch chithau hefyd yn gorfod bod yn ddadansoddwr systemau ar gyfer eich gwaith cwrs, mae'n ganllaw defnyddiol ar gyfer yr hyn sy'n rhaid i chi ei wneud hefyd.

Nodi Gofynion y Defnyddiwr

Y cam nesaf i'r dadansoddwr systemau ydy ystyried gofynion y system newydd a faint o wahaniaeth y gallai ei wneud – yr enw ar astudiaeth o'r fath ydy astudiaeth dichonoldeb.

Penderfynwch ar Amcanion ar gyfer y System Newydd

Fy amcan i ydy cynyddu'r nosweithiau rwy'n eu treulio yn y sinema gyda Delyth Huws o'r adran Cyfrifon o ddim i un.

1) Canlyniadau penodol y gellir eu defnyddio i brofi os ydy'r system newydd yn welliant ar yr un sydd gennych ar hyn o bryd ydy amcanion. Gelwir hwy hefyd yn feini prawf perfformiad ac yn feini prawf gwerthuso.
2) Enghraifft fyddai, "cwtogi 25% ar yr amser sydd ei angen i brosesu data". Mae hwn yn amcan da oherwydd gellir ei brofi drwy fesur, ac yna cymharu, yr amser a gymerodd yr hen system gyda'r amser ar y system newydd.
3) Dylai fod yna nifer o amcanion ar gyfer system newydd.

Nodwch pa Galedwedd a Meddalwedd fydd eu hangen

1) Er mwyn gallu gweld pa galedwedd a meddalwedd sydd eu hangen bydd yn rhaid i'r dadansoddwr systemau gael rhyw syniad sut y gallai'r system weithio.
2) Dylai'r galedwedd a'r feddalwedd gael eu dewis drwy eu cymharu gyda dewisiadau eraill. Enghraifft dda o hyn ydy penderfynu a ydych am ddefnyddio argraffydd laser, chwistrell neu matrics.
3) Gellir newid y penderfyniadau a wneir yma pan fo'r dadansoddwr wedi symud i gam dylunio'r cylch bywyd. Bydd peth dyfalu yn ystod y cam hwn, fe fyddan nhw'n gallu amcangyfrif beth fydd cost debygol y system newydd.

Cynnal Astudiaeth Cost-Mantais

1) Mae dadansoddiad cost a budd yn ateb y cwestiwn: A fydd manteision y system newydd yn fwy na'r costau? Os mai'r ateb ydy bydd, yna bydd y dadansoddwr systemau'n argymell fod y system newydd yn cael ei mabwysiadu. Os mai'r ateb ydy na fydd, byddai'n werth edrych am ateb rhatach.
2) Mae'r manteision yn ddigon tebyg i'r amcanion, fwy neu lai.
3) Bydd y costau yn cynnwys y gost o greu system newydd – ond gallai fod rhai eraill yn ogystal. E.e. efallai y bydd angen llai o weithwyr ar system newydd – felly mae'n bosib y bydd yn rhaid i'r cwmni dalu tâl diswyddo. Efallai y byddai angen cyflogi staff o'r newydd a chadw'r staff presennol.

Gwneud Argymhelliad

Felly, dw i'n argymell eich bod yn gwerthu'r caeau chwarae i gyd ac yn rhoi gliniadur am ddim i bob disgybl.

1) Bydd yn rhaid i'r astudiaeth dichonoldeb a'r argymhelliad gael eu cyflwyno i'r bobl sy'n gorfod penderfynu os ydyn nhw am fabwysiadu'r system newydd. Cyfarwyddwyr cwmnïau neu uwch-reolwyr ydy'r rhain gan amlaf.
2) Ambell dro bydd y dadansoddwr sytemau'n argymell nifer o atebion gwahanol ac yn gadael i eraill benderfynu pa un i'w ddewis.

Argymhelliad arall – dysgwch bopeth sydd ar y dudalen hon...

Ni fydd disgwyl i chi greu astudiaeth dichonoldeb ar gyfer eich project, ond bydd yn rhaid i chi feddwl am bopeth a drafodwyd ar y dudalen hon, yn enwedig amcanion y system newydd. Rhaid i chi fod â syniadau clir ynglŷn ag amcanion eich system newydd cyn i chi wneud gormod o'r gwaith dylunio.

Dylunio – Mewnbwn, Proses, Allbwn

Dyma'r cam lle mae'r dadansoddwr systemau'n dechrau ar ei waith o ddifrif. Gwnewch yn siwr eich bod yn gwybod pa gwestiynau mae angen i'r dadansoddwr eu gofyn – a sut mae'r system gyfan yn ffitio i'w gilydd.

Mewnbwn – Sut mae'r Data'n Cael ei Gipio

1) Efallai y bydd yn rhaid trefnu'r data mewnbwn i feysydd penodol neu amrywiol o ran hyd.
2) Mae defnyddio codau yn gallu lleihau maint y ffeil. Er enghraifft, gellir cyfeirio at ryw person fel G neu B – gan leihau nifer y beitiau y bydd angen eu storio yn y data.
3) Dylai'r ffurflenni sgrin *(screen forms)* gael eu braslunio i ddangos yr hyn bydd y defnyddiwr yn ei weld wrth fewnbynnu'r data.

Mewnbynnu: Rhestr Wirio

- Penderfynwch o ble y mae'r data yn dod. ☐
- Dyluniwch y ffurflenni cipio data. ☐
- Penderfynwch sut mae'r data i'w drefnu. ☐
- Penderfynwch sut i fewnbynnu'r data. ☐
- Dyluniwch y sgrin fewnbynnu. ☐
- Penderfynwch sut y bydd y data'n cael eu dilysu *(validate)*. ☐

Proses – Beth sy'n Digwydd i'r Data

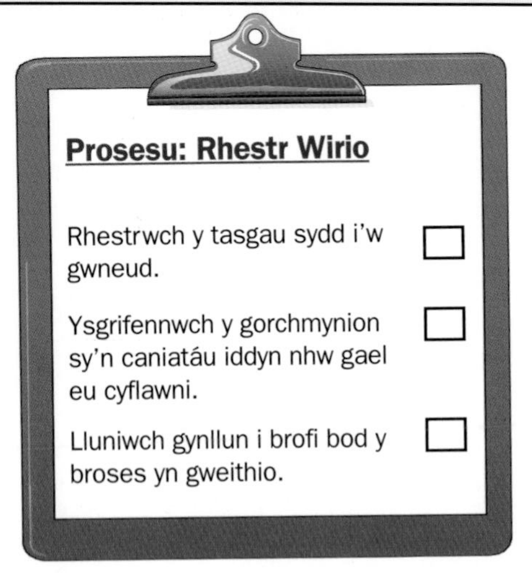

Prosesu: Rhestr Wirio
Rhestrwch y tasgau sydd i'w gwneud.
Ysgrifennwch y gorchmynion sy'n caniatáu iddyn nhw gael eu cyflawni.
Lluniwch gynllun i brofi bod y broses yn gweithio.

1) Dylai'r tasgau mae angen i'r system eu perfformio fod wedi eu seilio ar y broblem sylfaenol a'r amcanion.
2) Gallai'r gorchmynion gynnwys taenlenni fformiwlâu, ymchwiliadau o gronfeydd data, dylunio tudalennau bwrdd cyhoeddi, a threfniadau postgyfuno.
3) Gallai'r gorchmynion hefyd gynnwys cyfnewid data rhwng gwahanol raglenni. Er enghraifft, mewnforio taenlen a'i defnyddio i greu tabl mewn pecyn prosesu geiriau.
4) Gallai cynllun prawf (gweler t.65) ar gyfer y maes 'mis geni' gynnwys data nodweddiadol fel 6, data eithaf fel 12 a data annilys fel Bryn. Bydd hyn yn profi a ydy dilysu data yn gweithio.

Allbwn – Rhyddhau'r Data

1) Y Rheol Aur ydy bod yn gyfeillgar. Mae hyn yn golygu fod yn rhaid i'r allbwn fod yn addas i anghenion y gynulleidfa.
2) Mae angen dangos y wybodaeth mae'r gynulleidfa ei hangen – a dylai gael ei dangos mewn ffordd hawdd i'w deall. Mae'r gosodiad mor bwysig â'r cynnwys.

3) Dylai gosodiad sgriniau allbynnu ac allbrint gael eu braslunio. Yna dylen nhw gael eu dangos i'r defnyddiwr i gadarnhau eu bod yn hapus gyda'r gwaith.

Allbynnu: Rhestr Wirio

- Penderfynu pa ddata sydd angen paratoi allbwn. ☐
- Penderfynu sut i gyflwyno'r wybodaeth. ☐
- Penderfynu pa ddyfeisiau allbynnu i'w defnyddio. ☐
- Dylunio sgriniau allbynnu. ☐

Mewnbwn, Proses, Allbwn – pob hwyl ar y gwaith…

Fel rhan o gam dylunio eich project, dylech fod yn meddwl am yr holl bethau y cyfeirir atyn nhw uchod ac yn eu nodi yn eich 'manyleb ddylunio'. Gallwch gynnwys brasluniau o'r sgriniau mewnbwn ac allbwn.

Dylunio – Dylunio Dadelfennol a Llif Data

Mae'n hollbwysig eich bod yn gwybod sut mae holl rannau'r system yn ffitio i'w gilydd. Mae'r tri diagram ar y ddwy dudalen nesaf yn dangos sut mae gwneud hyn. Gwnewch yn siwr eich bod yn gwybod y gwahaniaethau rhyngddyn nhw.

Mae Diagramau Dadelfennol yn Dangos y Prif Dasgau

1) Mae dylunio dadelfennol, hynny ydy o'r pen i'r gwaelod *(Top-Down)*, yn edrych ar y system gyfan drwy nodi'r prif dasgau sydd i'w cyflawni ac yna eu dadelfennu neu eu rhannu'n dasgau llai.
2) Os ewch drwy ddyluniad dadelfennol, mae pob tasg fawr wedi ei rhannu'n dasgau llai. Bydd ei ddarllen o'r chwith i'r dde yn rhoi i chi'r drefn y maen nhw'n digwydd.
3) Mae diagramau o'r pen i'r gwaelod yn dangos beth sy'n rhaid digwydd – ond nid ydyn nhw'n dangos sut y dylen nhw ddigwydd bob amser.
4) Mae'r enghraifft isod yn dangos y tasgau sydd eu hangen i greu ac argraffu copi o gofnod cronfa ddata newydd.

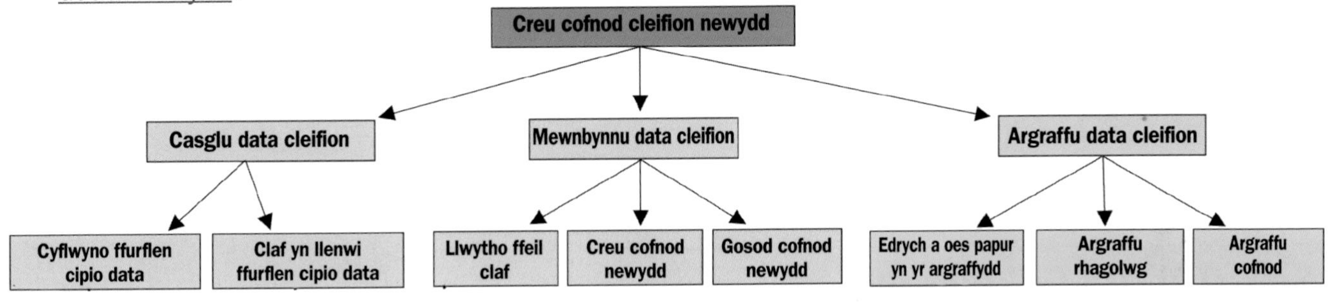

Mae Diagramau Llif-Data yn dangos Beth sy'n Digwydd i Ddata

1) Mae diagramau llif-data yn dangos sut mae data'n symud o gwmpas y system – a beth sy'n digwydd iddo ym mhob cam. Defnyddir tri symbol yn bennaf:

   Mae elips yn dangos o ble daeth y data. Mae'r sgwâr yn dangos proses fel ymchwiliad. Mae'r petryal yn dangos ble mae'r data wedi ei storio – mae hyn yn gallu cynnwys storio copi caled â llaw.

2) Mae diagramau llif-data'n dangos beth sy'n digwydd i'r data – ond nid ydyn nhw'n dangos pa galedwedd a meddalwedd sydd eu hangen i gyflawni hyn.
3) Mae'r enghraifft yn dangos sut mae optegydd yn gallu anfon llythyr atgoffa at bobl sydd heb dderbyn prawf llygaid o fewn y flwyddyn ddiwethaf.

Ffeil data cwsmer
1 Creu rhestr o gleifion sy'n hwyr am apwyntiad
Ffeil llythyrau safonol
2 Cyfuno meysydd i greu llythyr apwyntiad fydd yn eu hatgoffa
1 Copi'n cael ei gadw mewn blwch ffeilio

4) Diagram llif-data ar gyfer un dasg yn unig ydy hwn. Gallwn ddangos system gyfan drwy gysylltu'r diagramau unigol ar gyfer pob tasg gyda'i gilydd – rhywbeth yn debyg i goeden deulu sy'n cysylltu gwahanol bobl gyda'i gilydd.

Edrychwch ar y dudalen gyfan...

Gwnewch yn siwr eich bod yn deall yn glir sut mae'r ddau fath o ddiagram yn gweithio. Mae diagramau dadelfennol yn edrych ar y system gyfan ac yn ei thorri'n ddarnau llai. Maen nhw'n dangos sut bydd data yn symud drwy'r system, ond nid ydyn nhw'n cynnwys y galedwedd na'r feddalwedd sy'n rhan ohono.

Dylunio – Siart Llif System

Mae'r rhain yn codi braw ar y rhan fwyaf o bobl, ond maen nhw'n ddigon hawdd i'w deall. Unwaith y byddwch wedi deall ystyr y symbolau y cyfan sydd angen i chi ei wneud ydy ymarfer sut orau i'w paratoi.

Dysgwch y symbolau...

Mae siartiau llif system yn debyg i ddiagramau llif-data ond eu bod yn cynnwys mwy o fanylion (edrychwch ar y symbolau). Maen nhw'n cynnwys y galedwedd y bydd y system yn ei defnyddio yn ogystal â bocsys penderfyniad (gweler yr enghraifft isod).

Bydd y symbol ar gyfer data sydd wedi eu storio ar adegau'n cael ei ddisodli gan un o'r symbolau pinc eraill os ydy'r dadansoddwr eisiau nodi y math o gyfrwng storio sydd i'w ddefnyddio.
(Nid ydy'r lliwiau sy'n cael eu defnyddio yma'n rhai safonol ond maen nhw'n ei gwneud hi'n haws i ddilyn y siart).

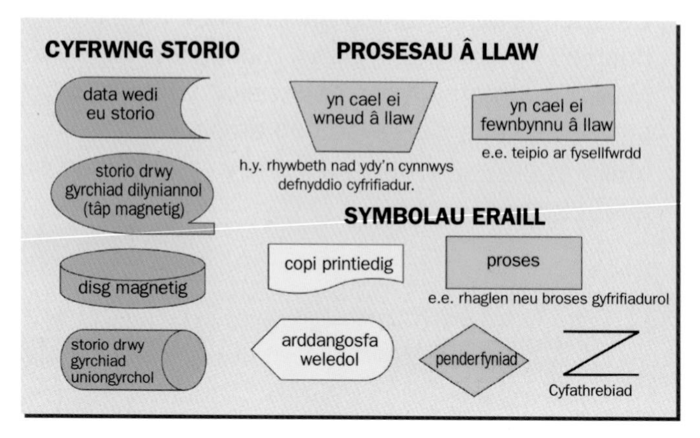

Fe wela i wardrob uchel, dywyll sy'n llawn silffoedd gwag...

...er mwyn i chi allu eu Defnyddio

1) Dyma enghraifft o siart llif system ar gyfer creu cofnod claf newydd mewn syrjeri deintydd.
2) Mae'r cwsmer yn llenwi ffurflen cipio data. Yna caiff y wybodaeth ei rhoi ar ffeil cofnodion y claf gan y croesawydd.
3) Defnyddir cofnod y claf newydd i greu llythyr postgyfunol yn ei groesawu i'r syrjeri.
4) Mae'r bocs penderfyniad yn enghraifft o algorithm. Os ydy'r data mewnbwn yn anghywir, rhaid i'r croesawydd ei wirio i gadarnhau ei fod yn cytuno â'r data sydd ar y ffurflen cipio data.
5) Os ydy'n gywir, yna rhaid cysylltu â'r claf i gadarnhau fod y manylion yn gywir. Os nad ydy'n gywir, a bod camgymeriad wrth fewnbynnu mae'n rhaid i'r croesawydd roi'r data i mewn eto.
6) Pan fo'r siart llif wedi ei lunio, bydd y rhaglennydd yn gallu ysgrifennu'r gorchmynion fydd yn creu'r system.

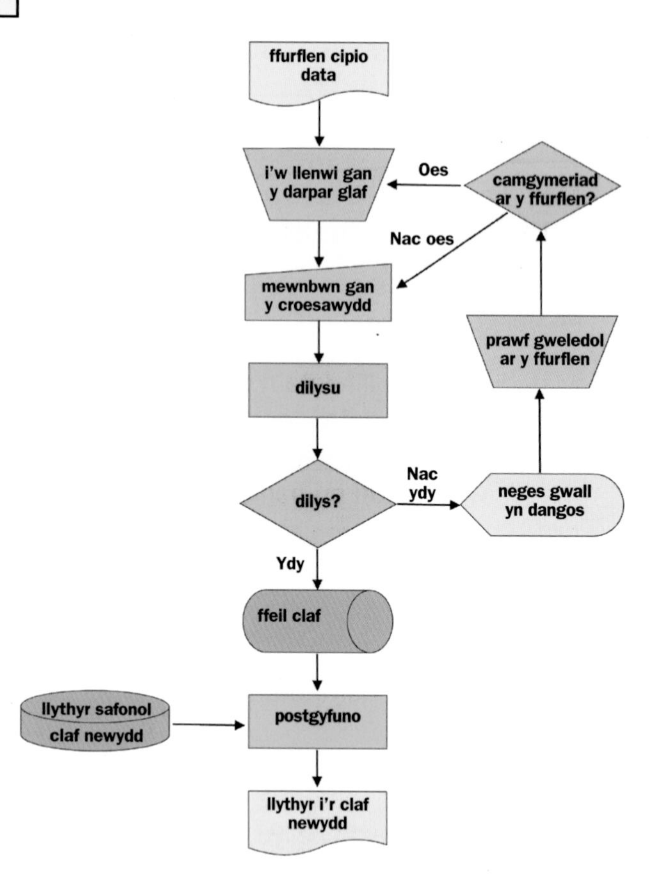

Siart llif – gadewch i'r wybodaeth uchod lifo...

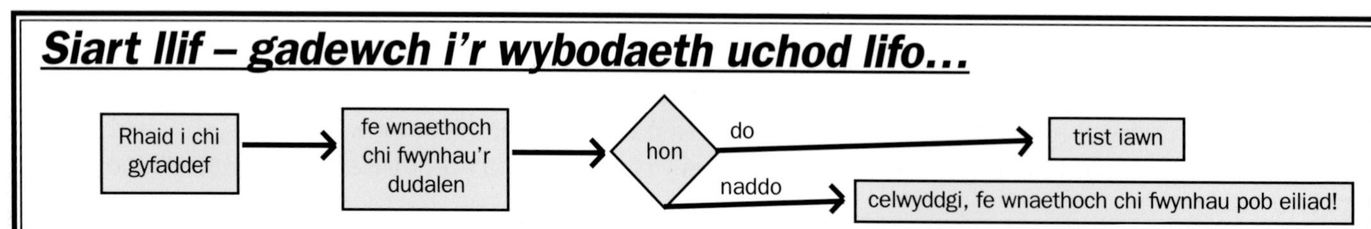

Profion a Dogfennau Defnyddiwr

Caiff system ei phrofi pan fydd yn cael ei hadeiladu ac ar ôl cael ei hadeiladu. Rhaid i chi wybod pa brofion sy'n cael eu gwneud a pham. Byddai'n ddefnyddiol hefyd i wybod am y mathau gwahanol o ddogfennau sydd angen eu paratoi.

Rhaid i'r System Newydd Gael ei Phrofi'n Llawn

Rhaid i'r system newydd gael ei phrofi'n llawn i weld a ydy'r dyluniad newydd wedi gweithio.
Un ffordd o wneud hynny ydy trwy ddefnyddio prawf-ddata *(test data)*. Mae yna dri math:

Data cyffredin – unrhyw beth y mae'r rhaglennydd yn gwybod ddylai weithio.
Data annilys – unrhyw beth y mae'r rhaglennydd yn gwybod ddylai gael ei wrthod.
Data eithaf – data ar ymylon yr ystod data disgwyliedig. E.e. os ydy maes cronfa ddata'n cynnwys canlyniadau arholiad allan o 80, byddech yn ei phrofi gyda'r gwerthoedd 0 ac 80.

Rydym ni'n dweud fod byg ar unrhyw ran o'r system sydd ddim yn gweithio – drwy waith profi bydd y rhaglennydd yn gwybod pa rannau o'r system y mae angen cael gwared â'r byg.

Mae Dogfennaeth Defnyddiwr yn Esbonio Sut i Weithredu'r System

Mae canllawiau ar gael i helpu'r bobl sy'n defnyddio'r system.

Mae angen i'r Canllawiau Sylfaenol ar gyfer Defnyddwyr gynnwys:

1) Sut i agor y feddalwedd
2) Sut i agor ffeiliau
3) Sut i roi data i mewn yn y system
4) Sut i dderbyn allbynnau (ar bapur neu sgrin)
5) Sut i gadw newidiadau
6) Sut i gau'r system a mynd allan ohoni

Rhaid i ganllawiau ar gyfer defnyddwyr gael eu hysgrifennu mewn iaith syml fel bod y defnyddwyr yn gallu deall beth sy'n rhaid iddyn nhw ei wneud. Mae defnyddio llawer o sgrinluniau gyda nodiadau yn helpu i wneud pethau'n gliriach.

Byddai Dadansoddwr Systemau hefyd yn paratoi dogfennau technegol wedi eu hysgrifennu ar gyfer peirianwyr a rhaglenwyr cyfrifiadurol fydd yn cynnal a chadw'r system ar ôl iddi gael ei gosod. Ni fydd angen i chi wneud hyn ar gyfer eich system TGCh chi, ond bydd angen llunio dyddiadur datblygu yn ei le…

1) Rhestr o'r hyn a wnaethoch wrth greu'r system ydy dyddiadur datblygu.
Gallwch ei wneud ar ffurf rhestr o gofnodion neu restr o sesiynau.
2) Pa ffurf bynnag a ddefnyddiwch, rhaid i chi wneud yn siwr fod rhywun yn gallu atgynhyrchu eich gwaith drwy ddarllen eich dyddiadur datblygu.
3) Y ddau beth allweddol y dylai eu cynnwys ydy:
– disgrifiadau technegol o'r hyn a wnaethoch
– argraffiadau o'r sgrin *(screen dumps)* sy'n dangos canlyniad y gwaith a ddisgrifiwyd gennych.

Profwch eich bod yn deall y dudalen hon…

Rhaid i chi ystyried sut rydych yn mynd ati i brofi eich system yn ystod y cam dylunio. Byddwch angen creu cynllun prawf. Un y gallwch ei ddefnyddio ar ôl·adeiladu eich system. Os ydych am gael marc da, cofiwch fod yn rhaid i chi brofi'r system gyfan, nid rhannau ohoni yn unig.

Gweithredu a Gwerthuso

Mae'r system yn cael ei gweithredu pan fo data'n cael eu llwytho o'r hen system i'r system newydd – fel bod y system newydd yn barod i'w defnyddio.

Mae Tair Ffordd Wahanol o Weithredu'r System

Mae'n debyg na fydd yn rhaid i chi osod y system sydd wedi ei chreu ganddoch o fewn y busnes, ond dylech wybod am y ffyrdd gwahanol y byddai dadansoddwr systemau yn eu defnyddio i wneud hynny …

1) Gweithredu uniongyrchol – pan fo'r hen system yn cael ei dadgomisiynu a'r system newydd yn cael ei chychwyn ar yr un pryd. Nid oes cyfnod ar gyfer trawsnewid ac felly bydd y defnyddwyr yn gallu defnyddio'r system yn syth.

Mantais – bydd modd elwa ar fanteision y system newydd mor fuan ag sy'n bosibl.

Anfantais – gallai unrhyw ddiffygion nad ydyn nhw'n dod i'r golwg yn ystod y profi effeithio yn ofnadwy ar y system.

2) Gweithredu graddol – pan fo gwahanol rannau o'r system yn cael eu cyflwyno un ar y tro. Bydd yr hen system yn dal i weithio yn ystod y cyfnod hwn.

Mantais – bydd amser i brofi'r system newydd yn llawn felly dylai bod llai o broblemau.

Anfantais – gall gymryd amser maith i gyflwyno system newydd yn y dull hwn felly bydd yn rhaid aros cyn elwa ar y manteision hynny.

3) Gweithredu paralel – pan fo system newydd yn cael ei chyflwyno mewn un cam ond gan gadw'r hen system tra bo'r un newydd yn cael ei phrofi. Mae hyn yn golygu fod dwy system yn bod am gyfnod.

Mantais – mae'r system newydd yn gallu cael ei phrofi yn gyflym iawn a gellir dod dros unrhyw broblemau heb effeithio ar weithrediadau pwysig.

Anfantais – rhaid gwneud pob tasg ddwywaith.

Mae Gwerthuso'n Profi a ydy'r System yn Parhau i Fodloni ei Hamcanion

1) Unwaith i'r system gael ei gosod yn ei lle bydd ei pherfformiad yn cael ei fonitro i weld os ydy'n gweithio fel y dylai. O dro i dro fe gaiff ei gwerthuso. Bydd hyn yn profi a ydy'r system yn parhau i fodloni'r amcanion – hynny ydy, a ydy'n parhau i wneud yr hyn y cafodd ei chynllunio i'w wneud.
2) Gwerthuso, ydy ailadrodd yr ymchwil a wnaethpwyd ar ddechrau cylch bywyd y system – hynny ydy, arsylwi a chyfweld defnyddwyr ac astudio allbrintiau.
3) Mae cynnydd mewn llwyth gwaith yn gallu bod yn un rheswm pam nad ydy'r system yn ymateb i'r disgwyliadau. Gallai'r galw ar y system fod yn fwy na'i gallu i ddelio â'r galw, gan olygu nad oes modd ei defnyddio bellach. Mae hyn yn golygu y bydd y system yn anaddas gan orfodi'r dadansoddwr i fynd ati i greu system newydd.

Fy ngwerthusiad i – mae dadansoddi systemau'n grêt…

O ran eich project chi, bydd gwerthuso yn golygu edrych ar y system sydd wedi ei chreu ganddoch chi, ei chymharu â'r amcanion a osodwyd ganddoch chi, a phenderfynu a ydy wedi llwyddo ai peidio. A wnaeth eich system oresgyn holl broblemau'r hen system? Byddwch yn feirniadol o'ch system. Mae arholwyr yn hoffi i chi egluro pam fod rhai rhannau heb weithio cystal â'i gilydd.

Adran 2.3 – Crynodeb Adolygu

Da iawn – rydych wedi cyrraedd diwedd Adran 2.3. Rydych bron â bod yn barod i fynd ati i wneud eich project eich hunan. Cyn gwneud hynny, edrychwch ar y cwestiynau hyn. Byddan nhw'n profi os ydych chi wedi dysgu popeth sy'n yr adran.

1) Pa gam sy'n dod rhwng ffeindio problem mewn system gyfrifiadurol ac adeiladu system sy'n cymryd lle y system honno?
2) Eglurwch pam fod angen adnewyddu hen system gyfrifiadurol.
3) Rhestrwch dair ffordd o gasglu gwybodaeth yn ymwneud â pherfformiad hen system.
4) Beth ydy'r gwahaniaeth rhwng amcanion, meini prawf perfformiad a meini prawf gwerthuso?
5) Beth y mae astudiaeth cost-mantais yn ei wneud?
6) Rhestrwch dri pheth y dylid eu gwneud wrth gynllunio mewnbynnau system.
7) Rhestrwch dri pheth sydd angen eu gwneud wrth gynllunio prosesau system.
8) Rhestrwch dri pheth y dylid eu gwneud wrth gynllunio allbynnau system.
9) Mae dwy ffordd o ddarllen diagram dadelfennol (o'r pen i'r gwaelod). Beth ydyn nhw?
10) Beth ydy ystyr sgwâr ar ddiagram llif-data?
    a) Mewnbwn b) Proses c) Storio
11) Rhowch y label cywir ar bob symbol yn y bocs.

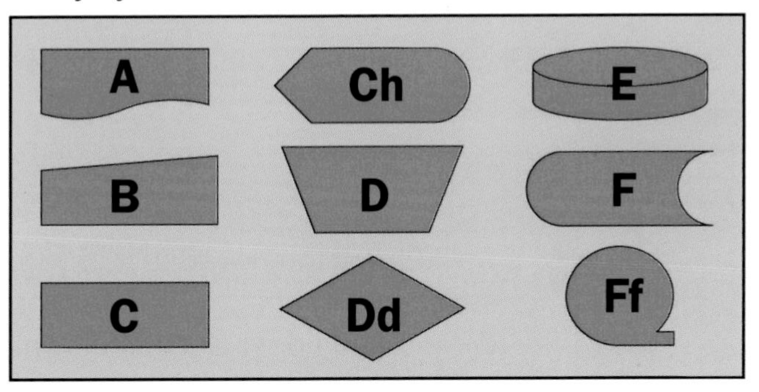

12) Pa symbolau fyddai'n cael eu defnyddio am y digwyddiadau canlynol:
    a) Nodyn ar y sgrin yn dweud wrth y defnyddiwr am fewngofnodi
    b) Nodi eich enw defnyddiwr
    c) Y cyfrifiadur yn cadarnhau fod eich enw defnyddiwr ar ei restr
    ch) Copi caled o enwau eich ffeiliau
13) Beth ydy'r tri math o ddata profi sydd eu hangen? Rhowch enghraifft o bob un os yr ydych am brofi dilysiad cofnodion data ar gyfer y maes "Dyddiad o'r mis y ganwyd".
14) Rhestrwch bedwar peth y dylai canllawiau sylfaenol i ddefnyddiwr eu cynnwys.
15) Esboniwch sut mae gweithredu paralel yn wahanol i weithredu uniongyrchol.
16) Esboniwch sut mae gweithredu graddol yn wahanol i weithredu paralel.
17) Nodwch un fantais ac un anfantais y tri math o weithredu.
18) Beth ydy'r gwahaniaeth rhwng monitro a gwerthuso?

Siopa ac Arwerthiant Ar-Lein

Mae siopa ac arwerthiant ar-lein yn dod yn fwy a mwy poblogaidd gyda busnesau a chwsmeriaid. Mae'r dudalen hon yn egluro sut mae hyn wedi effeithio ar fyd busnes.

Mae Llawer iawn o Bobl yn Prynu Nwyddau Ar-Lein

Yn ôl ystadegau, roedd 1 o bob 10 o holl drafodion cardiau credyd yn 2008 wedi digwydd ar-lein. Efallai nad ydy hynny'n swnio'n llawer ond ystyriwch faint o bethau a brynwyd mae hynny'n ei olygu. Dyma'r manteision a'r anfanteision:

Manteision Siopa Ar-Lein

1) Mae'n fwy hywlus gallu prynu popeth rydych ei angen o gysur eich cartref, yn enwedig os ydy hi'n anodd i chi adael y tŷ.
2) Mae prisiau 'siopa ar-lein yn unig' ar y rhyngrwyd yn aml yn is oherwydd bod angen llai o staff yn y warws nag mewn siop arferol.
3) Gan fod y rhyngrwyd yn fyd-eang, mae gennych lawer mwy o ddewis wrth siopa ar-lein. Gall siopau'r rhyngrwyd fod o fewn cyrraedd unrhyw un yn y byd.

Anfanteision Siopa Ar-Lein

1) Gall methu â gweld na thrafod y nwyddau ymlaen llaw olygu nad ydyn nhw yr union bethau rydych eu hangen. Gall cael eich arian yn ôl fod yn anoddach hefyd.
2) Gall gymryd peth amser i chi dderbyn y nwyddau a brynwyd gennych – braidd yn anffodus os ydych am gael rhywbeth ar frys.
3) Am fod angen llai o weithwyr ar siopau'r rhyngrwyd, fe fydd llai o swyddi adwerthu fel y daw'n fwy poblogaidd. Bydd rhai adwerthwyr llai o faint sydd heb yr arian na'r sgiliau ar gyfer systemau TGCh yn gorfod cau.
4) Os nad oes gennych gyfrifiadur, yna rydych yn colli'r cyfle i brynu nwyddau ar-lein sy'n gallu bod yn rhatach.

Gallwch werthu nwyddau nad ydych eu hangen ar safleoedd fel ebay.co.uk. Mae rhai pobl yn gwneud cryn dipyn o arian drwy werthu fel hyn. Mae hefyd yn well i'r amgylchedd fod nwyddau'n cael eu hailddefnyddio.

Mae Siopa Ar-Lein yn Effeithio ar Fusnesau

Mae manteision i fusnesau sy'n gwerthu nwyddau ar-lein.

1) Nid oes raid i chi wario arian ar rentu siop na chyflogi cymaint o staff wrth werthu nwyddau ar-lein. Mae hyn yn golygu eich bod yn lleihau eich costau ac y gallwch godi llai o arian am eich nwyddau. O ganlyniad, fe gewch fwy o gwsmeriaid.
2) Mae eich busnes ar agor 24 awr y dydd, nid oriau siopa arferol yn unig.
3) Am fod y rhyngrwyd ar gael yn fyd-eang, gallwch gyrraedd pobl mewn gwledydd na chlywsoch sôn amdanyn nhw, a heb ystyried gwerthu iddyn nhw.

Fodd bynnag, mae yna anfanteision i rai busnesau. Er enghraifft, mae llawer o siopau bach y stryd fawr yn diflannu am na allan nhw gystadlu â chwmnïau fel Amazon a chwmnïau mawr ar-lein eraill.

Byddwch yn ofalus – gallai un clic olygu eich bod wedi prynu eliffant...

Dyna ni... Mae siopa ar-lein yn bod. Gallwch brynu unrhyw beth bron ar-lein, o unrhyw fan yn y byd fwy neu lai. Grêt i chi, a gwych i'r rhai hynny sydd am werthu pethau i chi. Eto, mae'n gallu dwyn yr hwyl oddi wrth siopa. Hynny ydy, os mai dyna sy'n rhoi pleser i chi!

Gwasanaethau Ar-Lein Eraill

Nid ar gyfer gwerthu pethau'n unig mae pobl yn defnyddio'r Rhyngrwyd – mae yna lawer o wasanaethau eraill i'w cael.

Mae'n Hawdd Prynu Gwyliau Ar-Lein

Ychydig flynyddoedd yn ôl fyddai pobl ond yn ystyried asiant teithio i chwilio am wyliau. Yno, mae'r asiant yn trefnu popeth – hedfan, teithio o'r maes awyr, y gwesty ac yn y blaen. Nid oes angen i chi drefnu unrhyw beth eich hunan ar wahân i dalu'r asiant teithio.

Heddiw, fodd bynnag, mae nifer o wefannau sy'n eich galluogi i drefnu'r gwyliau eich hunain – awyren, gwesty, tocynnau trên, ac ati. Felly, nid oes raid i chi ddibynnu ar yr hyn sydd gan yr asiant teithio i'w gynnig.

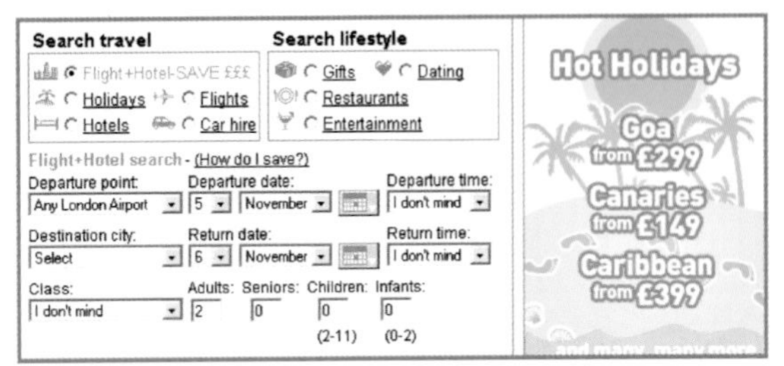

Rhan o dudalen wyliau o www.lastminute.com

> Yn aml, mae'n llawer rhatach, i archebu gwyliau ar-lein. Mae nifer o gwmnïau awyrennau rhad fel Ryanair sy'n cynnal eu busnes bron yn gyfangwbl ar y rhyngrwyd. Maen nhw'n gwerthu teithiau awyr rhad iawn.

Mae rhai Gwefannau'n Cynnig Gwasanaethau Di-dâl

Mae rhai gwefannau'n cynnig gwasanaethau di-dâl yn y gobaith y byddwch yn gwario arian ar eu nwyddau neu eu gwasanaethau, unwaith y byddwch ar y wefan honno.

1) Mae gwefannau sy'n eich galluogi i archebu gwyliau ar-lein yn aml yn cynnig gwybodaeth yn ddi-dâl i deithwyr, yn ogystal â rhith-ymweliadau a mapiau ar gyfer teithwyr.
2) Mae gwefannau sy'n ceisio gwerthu yswiriant ceir, aelodaeth gwasanaeth cymorth pan fo problem gyda car, a nwyddau sy'n gysylltiedig â cheir, yn cynnig gwasanaeth creu map teithio am ddim. Byddan nhw'n gofyn i chi deipio enw ble rydych chi'n byw ac i ble rydych chi am fynd iddo. Bydd yn dangos sut i gyrraedd pen y daith.
3) Mae gwefannau sy'n gwerthu tocynnau trên yn rhoi gwybod i chi beth ydy amser y trenau.

Darperir gwasanaethau di-dâl gan wefannau eraill, ond ceir nifer fawr o hysbysebion arnyn nhw. Dyma sut maen nhw'n ennill arian – mae cwmnïau'n talu iddyn nhw am gael rhoi eu hysbysebion ar y wefan. Gwelir hysbysebion ar wefannau e-bost rhad, ystafelloedd sgwrsio, byrddau negeseuon a gwasanaethau newyddion.

> Mae rhai gwefannau yn bodoli yn unig er mwyn darparu gwasanaeth di-dâl i chi.
> - Er enghraifft, mae Galw Iechyd Cymru yn darparu cyngor meddygol yn rhad ac am ddim ac mae ganddyn nhw holiadur sy'n eich helpu i wneud diagnosis o'ch salwch eich hunan.
> - Bydd gan eich banc wasanaeth ar-lein sy'n eich galluogi i wneud taliadau a throsglwyddo arian ar unrhyw adeg.

Mae'n Rhaid Talu am Rai Gwefannau

Ceir digonedd o wasanaethau ar y Rhyngrwyd y mae'n rhaid talu amdanyn nhw. Dyma rai... trefnu *Blind Dêt,* asiantaethau cyflogaeth, asiantaethau chwilio am bobl sydd ar goll ac yn y blaen...

Byddwch yn ofalus – Talybont ger Aberystwyth neu Talybont ger Bangor...

Waw! Dyna dudalen llawn ffeithiau! Os ydych chi wedi bod yn defnyddio'r Rhyngrwyd, yna rydych chi'n gwybod y cyfan yn barod. Mae yna ddigonedd o bethau defnyddiol iawn ar y we, rhai sy'n codi tâl a rhai sydd ddim!

Bancio Ar-Lein

Nid pawb sydd â'r amser i fynd i'r banc pan mae ar agor, ac nid ydy rhai pobl yn hoffi ciwio yn y banc er bod ganddyn nhw yr amser i wneud hynny. Yr ateb i'r problemau hyn ydy bancio ar-lein

Mae Cyfrifon Banc yn Hawdd i'w Cyrchu Ar-Lein

1) Rhaid i chi gofrestru gyda'ch banc i allu cyrchu eich cyfrif banc ar-lein, ac yna byddan nhw'n anfon cyfrinair ar ffurf cod i chi drwy'r post.
2) Rhaid i chi gael gwybodaeth ddiogelwch i gyrchu eich cyfrif. Caiff hyn ei drefnu rhag ofn i rywun arall ddefnyddio eich cyfrifiadur, neu pe byddech chi'n cyrchu eich cyfrif o gyfrifiadur cyhoeddus. Gofynnir i chi roi gwybodaeth fel eich dyddiad geni, cyfeiriad a chod post yn ogystal â'ch cyfrinair.
3) Tra byddwch wedi mewngofnodi, byddwch yn cyrchu'r wefan trwy gysylltiad sydd wedi ei amgryptio, sy'n golygu na all y wybodaeth sy'n teithio'n ôl a blaen gael ei hacio gan unrhyw un.

Mae llawer o Wasanaethau Bancio Ar-Lein

Gallwch wneud popeth sy'n bosibl mewn banc drwy ddefnyddio bancio ar-lein hefyd:

1) Gallwch drosglwyddo arian o un cyfrif i'r llall.
2) Gallwch weld faint o arian sydd yn y cyfrif.
3) Gallwch wneud cais am fenthyciad.
4) Gallwch drefnu archeb sefydlog neu ganslo debyd uniongyrchol – (taliadau am filiau sy'n dod o'ch cyfrif yn awtomatig ar ddyddiad arbennig o'r mis).

Mae rhai pethau na allwch eu gwneud ar-lein, fodd bynnag, fel talu arian i mewn i'ch cyfrif.

Newid ym myd bancio!

Mae Manteision ac Anfanteision i'r Banciau

Manteision i'r Banciau

1) Mae bancio ar-lein yn ddefnyddiol iawn i gwsmeriaid y banc. Mae cadw cwsmeriaid yn hapus yn bwysig os ydy'r banc am wneud elw.
2) Nid oes angen cymaint o staff, sy'n lleihau'r costau – gall canghennau bychain gau'n gyfan gwbl.
3) Mae costau papur yn llai.
4) Mae angen llai o le i storio.

Anfanteision i'r Banciau

1) Mae angen lefel uchel o ddiogelwch, sy'n gostus.
2) Ni allwch sicrhau fod systemau diogelwch yn gwbl ddiogel. Pe bai rhywun yn hacio i mewn ac yn cael gafael ar fanylion cwsmer, fe fyddai'r banc mewn trafferth.
3) Mae'n bur gostus i drefnu gwasanaeth ar-lein.
4) Os ydy'r canghennau'n cau fe allai'r banc golli cwsmeriaid.

Cofiwch, os ydy'r banc lleol yn cau bydd y gweithwyr yn colli eu gwaith. Dydy hynny ddim yn beth da i'r ardal.

Rwyf yn defnyddio llawer mwy ar y banc ers dechrau defnyddio'r Rhyngrwyd...

"Bancio ar-lein ydy un o'r gwasanaethau mwyaf defnyddiol y mae'r Rhyngrwyd yn ei gynnig. Wel, dyna fy marn i, beth bynnag". (Barn person sy'n byw yn y wlad ac sy'n bell o'r banc lleol).

Cymorth Technegol a Chronfeydd Data

Fel mae TGCh yn cael ei defnyddio fwyfwy mewn busnes, mae angen mwy a mwy o gymorth TGCh i helpu pobl i'w defnyddio.

Mae Sefydliadau'n Darparu Cymorth Technegol a Gwasanaethau

Mae cymaint o gyfrifiaduron mewn rhai gweithleoedd fel bod y sefydliadau hynny'n cyflogi timau o arbenigwyr TGCh i ddelio â hwy. Mewn lleoedd eraill, ni chyflogir arbenigwyr TGCh ac felly byddan nhw'n prynu amser arbenigwyr.

1) Bydd angen cymorth ar fusnesau'n aml i osod ac i ofalu am rwydweithiau. Efallai y bydd gan sefydliadau fel ysgolion rwydwaith, ond efallai na fyddan nhw'n cyflogi rhywun amser llawn i ofalu am y system. Byddan nhw'n galw technegydd rhwydweithiau pan fydd angen.
2) Gallai busnesau hefyd dalu i gwmni i ofalu – am eu gwefan – sef gwestai (host). Ystyr gwestai ydy bod y wefan wedi ei storio ar gyfrifiadur sydd wedi ei gysylltu â'r Rhyngrwyd bob amser. Bydd gan y cyfrifiadur hwn feddalwedd arbennig fel mur gwarchod *(firewall)* sy'n diogelu'r wefan. Mae'n rhatach yn aml nag i brynu eich gweinydd *(server)* eich hunan a chael hwnnw wedi ei gysylltu â'r Rhyngrwyd gydol yr amser.

Mae Cwmnïau Gwarchodaeth yn Diogelu eich Cyfrifiadur

Mae cwmnïau gwarchodaeth yn gwneud eu gorau i atal firysau, trojans a hacwyr:

1) Er mwyn diogelu eich busnes rhag ymosodiad gan hacwyr neu firysau, gallwch dalu i gwmni gwarchodaeth TGCh i osod meddalwedd sy'n diogelu eich rhwydwaith neu wefan.
2) Sganiwr firysau a mur gwarchod fydd y feddalwedd hon yn bennaf. Mae'n bwysig bod y ddau gennych. Mae mur gwarchod yn diogelu rhag hacwyr a sganiwr firysau yn diogelu rhag firysau a throjans.

Doedd Babs ddim deall beth oedd y broblem ynglŷn â chael trojan yn y swyddfa.

Rhaid i Gronfeydd Data Gael eu Haddasu

Caiff cronfeydd data eu defnyddio'n eang mewn busnes. Mae'n ddigon cyffredin i gwmnïau logi rhywun i greu cronfa ddata wedi ei haddasu sy'n gweddu'n union i ofynion y busnes. Mae'n ddigon cyffredin hefyd i bobl gael eu cyflogi'n arbennig i greu, ac i gynnal, cronfeydd data.

Ceir dau fath o gronfeydd data wedi eu haddasu:

Cronfeydd Data Dadansoddol

(Maen nhw hefyd yn cael eu galw yn OLAP – *On Line Analytic Processing*)
Mae'r cronfeydd data hyn yn gadael i chi edrych ar ddata, ond dydych chi ddim yn gallu ei newid. e.e.

- Catalogau (fel sydd ar Amazon.co.uk)
- Data hanesyddol (fel data poblogaeth, geni, marw a phriodasau).
- Data arwethiannau sydd wedi'u cynnal

Cronfeydd Data Gweithredol

(Maen nhw hefyd yn cael eu galw yn OLTP – *On Line Transaction Processing*)
Bwriadwyd i'r cronfeydd data hyn gael eu newid yn aml dros gyfnod o amser – sawl gwaith y dydd, o bosibl, e.e.

- Rheolaeth stoc mewn warws (gweler tudalen 44)
- Tracio archebion cwsmeriaid.

Cymorth technegol – rhywbeth i'w roi ar gof a chadw...

Wel, dyna dudalen ddiflas! Beth bynnag, mae'n rhaid i chi ddysgu'r cynnwys a gwneud yn siwr eich bod yn cofio'r cyfan!

TGCh mewn Canolfannau Galw

I fusnes mawr sydd heb swyddfeydd neu siopau ar draws y wlad, un o'r ffyrdd y gallan nhw gyfathrebu â'u cwsmeriaid ydy drwy sefydlu canolfan alw.

Mae Gan Nifer o Fusnesau Mawr Ganolfan Alw

1) Mae rhai sefydliadau'n derbyn miloedd o alwadau bob dydd, felly mae'n synhwyrol iddyn nhw anfon yr holl alwadau hynny i'r un lle a chyda'r un rhif ffôn yn hytrach na chael rhifau gwahanol.
2) Canolfan alw, yn syml iawn, ydy adeilad gyda llawer o weithwyr sy'n galw pobl neu'n ateb y ffôn.
3) Maen nhw'n defnyddio system ffôn gyfrifiadurol gyda ffôn clust a meicroffon.
4) Drwy gael canolfannau galw gallwch hyfforddi gweithwyr i ateb y ffôn ac i fod yn arbennig o dda am wasanaethu cwsmeriaid, a gwybod yr atebion i gwestiynau sy'n cael eu gofyn yn aml.
5) Mae canolfannau galw busnesau mawr yn cael eu lleoli mewn nifer o wledydd, yn aml yn India a lleoedd eraill lle mae cyflogau'n gymharol isel. Yn aml, fyddwch chi ddim yn sylweddoli eich bod yn siarad â rhywun yn India.

Er bod gweithwyr canolfannau galw wedi eu hyfforddi i ddelio ag ymholiadau syml, gallan nhw gael trafferth i ddelio â rhai mwy penodol. Gall cwsmeriaid gael eu trosglwyddo o un gweithiwr i'r llall, sy'n rhwystredig iawn.

Dydy Canolfannau Galw Ddim yn Gallu Gweithredu Heb Gymorth TGCh

Mae canolfannau galw'n dibynnu ar TGCh i weithio'n llwyddiannus. Dyma dair ffordd y mae TGCh yn cael ei defnyddio gan ganolfannau galw:

Llwybro Galwadau

Mae llwybro galwadau'n digwydd pan fydd yn rhaid i chi bwyso rhif penodol i gael mynediad at adran arbennig ("pwyswch 1 os ydych yn ymholi ynglŷn â bil, pwyswch 2 os ydych ..."). Fel rheol, mae'n gweithio os oes gennych ffôn tôn-gyffwrdd (un sy'n gwneud sŵn pan fyddwch yn pwyso'r botymau), gan fod y cyfrifiadur yn adnabod tôn pob rhif sy'n cael ei bwyso gennych.

Recordydd Sain

Yn aml, bydd eich llais, a llais y person yr ydych yn siarad â nhw, wedi ei recordio'n ddigidol, gan ddefnyddio rhaglen fel *Sound Recorder* ar eich cyfrifiadur personol. Gwneir hyn fel y gellir gwrando eilwaith ar y sgwrs a'i gwerthuso fel bod y bobl sy'n gweithio yn y ganolfan yn gwella eu sgiliau.

Ciw

Os ydy'r ganolfan alw'n brysur, mae'n bosibl y cewch eich gosod mewn ciw. Bydd angen system TGCh ar y sefydliad i reoli'r ciw, ac i gysylltu'r person nesaf sy'n galw. Yn aml fe glywch chi neges wedi ei recordio sy'n dweud ym mha safle rydych chi yn y ciw.

Canolfannau galw...Wff!

Canolfannau galw... Aaa! Maen nhw'n fy ngwylltio. Fel arfer, byddwch mewn ciw am hanner awr yn gwrando ar gerddoriaeth cyn siarad â rhywun sy'n eich trosglwyddo i rywun arall, ac yna i rywun arall eto, ac yn y blaen heb gael ateb i'ch cwestiwn syml.

TGCh Mewn Hysbysebu a Marchnata

Ble bynnag yr edrychwch y dyddiau hyn, mae yna rywun yn ceisio gwerthu rhywbeth i chi. Mae TGCh wedi gwneud hyn yn anoddach i'w osgoi.

Mae TGCh wedi gwneud Marchnata'n Haws ac yn Fwy Effeithiol

Mae TGCh wedi ei gwneud hi'n haws ac yn rhatach i greu hysbysebion trawiadol a deniadol sy'n denu'r llygad:

1) Gellir paratoi hysbyseb ar gyfer cylchgrawn, neu boster, yn rhwydd iawn y dyddiau hyn gan ddefnyddio offer cyfrifiadurol cymharol rad. Gall unrhyw un ddefnyddio'r feddalwedd gydag ychydig o hyfforddiant sylfaenol.
2) Mae graffigwaith yn haws i'w trin, sy'n golygu y gellir defnyddio delweddau mwy trawiadol a dychymygus i ddenu'r llygaid at hysbyseb.
3) Os oes pobl yn cael eu darlunio mewn hysbyseb, gellir gwneud iddyn nhw ymddangos yn well drwy ddefnyddio meddalwedd graffigwaith. Er enghraifft, gallwch ddileu smotiau a rhychau oddi ar wyneb person.
4) Mae technoleg mor dda erbyn hyn fel y gellir defnyddio effeithiau arbennig mewn hysbysebion teledu. Gallwch hyd yn oed gael hysbysebion ar y teledu a animeiddiwyd yn gyfan gwbl gan gyfrifiadur fel eu bod yn edrych cystal â ffilm.

Mae TGCh hefyd, wedi ei gwneud hi'n haws i bobl eich galw ar y ffôn i geisio gwerthu pethau fel ffenestri i chi. Mae ganddyn nhw gronfeydd data sy'n cynnwys rhifau ffôn miloedd o bobl y gallan nhw eu galw heb orfod edrych amdanyn nhw mewn llyfr ffôn.

Mae TGCh Wedi Creu Dulliau Newydd o Hysbysebu

O ganlyniad i TGCh, mae llawer o ffyrdd newydd y gall hysbysebwyr eu defnyddio i'ch targedu. Os ewch ar y Rhyngrwyd, mae'n anodd i chi osgoi pentyrrau o hysbysebwyr yn ceisio cael gafael arnoch.

1) Hysybysebion ar naidlen (pop-up) – Bydd y rhain yn digwydd pan fydd tudalen we yn agor ffenestr newydd yn cynnwys hysbyseb. Os cliciwch ar y ffenest, bydd yn eich cyrchu i dudalen we lle gallwch brynu'r hyn sy'n cael ei hysbysebu.
2) Mae hysbysebion ar naidlenni'n ddiflas gan eu bod yn ymyrryd â'r dudalen we yr ydych yn edrych arni. Gallwch brynu meddalwedd rhwystro naidlenni sy'n atal yr hysbysebion hyn.
3) Ceir hysbysebion bras *(banner adverts)* ar rai gwefannau. Mae'r rhain yn rhan o'r dudalen yr ydych yn ei darllen ac felly nid ydyn nhw'n ymyrryd cymaint. Os cliciwch arnyn nhw fe ddaw gwefan arall i'r golwg.
4) Os oes gennych gyfeiriad e-bost, mae'n bosibl y derbyniwch negeseuon oddi wrth bobl neu gwmnïau yn cynnig nwyddau neu wasanaethau. Os nad ydych wedi gofyn am y rhain, fe'u gelwir yn sbam.
5) Mae'n anghyfreithlon erbyn hyn i anfon sbam, a gall cwmnïau gael dirwy am wneud hynny.

Nawr dyma'r peth pwysicaf ar y dudalen. Peidiwch ag anghofio hynny. Bydd eich arholiad

Naidlen
Ydych chi wedi bod awydd cael cerflun noeth o'ch hunan? Cliciwch yma:
www.cerflunnoethohonochchi.com

Cliciwch ar www.atebol.com am fwy o lyfrau gwych...

Yn syml, tudalen ydy hon sy'n dangos fel y mae TGCh wedi gwneud y byd yn lle llawer mwy rhwystredig i bobl gyffredin fel ni. Mae'n wych i gwmnïau sydd eisiau cynnig gwybodaeth am eu nwyddau, ond mae'n well gennyf beidio â derbyn y manylion. Dwi ddim eisiau gwraig o Rwsia, na gradd brifysgol ffug na Viagra chwaith diolch yn fawr!

Adran 3.1 – Crynodeb Adolygu

Dyna'r cyfan sydd i'w ddysgu yn yr adran hon. Hwre! Ond, nid dyna'r diwedd yn hollol. Rhaid i chi roi cynnig ar ychydig o gwestiynau. Peidiwch â phoeni, dydyn nhw ddim yn rhy anodd, ac os na allwch eu hateb edrychwch yn ôl ar y tudalennau perthnasol. Mae'r atebion i gyd yno yn rhywle.

1) Allan o'r holl drafodion a wnaed â chardiau credyd yn 2008, beth oedd cymhareb y rhai a wnaed ar-lein?
2) Pa fath o wefan allwch chi ei defnyddio i werthu nwyddau i bobl eraill drwyddi?
3) Pa resymau sydd gan bobl dros beidio â siopa ar-lein?
4) Pa fath o wasanaethau rhad ac am ddim y gallai gwefan cwmni gwyliau eu cynnwys i ddenu cwsmeriaid?
5) Rhestrwch bedwar peth yn gysylltiedig â gwyliau y gallwch eu prynu ar-lein.
6) Pa wasanaethau rhad a gaiff eu cynnig ar y Rhyngrwyd? Rhestrwch bedwar arall.
7 a) Pa fath o wybodaeth diogelwch mae angen i chi ei roi i gael mynediad i'ch cyfrif banc ar-lein?
b) Beth mae'r banc yn ei anfon i chi drwy'r post i gyd-fynd â'r wybodaeth hon?
8) Rhestrwch bedwar peth y gallwch eu gwneud drwy fancio ar-lein.
9) Rhowch ddau reswm pam y byddai banc am ddarparu gwasanaeth ar-lein i gwsmeriaid.
10) Nodwch un gwasanaeth technegol y gellid ei ddarparu ar gyfer busnes gan sefydliad o'r tu allan.
11) Enwch unrhyw beth y gallech ddefnyddio cronfa ddata ddadansoddol ar ei gyfer.
12) Enwch unrhyw beth y gallech ddefnyddio cronfa ddata weithredol ar ei gyfer.
13) Pam y byddai busnes am gael canolfan alw?
14) Nodwch dri defnydd o systemau TGCh mewn canolfan alw.
15) Pa effeithiau a gafodd technoleg TGCh ar hysbysebu ar y teledu?
16) Esboniwch sut y gellid defnyddio meddalwedd graffigwaith i newid delwedd hysbyseb ar gyfer cylchgrawn.
17) Sut mae pobl sy'n gwerthu ar y ffôn yn dod o hyd i'ch rhif?
18) Pa fath o hysbysebion Rhyngrwyd y gellir eu rhwystro?
19) Pa fath o hysbysebion Rhyngrwyd sy'n ffurfio rhan o dudalen we?
20) Beth ydy sbam?

TGCh yn y Gweithle

Mae TGCh yn newid y mathau o swyddi y mae pobl yn cael eu cyflogi i'w gwneud, a'r ffordd y maen nhw'n eu cyflawni.

Mae TGCh Wedi Colli Rhai Swyddi ond wedi Creu Rhai Eraill

Mae cyfrifiaduron wedi cael gwared o bobl yn gyfan gwbl mewn rhai swyddi, ac wedi lleihau nifer y bobl sydd eu hangen i wneud swyddi eraill. Ond mae'r angen i adeiladu a rhedeg cyfrifiaduron wedi golygu bod swyddi newydd yn cael eu creu a bod diwydiannau newydd yn cael eu datblygu. Dyma rai enghreifftiau:

SWYDDI SY'N CAEL EU COLLI OHERWYDD CYFRIFIADURON

1) Swyddi gweithgynhyrchu – yn hytrach na chyflogi llawer o weithwyr dim ond nifer bychan o weithwyr sydd wedi derbyn hyfforddiant dwys i ofalu am weithfannau sy'n cael eu cyflogi bellach.
2) Swyddi bancio ac adwerthu – mae'r rhain wedi'u disodli gan systemau cyfrifiadurol a siopa ar-lein.
3) Swyddi traddodiadol mewn swyddfa – e.e. clercod a theipyddion sy'n cael eu disodli gan systemau cyfrifiadurol.

SWYDDI SY'N CAEL EU CREU GAN GYFRIFIADURON

1) Cynllunwyr a gweithgynhyrchwyr caledwedd gyfrifiadurol.
2) Dadansoddwyr systemau a rhaglenwyr i greu systemau ac i ysgrifennu rhaglenni.
3) Rheolwyr rhwydweithiau a thechnegwyr TG i gynnal a chadw systemau cyfrifiadurol.
4) Dylunwyr gwefannau.

Mae TGCh yn cael ei defnyddio fwyfwy gan Bob Gweithiwr

Gofynnir i weithwyr yn gyffredinol, yn enwedig y rhai sy'n gweithio mewn swyddfa, dreulio mwy a mwy o'u diwrnod gwaith yn defnyddio cyfrifiaduron. Mae manteision ac anfanteision i gyflogwyr a gweithwyr fel ei gilydd:

MANTEISION

1) Gall cyflogwyr elwa oherwydd gall cyfrifiaduron gynyddu faint o waith sy'n cael ei wneud. Mae hyn yn gwneud i'r busnes fod yn fwy cynhyrchiol ac felly'n fwy cystadleuol.
2) Mae gweithwyr yn elwa os gall cyfrifiaduron wneud y gwaith diflas ac ailadroddus gan eu gadael nhw i wneud y swyddi diddorol.

ANFANTEISION

1) Mae'n gostus i fuddsoddi yn y dechnoleg ddiweddaraf a mwyaf effeithlon ac mae'n cymryd amser ac arian i ailhyfforddi staff.
2) Gall arwain at golli swyddi wrth i gyfrifiaduron gael eu defnyddio yn lle pobl ar gyfer rhai tasgau fel cydosod ceir.

Gall TGCh Effeithio ar y Ffordd Mae Pobl yn Cyfathrebu

Mae TGCh wedi gwneud cyfathrebu yn haws, yn gyflymach ac yn fwy dibynadwy (fel rheol). Mae hyn yn newyddion gwych i fusnesau, yn enwedig y rhai sy'n cyfathrebu'n rheolaidd gyda sefydliadau eraill neu swyddfeydd dramor. Mae e-bost, yn arbennig, yn rhad ac yn gyflym. Gellir ei anfon gydag atodiadau, a gellir anfon yr un wybodaeth i lawer o bobl ar yr un pryd. Nid oes raid i'r person fod wrth ei ddesg i dderbyn y wybodaeth gan y bydd yn aros yn y mewnfocs *(inbox)* nes iddo/iddi edrych arno.

Mae yna anfanteision fodd bynnag. Am fod e-bost mor hwylus, caiff ei orddefnyddio yn aml. Gall gweithwyr ffeindio eu hunain yn defnyddio'r rhan fwyaf o'u hamser yn y gwaith yn darllen ac yn ateb e-byst. Gallan nhw fod yn araf i ymateb i ymholiadau pwysig am eu bod yn rhy brysur yn delio ag e-byst nad ydyn nhw'n berthnasol. Felly, er y gall e-bost helpu i wneud pethau'n gyflymach ac yn haws, gall hefyd wneud rhai gweithwyr yn llai cynhyrchiol. Sefyllfa eironig braidd.

Wnan nhw byth gael gwared arna i...

Mae newidiadau mewn TGCh wedi arwain at lawer o newid yn y ffordd mae pobl yn gweithio a'r swyddi maen nhw'n eu gwneud. Fel gyda phopeth newydd, fe wnaeth rhai pobl elwa o'r newidiadau tra mae eraill wedi colli. Gwnewch yn siwr eich bod chi'n elwa drwy ddysgu'r cyfan sydd ar y dudalen hon ynglŷn â'r newidiadau, y manteision a'r anfanteision.

TGCh yn y Gweithle

Dros yr ugain mlynedd diwethaf mae'r defnydd a wneir o TGCh wedi cynyddu o fewn y gweithle. Cafodd hyn ddylanwad mawr ar batrwm gwaith gweithwyr. Nid ydy'r cyfan wedi bod yn newyddion da fodd bynnag...

Mae TGCh Wedi Newid Lleoliad Gwaith Pobl

TELEWEITHIO

1) Mae datblygiadau fel y Rhyngrwyd, e-bost, ffonau symudol, ffacs ac ati yn golygu y gall gweithwyr deleweithio erbyn hyn (e.e. gweithio o'u cartref) yn hytrach na theithio i swyddfa bob dydd.
2) Mae teleweithio'n lleihau maint y swyddfa sydd ei angen, ac mae hynny yn ei dro yn golygu llai o gostau i gyflogwyr. Mae yna fanteision i weithwyr yn ogystal, er enghraifft:
   - Llai o amser ac arian yn cael ei wario ar deithio i'r gwaith.
   - Mae'n aml yn caniatáu oriau hyblyg.
   - Mae'n ddelfrydol ar gyfer gweithwyr anabl, ac i'r rhai hynny sy'n gorfod gofalu am blant ifanc.
3) Ond mae yna anfanteision hefyd – mae'n anoddach i gyflogwyr sicrhau fod gwybodaeth gyfrinachol yn cael ei gwarchod. Mae'r anfantesion i weithwyr yn cynnwys:
   - Gweithwyr yn teimlo'n ynysig ac yn unig oherwydd y diffyg cyswllt gyda chydweithwyr.
   - Dim gwahanu clir rhwng byd gwaith a bywyd y cartref, sy'n gallu achosi straen i rai pobl.
   - Mae'n aml yn anoddach canolbwyntio yn y cartref oherwydd galwadau gwaith tŷ, plant ac yn y blaen.

RHANNU DESG

Mae TGCh wedi newid y man lle mae pobl yn gweithio o fewn y swyddfa hyd yn oed. Nid oes gan lawer o weithwyr eu desg, eu storfa ffeilio ac ati eu hunain erbyn heddiw, fel yn y gorffennol. Os defnyddir rhwydweithiau ac oriau hyblyg, gallan nhw eistedd wrth unrhyw ddesg a chael mynediad (drwy'r rhwydwaith) i bopeth y mae ei angen arnyn nhw i wneud y swydd. Felly, mae llawer o sefydliadau'n awr yn defnyddio system rhannu desgiau, lle mae pobl yn cyrraedd eu gwaith ac yn dewis unrhyw ddesg sy'n rhydd. Mae hyn yn arbed arian i'r sefydliad gan y gallan nhw ddefnyddio swyddfeydd llai sy'n cynnwys llai o offer.

Mae E-bost, Ffonau Symudol a Gliniaduron yn ei gwneud yn Hawdd i Gysylltu â Gweithwyr

1) Mae technoleg fel e-bost, ffonau symudol a gliniaduron yn ei gwneud yn llawer haws i gael gafael ar bobl pan nad ydyn nhw yn y gwaith. Dyma rai pwyntiau i'w hystyried:
   - Gall pobl ddefnyddio gliniaduron, ffonau symudol ac ati tra byddan nhw'n teithio.
   - Gellir cysylltu â gweithwyr ynglŷn â'u gwaith ar unrhyw adeg, gan gynnwys oriau pan nad ydyn nhw'n gweithio.
   - Gall pobl wneud eu gwaith gartref ar eu gliniaduron.
2) Mae hyn yn dda i'r busnes oherwydd bod y staff yn fwy cynhyrchiol, sy'n golygu mwy o arian i'r busnes. Gellir cysylltu'n hawdd â gweithwyr mewn argyfwng sy'n gysylltiedig â gwaith neu os oes angen gwneud gwaith ychwanegol.
3) Nid ydy'n fanteisiol i staff bob amser, fodd bynnag. Gall fod yn fanteisiol iddyn nhw os gallan nhw ddal i fyny â'u gwaith gartref a gwneud gwell defnydd o'u hamser pan fyddan nhw'n teithio, ond mae hyn yn arwain yn aml at dreulio mwy o amser yn gweithio heb dâl ychwanegol. Gall gofynion gwaith ymyrryd â'u bywyd preifat ar unrhyw adeg a gallan nhw ddioddef o bwysau gwaith ychwanegol.

Da-da-di-da, da-da-di-da – Helo? Dw i ar y trên bos!...

Dychmygwch eich athrawon yn cysylltu â chi ar eich ffôn symudol i ofyn cwestiynau ffiseg a hanes y tu allan i oriau ysgol! Diflas iawn! Er bod TGCh wedi gwella amodau gwaith mewn llawer o ffyrdd, mae'n bosib i'r dechnoleg ganiatáu i gyflogwyr fanteisio ar eu gweithwyr hefyd.

TGCh yn y Gweithle

Mae TGCh yn dod yn fwyfwy pwysig yn y gweithle, ond mae hefyd yn newid ac yn datblygu gydol yr amser. Mae hyn yn golygu ei bod yn hanfodol fod staff yn cael hyfforddiant i wneud yn siwr eu bod yn gwybod am y datblygiadau diweddaraf.

Efallai y Bydd Staff Angen Cymwysterau TGCh neu Hyfforddiant Arbenigol

Hyfforddi'r dolffin (Mae'n edrych yn fwy o sbort na hyfforddiant TGCh)

1) Mae llawer o gyflogwyr yn dewis eu staff yn aml iawn ar sail eu cymwysterau mewn TGCh, fel TGAU neu'r Drwydded Yrru Gyfrifiadurol Ewropeaidd *(ECDL)*. Mae'n bosib hefyd y bydd disgwyl i staff astudio tuag at y cymwysterau hyn a llwyddo i ennill cymwysterau o'r fath.
2) Mae cymwysterau sy'n cael eu cydnabod yn genedlaethol fel yr uchod yn cynnwys llawer o'r rhaglenni a ddefnyddir mewn swyddfeydd – rhaglenni fel prosesu geiriau, cronfeydd data a thaenlenni, yn ogystal ag e-bost a'r Rhyngrwyd.
3) Ond mae nifer o gwmnïau angen i'w staff allu defnyddio gwahanol raglenni ac offer cyfrifiadurol arbenigol. Rhaid i'r cwmnïau hyn, felly, ddarparu hyfforddiant arbenigol. Bydd rhai cwmnïau yn defnyddio un o ddatblygwyr y feddalwedd neu'r offer i hyfforddi aelod o'r staff sut i'w ddefnyddio. Gellir defnyddio'r person hwnnw yn y man i hyfforddi gweddill aelodau'r staff.
4) Gelwir y math hwn o hyfforddiant, lle mae'r hyfforddwr yn gweithio i'r cwmni, yn hyfforddiant mewnol. Mae'n ddefnyddiol gan mai'r sgiliau sy'n cael eu dysgu ydy'r union sgiliau sydd eu hangen arnyn nhw i wneud y swydd. Ar y llaw arall, rhaid i rywun sy'n brofiadol orfod gadael ei swydd arferol fel y gall gymryd y cyfrifoldeb o ddysgu am yr offer a hyfforddi eraill.
5) Weithiau, mae angen hyfforddiant ar weithwyr nad ydy'n bosib i'r cwmni sy'n eu cyflogi ei ddarparu. Mae'n bosib, felly, y bydd yn rhaid iddyn nhw fynd i goleg neu ganolfan arbenigol. Gelwir hyn yn hyfforddiant i ffwrdd o'r gwaith.

Mae TGCh yn gallu Chwarae Rhan Bwysig Mewn Hyfforddi Staff

1) Mae sefydliadau'n ennill o wneud yn siwr fod eu staff yn gyfarwydd â'r datblygiadau TGCh diweddaraf. Gall technoleg newydd helpu i arbed amser ac i wneud gweithwyr yn fwy cynhyrchiol.
2) Mae hyfforddi staff, a sicrhau eu bod yn gyfarwydd â'r datblygiadau diweddaraf, yn gallu bod yn gostus, ac felly mae cwmnïau bychain yn gallu ddioddef. Dyma lle gall TGCh fod yn fuddiol i hyfforddi pobl sut i ddefnyddio TGCh. Er enghraifft:

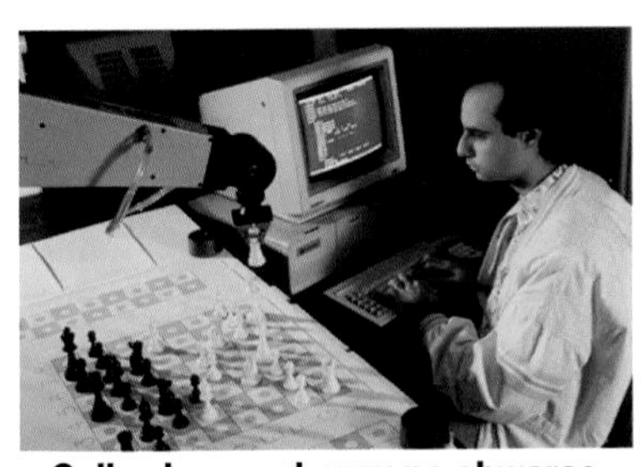
Gallwch wneud mwy na chwarae gemau gyda TGCh

- Gall y Rhyngrwyd fod yn ffynhonnell wych o ddeunyddiau hyfforddi. Mae'n fwy hwylus nag anfon staff i ganolfan arall.
- Gellir prynu CD-ROM rhyngweithiol ar amrywiaeth o destunau TGCh i'w defnyddio gan weithwyr. Gall staff weithio drwyddyn nhw ar eu pen eu hunain, ac felly nid oes angen i staff eraill eu dysgu.
- Gall cwmnïau ddefnyddio technoleg TGCh i greu eu hadnoddau hyfforddi eu hunain. Gellir teilwra'r rhain yn arbennig i'r tasgau y mae angen i'r gweithwyr eu meistroli.

3) Gellir defnyddio TGCh hefyd i fonitro perfformiad staff ac i wneud asesiadau cyfrifiadurol. Gall hyn helpu'r cwmni i wybod pryd mae angen i'w staff dderbyn hyfforddiant pellach, a pha fath o hyfforddiant y dylen nhw ei ddarparu.

Mae'r ECDL yn gallu bod yn anodd – ond mae'n bwysig dal ati!

Newyddion da – mae llawer o fusnesau'n hoffi cyflogi pobl sydd â chymhwyster TGCh. Dyna pam rydych chi'n dysgu'r holl ffeithiau diflas yma. Efallai y byddwch yn falch rhyw ddydd!

TGCh a'r Gyfraith

Mae cyfrifiaduron yn cael eu defnyddio fwyfwy i storio a phrosesu data pwysig. Mae'n hawdd iawn trosglwyddo data mewn dull electronig – ac mae deddfau felly, i reoli'r defnydd a wneir o gyfrifiaduron.

Mae'r Ddeddf Gwarchod Data yn rheoli'r Defnydd a wneir o Ddata Personol

1) Cyflwynwyd y Ddeddf Gwarchod Data yn y DU yn 1984. Mae'n rhoi hawliau i ddeiliaid data (h.y. pobl sydd â data amdanyn nhw wedi eu storio ar systemau cyfrifiadurol). Diweddarwyd y Ddeddf yn 1998 i gynnwys y defnydd cynyddol o gyfrifiaduron a newidiadau yng nghyfreithiau'r Undeb Ewropeaidd.
2) Mae'r Ddeddf yn cynnwys yn bennaf wyth o egwyddorion gwarchod data – gweler crynodeb gyferbyn.
3) Mae'r ddeddf yn caniatáu i ddeiliaid data gael gweld y data personol sy'n cael ei gadw gan sefydliadau amdanyn nhw. Os ydy sefydliad yn torri'r gyfraith, gellir eu dirwyo a'u gorfodi i dalu iawndal.

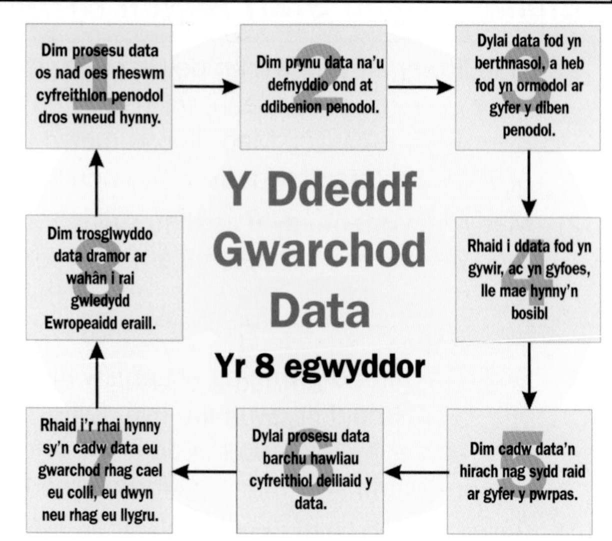

Dim prosesu data os nad oes rheswm cyfreithlon penodol dros wneud hynny.
Dim prynu data na'u defnyddio ond at ddibenion penodol.
Dylai data fod yn berthnasol, a heb fod yn ormodol ar gyfer y diben penodol.
Rhaid i ddata fod yn gywir, ac yn gyfoes, lle mae hynny'n bosibl
Dim cadw data'n hirach nag sydd raid ar gyfer y pwrpas.
Dylai prosesu data barchu hawliau cyfreithiol deiliaid y data.
Rhaid i'r rhai hynny sy'n cadw data eu gwarchod rhag cael eu colli, eu dwyn neu rhag eu llygru.
Dim trosglwyddo data dramor ar wahân i rai gwledydd Ewropeaidd eraill.
Y Ddeddf Gwarchod Data
Yr 8 egwyddor

Mae'r Ddeddf Camddefnyddio Cyfrifiaduron yn atal Mynediad Anghyfreithlon i Ffeiliau

Cyflwynwyd y ddeddf hon yn 1990 i ddelio â phroblemau hacwyr cyfrifiadurol a firysau. Fe wnaeth y Ddeddf y tri pheth hyn yn anghyfreithlon:

1) Mynediad heb ei awdurdodi i ddeunyddiau cyfrifiadurol (e.e. hacio). Mae hyn yn cynnwys edrych ar rannau o rwydwaith nad oes gennych hawl i wneud hynny, a chopïo rhaglenni'n anghyfreithlon – lladrad meddalwedd.
2) Cael mynediad heb ei awdurdodi i gyfrifiadur er mwyn cyflawni troseddau difrifol fel twyll, a blacmel.
3) Newidiadau anghyfreithlon i ffeiliau cyfrifiadurol – yn cynnwys plannu firysau a dileu ffeiliau.

Os caiff troseddwr ei gael yn euog, gall wynebu dirwy ddiderfyn a dedfryd o bum mlynedd mewn carchar.

Mae'r Ddeddf Hawlfraint, Dylunio a Phatent yn rheoli Copïo Anghyfreithlon

Cyflwynwyd yn ddeddf hon yn 1989, ac mae'n ei gwneud yn anghyfreithlon i gopïo ffeiliau heb ganiatâd y perchennog neu ddeiliad yr hawlfraint. Mae unigolion a sefydliadau sy'n torri'r gyfraith hon yn agored i ddirwy ddidderfyn.

Mae'r gyfraith yn cael ei thorri yn aml mewn tair ffordd:

1) Defnyddio meddalwedd heb drwydded bwrpasol. Felly, os oes gennych drwydded i ddefnyddio prosesydd geiriau ar un cyfrifiadur ar ei ben ei hun, ond eich bod wedyn yn ei osod ar bob peiriant o fewn rhwydwaith, yna rydych yn torri'r gyfraith.
2) Lawrlwytho testun neu ddelweddau oddi ar y Rhyngrwyd a'u defnyddio heb ddweud lle cawsoch nhw, neu heb ganiatâd perchennog yr hawlfraint.
3) Copïo rhaglen gyfrifiadurol yr ydych yn ei defnyddio yn y gwaith a'i defnyddio ar gyfrifadur yn y cartref heb ganiatâd deiliad yr hawlfraint.

Fe wnes i droi fy nghyfrifiadur yn danc pysgod – ydy hynny'n gamddefnydd!...

Ar gyfer pob deddf, fe ddylech wybod beth ydy'r ddeddf, beth mae'n ei warchod a pha faes TGCh y mae'n effeithio arno.

TGCh a'r Gyfraith

Mae mwy o ddeddfau i chi ddysgu amdanyn nhw ar y dudalen hon. Dydyn nhw ddim yn gyffrous iawn ond maen nhw'n bwysig.

Deddf Iechyd a Diogelwch yn y Gwaith (1974)

1) Pwrpas y ddeddf hon ydy sicrhau fod pobl yn ddiogel yn y gweithle.
2) Mae'n datgan fod yn rhaid i gyflogwyr gymryd camau rhesymol i sicrhau iechyd, diogelwch a lles eu gweithwyr yn y gweithle. Gallai hyn gynnwys darparu adeiladau, a systemau gwaith diogel, yn ogystal â sicrhau fod eu gweithwyr yn gyfarwydd â gwybodaeth yn ymwneud ag iechyd a diogelwch.
3) Mae'r ddeddf hefyd yn dweud fod gan weithwyr gyfrifoldeb i ddefnyddio cyfarpar ac offer yn gymwys, i ddiogelu cydweithwyr a chwsmeriaid, ac i wneud y cyflogwr yn ymwybodol o unrhyw broblemau.

Mae Rheoliadau Iechyd a Diogelwch (1992) yn Diogelu Defnyddwyr VDU

Y brif ddeddf sy'n ymwneud â defnyddio cyfrifiaduron ydy Rheoliadau Iechyd a Diogelwch (Offer Sgrin Arddangos) 1992. Mae'r ddeddf yn dweud fod angen i gyflogwyr wneud 5 peth yn bennaf:

1) Gwneud yn siwr fod offer cyfrifiadurol (a'r gofod o'u cwmpas) yn ddiogel.
2) Darparu pethau penodol, e.e. cadeiriau addas ar gyfer defnyddio cyfrifiadur, a golau addas.
3) Caniatáu amser rhydd rheolaidd neu adael i weithwyr wneud gwaith i ffwrdd o'r cyfrifiadur.
4) Darparu profion llygaid rhad ac am ddim i holl aelodau o'r staff sy'n defnyddio VDU yn y gweithle.
5) Darparu hyfforddiant a gwybodaeth yn ymwneud ag iechyd a diogelwch.

Caniateir i'r Llywodraeth Fonitro Cyfathrebu

1) Mae Deddf Rheoliadau Pwerau Ymchwiliol (2000) (*The Regulations of Investigatory Powers Act 2000*) yn diffinio'r pwerau sydd gan y llywodraeth i gael mynediad i systemau cyfathrebu fel galwadau ffôn, e-bost ac ati.
2) Mae angen y pwerau hyn i gasglu tystiolaeth yn erbyn troseddwyr, neu ar gyfer diogelwch cenedlaethol.
3) Fodd bynnag, mae rhai pobl yn bryderus fod y Ddeddf yn rhoi gormod o bŵer i'r llywodraeth – mae'n caniatáu iddyn nhw dargedu unrhyw un, nid rhai sy'n cael eu hamau o drosedd yn unig. Gallan nhw fonitro galwadau ffôn a defnydd pobl o'r Rhyngrwyd rhag ofn y gallan nhw ddal rhywun yn troseddu.

Gall Sefydliadau Ddilyn Rheoliadau Eraill

1) Mae yna Reoliadau Ewropeaidd amrywiol yn rheoli'r defnydd o gyfrifiaduron, ac mae nifer o sefydliadau'n dilyn y rhain, er nad ydyn nhw'n ddeddfau yn y DU hyd yma.
2) Mae yna Godau Ymarfer ar gyfer y Rhyngrwyd (*Internet Codes of Practice*) (ICOPs) hefyd. Nid oes perchennog i'r Rhyngrwyd ac mae pobl yn rhydd i osod unrhyw beth ar y rhyngwyd. Mae ICOPs yn bodoli fel canllawiau ar gyfer pawb sy'n ymwneud â'r Rhyngrwyd.
3) Mae'r rheoliadau'n delio â phethau fel rhybuddio pobl am dudalennau a allai fod yn anaddas, sicrhau bod safleoedd ar gyfer plant yn addas a gofalu bod hysbysebion ar y Rhyngrwyd yn rhai gonest.

Mae'r brawd mawr yn gwylio!

Mae'n bwysig eich bod yn gwybod am y wybodaeth gyfreithiol yma, felly ewch ati i'w dysgu.

Problemau y mae TGCh yn eu Creu

Mae TGCh wedi arwain at newidiadau mewn busnes, adloniant, cyfathrebu, gwaith a llawer iawn o feysydd eraill yn ein bywyd bob dydd. Mae'r newidiadau hyn wedi bod yn rhai postif ond mae rhai anfanteision i TGCh hefyd.

Mae'r Rhyngrwyd Wedi Ei Gwneud yn Haws i Gyflawni Twyll

1) Mae siopa ar-lein (tudalen 68) wedi dod yn hynod o boblogaidd ond mae pobl yn dal yn amheus ynglŷn â diogelwch. Dylai manylion cardiau credyd fod wedi eu hamgryptio bob amser, ond mae rhai pobl yn pryderu y gallai hacwyr galluog barhau i ddwyn eu harian.
2) Defnyddir y Rhyngrwyd hefyd i dwyllo pobl drwy sgamio. Rhai mathau o sgamio cyffredin ydy cael pobl i dalu am nwyddau nad ydyn nhw byth yn cyrraedd, perswadio defnyddwyr y we i gyfrannu tuag at achosion da nad ydyn nhw'n bod, a pherswadio pobl i drosglwyddo eu manylion banc fel rhan o gynlluniau i wneud elw cyflym (ond yna tynnu arian o'r cyfrif yn lle hynny).
3) Gellir defnyddio TGCh i gyflawni mathau eraill o dwyll yn ogystal, e.e. mewn sgam diweddar gwelwyd troseddwyr yn gosod dyfeisiau ar beiriannau ATM (peiriannau 'twll yn y wal') sy'n sganio cardiau pobl er mwyn creu copïau. Roedd y cardiau copi yn cael eu defnyddio wedyn i dynnu arian o gyfrifon pobl.

Mae Pryder Ynghylch Camddefnyddio Gwybodaeth Bersonol

1) Gall rhai gwefannau ar y Rhyngrwyd ollwng cwci i mewn i'ch cyfrifiadur sy'n eu galluogi i'ch adnabod ac i ganfod pa wefannau eraill y buoch yn ymweld â nhw. Mae hyn yn ddefnyddiol i gwmnïau gan y gallan nhw ganfod pa fath o bethau y mae gennych ddiddordeb ynddyn nhw a pha bethau a brynwyd ganddoch chi. Ond mae rhai yn credu fod hyn yn ymyrryd â'n preifatrwydd.

2) Mae pobl yn trosglwyddo gwybodaeth bersonol yn gyson ar y Rhyngrwyd, e.e. wrth gymryd rhan mewn cystadlaethau, archebu gwyliau neu chwilio am yswiriant. Ond mae rhai cwmnïau'n trosglwyddo neu'n gwerthu'r wybodaeth hon heb ganiatâd. Mae hyn yn groes i'r Ddeddf Gwarchod Data, ond mae'n anodd dod o hyd i'r sawl sy'n gyfrifol, ac mae'n bosibl nad ydy'r dioddefwr yn gwybod bod hyn wedi digwydd.

Pryderon Eraill yn Ymwneud â Chamddefnyddio TGCh

① **Ystafelloedd Sgwrsio** Bu pryderon am ddiogelwch defnyddio ystafelloedd sgwrsio, yn enwedig i bobl ifanc. Safleoedd ar y Rhyngrwyd ydy ystafelloedd sgwrsio lle mae pobl yn gallu cynnal sgyrsiau wedi'u teipio ar y cyfrifiadur. Ond nid oes modd gwybod gyda phwy yn union yr ydych yn sgwrsio, nac a ydyn nhw'n dweud y gwir amdanyn nhw eu hunain. Gall pobl a allai fod yn beryglus ddefnyddio eich ystafell sgwrsio, ac felly, ni ddylech byth roi eich manylion personol fel eich cyfeiriad neu eich rhif ffôn, na threfnu i gyfarfod pobl.

② **Firysau** Rhaglenni cyfrifiadurol a baratowyd i greu niwed i'r systemau y maen nhw'n eu heintio ydy firysau. Gallan nhw ymledu drwy e-bost neu drwy rwydweithiau, ac mae nifer ohonyn nhw'n gallu atgynhyrchu eu hunain ac ymledu ymhellach i gyfrifiaduron eraill. Gall firysau fod yn gostus i gael gwared ohonyn nhw yn ogystal ag achosi gofid i berchenogion cyfrifiaduron, yn unigolion neu'n sefydliadau.

③ **Sbam** Post sothach ydy sbam, ond post sothach all gael ei anfon i filoedd neu filiynau o bobl ar yr un pryd. Yn ogystal â bod yn boendod, gallan nhw dagu rhwydweithiau a bocsys post.

Mae cwcis a sbam yn ddiflas – yn enwedig os ydych ar ddeiet...

Hmmm, mae yna lawer o bobl ddrwg yn yr hen fyd yma, ac mae'r Rhyngrwyd yn ddefnyddiol iddyn nhw. Mae rhai manylion pethau y soniwyd amdanyn nhw ar y dudalen hon yn ddiflas (fel sbam), mae rhai'n bur ddifrifol (fel twyll), ac mae rhai'n beryglus. Rhaid bod yn gall wrth ddefnyddio'r Rhyngrwyd.

Adran 3.2 – Crynodeb Adolygu

Adran go drwm oedd yr adran hon. Gan fod llawer i'w ddysgu, dyma restr o gwestiynau. Byddan nhw'n eich helpu i wirio a wnaethoch chi ddarllen y tudalennau hyn o ddifrif, neu dim ond edrych ar y geiriau wrth feddwl beth sydd ar y teledu heno.

1) Nodwch dair swydd a gafodd eu colli drwy ddefnyddio cyfrifiaduron.
2) Nodwch dair swydd sydd wedi'u creu gan gyfrifiaduron.
3) Beth ydy ystyr y term teleweithio?
4) Nodwch un fantais ac un anfantais o gael staff yn teleweithio o safbwynt y cyflogwr.
5) Nodwch dair mantais bosibl teleweithio, a thair anfantais, o safbwynt y gweithiwr.
6) Beth ydy'r system o rannu desgiau? Pam y gallai sefydliadau ei defnyddio?
7) Esboniwch sut mae technoleg TGCh fel y gliniadur a'r ffôn symudol yn gallu helpu i wneud staff yn fwy cynhyrchiol.
8) Awgrymwch resymau pam nad ydy cael gliniadur a ffôn symudol yn y gweithle yn helpu staff bob amser.
9) Beth ydy ystyr ECDL?
10) Beth ydy hyfforddiant mewnol?
11) I ble y gallech chi fynd i dderbyn hyfforddiant i ffwrdd o'r gwaith?
12) Nodwch dair ffordd y gall cwmnïau ddefnyddio TGCh i sicrhau fod y wybodaeth ddiweddaraf gan eu staff.
13) Pryd y cyflwynwyd y Ddeddf Gwarchod Data? Pryd y cafodd ei diweddaru a pham?
14) I bwy y mae'r Ddeddf Gwarchod Data'n rhoi hawliau?
15) Nodwch dri pheth a wnaed yn anghyfreithlon gan y Ddeddf Camddefnyddio Cyfrifiaduron.
16) Pa ddeddf a'i gwnaeth yn anghyfreithlon i ddefnyddio delweddau oddi ar y Rhyngrwyd heb ganiatâd deiliad yr hawlfraint?
17) Pa Ddeddf, a ddaeth i rym yn 1974, a grewyd i sicrhau fod pobl mor ddiogel â phosibl yn y gweithle?
18) Pwy y mae'r Rheoliadau Iechyd a Diogelwch (1992) yn eu gwarchod?
19) Beth ydy'r pum brif beth y dylai cyflogwyr eu gwneud yn ôl y rheoliadau hyn?
20) Beth ydy ystyr ICOP? Nodwch dri pheth y gallai ICOP eu hawgrymu.
21) Sut mae manylion cardiau credyd yn cael eu gwarchod pan ydych yn eu rhoi ar y Rhyngrwyd?
22) Amlinellwch ddwy ffordd gyffredin o sgamio.
23) Pam y byddai cwmni am osod cwci ar eich cyfrifiadur?
24) Esboniwch pam y mae ystafelloedd sgwrsio yn gallu bod yn beryglus.
25) Esboniwch beth ydy'r problemau cyfrifiadurol hyn: a) Firws b) Sbam.

Defnyddio'r Rhyngrwyd

Pan feddyliwch amdano, mae'r Rhyngrwyd wedi cael effaith fawr ar fywydau pobl. Gallwch ei defnyddio erbyn hyn i weithio, i siopa, i wrando ar gerddoriaeth, i sgwrsio â'ch ffrindiau… bron unrhyw beth dan haul.

Mae Mwy i'r Rhyngrwyd Na Dim Ond Pori'r We

Dyma rai enghreifftiau o'r defnydd y bydd pobl yn ei wneud o'r Rhyngrwyd:
Rhoddir mwy o sylw i'r rhan fwyaf o'r rhain mewn rhannau eraill o'r llyfr hwn.

1) E-bost – dyma'r defnydd mwyaf o'r cyfan. Mae wedi newid y ffordd mae pobl yn cyfathrebu â'i gilydd yn gyfan gwbl. Drwy e-bost, gallwch gadw mewn cysylltiad â phobl ym mhob rhan o'r byd. Ac am fod y pwnc yn un mor fawr, mae hefyd ar dudalen 31 a thudalen 75 o'r llyfr hwn. Ewch yn ôl i edrych.

2) Lawrlwytho cerddoriaeth – mae hyn yn newid y ffordd mae cwmnïau recordio yn cyhoeddi cerddoriaeth. Yn lle prynu cryno ddisgiau, mae llawer o bobl yn awr yn lawrlwytho caneuon oddi ar y Rhyngrwyd. Ewch i dudalen 87 i gael rhagor o fanylion. Mae rhai gorsafoedd radio hefyd yn defnyddio ffrydio *(streaming)* i ddarlledu ar y Rhyngrwyd.

Cyfryngau ffrydio – mae hyn yn digwydd pan fydd cerddoriaeth neu fideos yn cael eu darlledu'n fyw ar y Rhyngrwyd. Drwy ddefnyddio gwe-gamerâu bychain, mae'n hawdd darlledu o leoliadau pell. Golyga hyn y gallwch wylio digwyddiadau cyffrous, fel rhywun yn dringo Everest, yn fyw.

3) Os ydych am glywed y newyddion diweddaraf – naill ai newyddion am wleidyddiaeth, pobl enwog, neu bêl-droed, mae'r cyfan ar y we. Yn wahanol i raglenni newyddion ar y teledu, neu newyddion mewn papur newydd, gallwch chwilio am yr union beth rydych am wybod amdano. Mae'r newyddion hefyd yn gyfoes.

4) Prynu a gwerthu ar-lein – defnyddiol iawn, ond eto rhaid bod yn ofalus gan y gallwch fod yn anlwcus. Mae mwy o wybodaeth ar dudalen 68.

5) Bancio ar-lein – mae hyn yn dod yn fwy poblogaidd gan fod bywyd prysur pobl yn golygu na allan nhw fynd i'w banc lleol bob amser yn ystod oriau agor. Mae mwy o wybodaeth ar dudalen 70.

Does dim rhaid i chi adael y tŷ bellach. Ond fe ddylech chi, 'run fath.

6) Archebu gwyliau – Mae'r Rhyngrwyd yn llawn gwefannau teithio a chynigion gwyliau munud olaf. Gallwch eu defnyddio i wneud ymchwil ar gyfer eich gwyliau, i archebu tocynnau awyren, ac i ddod o hyd i westy. Mae'n aml yn rhatach hefyd. Edrychwch ar dudalen 69 i gael mwy o fanylion.

7) Talu biliau – mae llawer o gwmnïau yn caniatáu i chi dalu eich biliau ar y Rhyngrwyd. Mae'n fwy hwylus, yn aml, i'r cwmni yn ogystal â'r cwsmer ac felly mae rhai'n cynnig disgownt. Gweler tudalen 70.

8) Ystafelloedd sgwrsio – gwefannau arbennig ydy'r rhain y mae pobl yn ymweld â nhw i gael rhithsgyrsiau gyda defnyddwyr eraill. Maen nhw'n caniatáu i bobl sgwrsio â phobl eraill sy'n rhannu'r un diddordebau ar unrhyw adeg a heb adael y cartref, ond mae pryder ynglŷn â diogelwch ystafelloedd sgwrsio. Gweler tudalen 80.

9) Fforwm trafod – Ceir gwybodaeth am y rhain ar dudalen 83.

Mae gen i broblem yn y gwaith…
Dyma'ch cyfle chi i ddweud…

Beth?

Defnyddio'r Rhyngrwyd

Dyma ychydig o wybodaeth am ddefnyddio'r Rhyngrwyd sydd heb gael sylw o'r blaen. Alla i weld eich bod yn awyddus i wybod mwy...

Mae'r Rhyngrwyd yn Wych os Oes Gennych Ddiddordebau Anarferol

Un o'r pethau gorau am y Rhyngrwyd ydy bod miliynau o bobl yn ei defnyddio. Os oes gennych hobi anarferol, yna gallwch yn hawdd ddod o hyd i eraill i sgwrsio â nhw ar y we, neu i roi cyngor i chi.

Fyddai rhai siopau arbenigol bychain a gorsafoedd radio arbenigol ar y Rhyngrwyd ddim yn gallu bodoli oni bai eu bod yn gallu cyrraedd pobl ym mhob rhan o'r byd drwy'r Rhyngrwyd. Er enghraifft, siop arbenigol ydy www.mailorder-beads.co.uk. Mae'r perchenogion yn defnyddio llawer iawn ar y Rhyngrwyd i brynu a gwerthu eu nwyddau. Daw'r rhan fwyaf o'u busnes drwy'r Rhyngrwyd a heblaw am hynny ni fydden nhw'n gallu dal ati. Mae'r Rhyngrwyd yn wych, felly, i'r perchenogion ac i'r bobl sy'n hoffi prynu eu nwyddau.

Gallwch Drafod ar Fforymau Ar-lein

Mae'r fforwm yn gyfrwng i bobl osod negeseuon yn ymwneud â phwnc arbennig. Yna gallwch ddarllen yr hyn y mae pobl eraill wedi ei ysgrifennu gan ychwanegu eich neges eich hun. Mae hyn yn creu sgwrs ar-lein. Yn wahanol i ystafelloedd sgwrsio, mae'r negeseuon yn aros i gael eu hateb a gallan nhw gael eu cadw am amser hir. Gall pobl o bob rhan o'r byd gymryd rhan.

Caiff rhai fforymau eu cynnal gan sefydliadau ac mae'r rhain wedi eu gwirio i sicrhau eu bod yn addas cyn i'r cyhoedd eu gweld. Mae rhai fforymau'n breifat a dim ond yr aelodau gaiff eu defnyddio. Gallai'r rhain fod heb eu gwirio.

Ceir fforymau ar bron unrhyw beth – yn cynnwys llygod mawr anwes a pheirianneg ac mae nifer mawr yn ymweld â *Star Trek*. Mae rhai'n amlwg i gael hwyl yn eu cylch, ond mae llawer ohonyn nhw'n ddefnyddiol iawn i bobl – e.e. mae'r rhai hynny a neilltuwyd ar gyfer swyddi arbennig yn caniatáu i bobl rannu problemau a syniadau. Mae pobl hefyd yn eu defnyddio ar gyfer dwyn sylw at rhyw fater neu'i gilydd.

Edrychwch ar http://groups.google.com (sylwch nad oes www y tro hwn).

Ond peidiwch ag anghofio'r Anfanteision

Mae yna lawer o bethau gwych ar y Rhyngrwyd, ond nid ydy popeth yn dda...

1) Gall bron unrhyw un ychwanegu tuag at y Rhyngrwyd, ac felly mae yna bethau cas a phethau na allwch ddibynnu arnyn nhw i'w canfod yno. Mae'n anodd iawn atal camddefnydd o'r Rhyngrwyd, yn enwedig os ydy'n dod o wlad arall.
2) Mae'r Rhyngrwyd yn rhoi sawl cyfle i droseddwyr sgamio a thwyllo.
3) Edrychwch ar dudalen 80 am fwy o fanylion am y problemau hyn a phroblemau eraill.

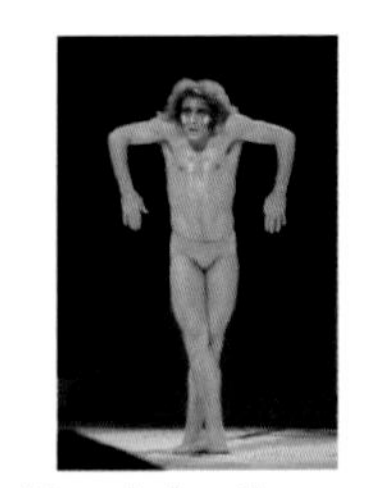

Mae rhai pethau go annymunol yno.

Y Rhyngrwyd – yn dod â phobl ryfedd at ei gilydd...

Waeth pa mor rhyfedd ydy eich hobi (chwarae dartiau ben i waered, rasio octopws...), fe fydd yna bobl eraill ar y Rhyngrwyd sy'n rhannu eich brwdfrydedd. Mae hynny'n beth da. Ond, ar y llaw arall, cyn mynd ati i chwilio am bobl eraill sy'n hoffi chwarae dartiau ben i waered, rhaid i chi gofio am yr anfanteision hefyd.

Ffonau Symudol

Daeth ffonau symudol i'r amlwg ar ddechrau'r 1980au ond, yn y cyfnod hwnnw, dim ond iypis o America yn gwisgo siwtiau slic oedd yn credu eu bod yn edrych yn cŵl oedd yn eu defnyddio. Roedd y ffonau hefyd yn fawr ac yn anhylaw. Ond mae pethau wedi newid – maen nhw nawr yn fach ac yn hylaw a gallwch wneud pob math o bethau gyda nhw.

Mae Ffonau Symudol yn Hwylus Iawn

Yn ogystal â'ch helpu i ddiflasu pobl ar y trên, mae ganddyn nhw'r manteision hyn:

1) Gallwch gysylltu â'r person rydych am siarad ag ef ble bynnag y mae. Mae hyn yn fuddiol iawn i bobl sy'n teithio gyda'u gwaith (ac i gariadon wrth gwrs!).
2) Mae rhai pobl yn teimlo'n fwy diogel os oes ganddyn nhw ffôn symudol gan y gallan nhw alw am gymorth os ydyn nhw mewn trafferth. Mae rhai gyrwyr a cherddwyr yn cario ffonau symudol am yr un rheswm.
3) Mae'r rhwydweithiau ffonau symudol yn gwybod ble mae ffôn wedi ei lleoli. Mae hyn yn golygu y gall yr heddlu ddilyn trywydd troseddwr sy'n defnyddio ffôn symudol. Gall y wybodaeth hon gael ei defnyddio gan bobl eraill hefyd, gyda chaniatâd y perchennog – ac felly gallai cyflogwyr ddilyn gweithwyr, neu gallai rhieni ddilyn eu plant.

Defnyddir Ffonau Symudol i Gyfathrebu Mewn Ffyrdd Eraill Hefyd

1) Gallwch ddefnyddio negeseuon testun i gysylltu â rhywun heb ymyrryd â nhw na phobl eraill. Mae'n fwy costus i gynnal sgwrs drwy anfon neges destun fodd bynnag nag i gynnal sgwrs arferol.
2) Gall nifer o ffonau ddangos tudalennau WAP (*Wireless Application Protocol*). Mae'r rhain yn debyg iawn i dudalennau gwe syml. Mae'r sgriniau bychain yn eu gwneud yn anodd i'w defnyddio, ond gall WAP fod yn ddefnyddiol iawn os ydych yn teithio. Gallwch dderbyn e-bost gyda WAP, hyd yn oed. Mae laterooms.com yn cynnig ystafelloedd mewn gwesty ar WAP.
3) Mae llawer o safleoedd WAP sy'n cynnig gwybodaeth leol ac sy'n dweud wrthych ble mae'r tai bwyta agosaf, y peiriannau twll yn y wal, ac yn y blaen. Mae hyn yn bosibl gan fod rhwydwaith eich ffôn symudol yn gwybod ym mha ardal cod post y mae eich ffôn. Clyfar iawn a hwylus os ydych chi mewn ardal ddieithr.
4) Mae'r ffôn camera yn fwy costus, ond gallan nhw anfon ffotograffau neu luniau fideo. Mae rhai gwerthwyr tai yn eu defnyddio ac maen nhw'n ddefnyddiol i gadw mewn cysylltiad â phobl nad ydych yn eu gweld yn aml. Gallwch wylio uchafbwyntiau gemau pêl-droed arnyn nhw hyd yn oed...
5) Mae rhai ffonau symudol yn caniatáu i chi gysylltu â'r Rhyngrwyd ar eich gliniadur pan fyddwch yn teithio. Mae hyn yn wych i gymudwyr prysur ac i deithwyr.

Mae Anfanteision i Ffôn Symudol...

Dwi angen ffôn newydd

Ond nid newyddion da ydy'r cyfan – thema gyffredin ym myd TGCh.

1) Mae ffôn symudol yn dyddio yn fuan iawn ac mae pobl yn eu newid yn aml heb fod angen. Mae hyn yn gostus, ac nid oes modd eu hailgylchu'n hawdd.
2) Mae galwadau ar ffôn symudol yn ddrutach na galwadau ar linellau tir.
3) Mae pobl yn bryderus y gallai signalau radio ffonau symudol niweidio eu hiechyd.
4) Rhaid i'r rhwydweithiau ffôn gael gorsafoedd trosglwyddo. Mae'r rhain yn hyll ac yn rhyddhau signalau radio cryfach na'r ffonau, a gallai hyn fod yn niweidiol i iechyd pobl sy'n byw gerllaw.
5) Nid ydy pob ardal o fewn cyrraedd rhwydweithiau ffonau symudol. Nid ydyn nhw'n gweithio mewn ardaloedd anghysbell nac mewn rhai adeiladau. Mae hyn yn broblem os oes argyfwng mewn ardal o'r fath.
6) Nid ydy pob defnyddiwr ffôn symudol yn ystyried pobl eraill. Gall wylltio rhai pobl pan mae ffôn yn canu mewn sinema neu theatr ac amharu ar fwynhad pobl eraill.

Darlledu Digidol

Mae darlledu digidol yn cymryd drosodd o'r hen ddull o ddarlledu analog. Mae gwell ansawdd i ddarllediad digidol – maen nhw'n luniau clir am nad oes dim, fel rheol, i ymyrryd â'r signal. Gellir anfon gwybodaeth yn ogystal, e.e. mae radio digidol yn gallu dangos enw'r gân sy'n cael ei darlledu.

Mae Rhai Darllediadau'n Cyrraedd Llawer o Bobl Ar Yr Un Pryd

1) Mae gorsafoedd radio a theledu digidol yn cael eu trosglwyddo fel tonfeddi radio, yr un fath â'r hen system analog.
2) Mae angen derbynnydd digidol arnoch i ddadgodio'r signal a'i newid yn sain a lluniau teledu.
3) Gall derbynnydd fod yn focs ar ben set neu gallan nhw gael eu hintegreiddio fel rhan o'r set deledu, y radio neu'r cyfrifiadur .
4) Mae angen erial neu ddysgl loeren dda arnoch chi hefyd.
5) Mae pob sianel yn darlledu rhaglenni ar amserau penodol yn ystod y dydd.

Ychydig i'r chwith!

Mae Rhai Rhaglenni Ar Gael yn ôl y Galw

1) Os ydych yn gwrando ar gerddoriaeth drwy'r Rhyngrwyd, gallwch ddewis y rhaglen rydych am wrando arni – caiff ei chwarae dros y Rhyngrwyd i chi'n bersonol ar yr union amser rydych am i hynny ddigwydd.
2) Gallwch wneud hyn gyda fideo hefyd, ond fe fydd yn rhaid i chi gael cysylltiad Rhyngrwyd cyflymach.
3) Dyna'r brif anhawster gyda darlledu yn ôl y galw ar hyn o bryd – rhaid i chi gael cysylltiad cyflym i gael sain a llun o ansawdd gweddol dda. Ond yn y dyfodol, fe fydd cysylltiadau digon cyflym yn rhywbeth cwbl arferol. Gallai hyn chwyldroi y ffordd yr ydym yn gwylio a gwrando. Pam aros i raglen ymddangos pe gallech chi ei dewis ar-lein a'i mwynhau'r funud honno?

Edrychwch ar www.bbc.co.uk/radio

Mae Cywasgu Data ac Amgryptio yn cael eu Defnyddio Mewn Darlledu Digidol

1) Caiff rhaglenni radio a theledu eu storio fel ffeiliau ar gyfrifiadur. Caiff y data eu cywasgu cyn i'r rhaglen gael ei darlledu er mwyn cymryd llai o le. Mae hyn yn cyflymu'r broses drosglwyddo.
2) Mae cywasgu'n digwydd drwy beidio â chynnwys rhai manylion yn y sain a'r llun nad ydym yn sylwi arnyn nhw fel arfer. Mae hyn yn cyfyngu ar yr ansawdd, ond eto mae'n well na'r dewis analog sy'n dioddef o ymyrraeth *(interference)*.
3) Weithiau, mae rhaglenni teledu'n cael eu amgryptio *(encrypted)* gyda chod cyfrinachol. I'w dadgodio, rhaid i chi brynu cerdyn allwedd dadgodio. Hyn sy'n gwneud sianeli talu a gwylio a sianeli tanysgrifio yn bosibl.

Bocs teledu digidol gyda lle ar gyfer cardiau allwedd dadgodio

Cewch Lawer Mwy o Ddewis Gyda Darlledu Digidol

1) Gallwch osod llwythi o sianeli radio a theledu yng ngofod tonfeddi awyr un o'r hen sianeli analog. Dyna pam y gellir cael nifer o wahanol sianeli digidol.
2) Mae hyn yn golygu fod darlledwyr yn gallu darparu sianeli radio arbenigol ar gyfer y math o gerddoriaeth yr ydych chi'n ei hoffi.
3) Mae teledu trwy danysgrifiad a theledu talu a gwylio yn golygu nad ydych yn talu ond am y sianeli sy'n cynnig y math o bethau yr ydych chi yn hoffi eu gwylio.

Anhygoel – rydym wedi gwneud i deledu digidol swnio'n ddiflas...

Dw i'n cofio'r dyddiau da pan nad oedd ond BBC1, BBC2 ac ITV ar gael. Erbyn hyn mae mwy o sianeli nag sydd yna o ddefaid ar fynyddoedd Cymru! Ond a ydy'r holl ddewis yn beth da, e.e. a ydy'n beth da eich bod yn gallu gwylio chwaraeon am 24 awr y dydd? Hmmm.

TGCh Ar Gyfer Adloniant a Hamdden

Dyfeisiwyd cyfrifiaduron i wneud tasgau cyfrifol iawn fel dadgodio negeseuon y gelyn a rheoli rocedi gofod. Ni fu'n hir, fodd bynnag, cyn i bobl ddefnyddio cyfrifiaduron i bwrpas adloniant.

Mae Gemau Cyfrifiadurol yn Mynd yn Fwy Soffistigedig

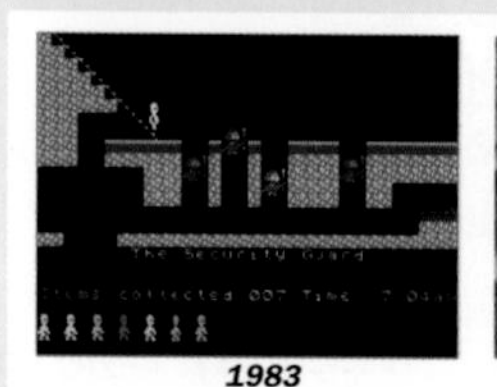
1983

2009

1) Nid ydy'r syniad sylfaenol y tu ôl i gemau cyfrifiadurol wedi newid mewn gwirionedd, ond maen nhw wedi dod yn llawer mwy realistig. Bydd gêm ar gonsol newydd yn cynnwys graffigwaith o safon uchel a sain realistig. Mae rhai gemau'n gadael i chi deimlo'r cyffro pan fyddwch mewn gwrthdrawiad.
2) Y prif reswm bod gemau'n gwella ydy bod cyfrifiaduron yn mynd yn fwy pwerus. Mae prosesu cyflymach yn golygu bod y consol yn gallu rhoi mwy o fanylion ar y sgrin.
3) Mae rheolyddion adborth a sain a recordiwyd yn ddigidol hefyd yn helpu i wneud gemau'n fwy realistig.
4) Mae sawl consol newydd yn gadael i chi chwarae gemau gyda phobl eraill dros y Rhyngrwyd.
5) Y mathau mwyaf soffistigedig o gemau ydy gemau rhithwirionedd. Caiff synwyryddion eu cysylltu i'r chwaraewr sy'n dweud wrth y cyfrifiadur i ba gyfeiriad y mae'n symud. Mae'r chwaraewr yn gweld rhith-fyd drwy benset gyda sgriniau bychain. Mae angen llawer o bŵer cyfrifiadurol i wneud hyn ac mae'r penset yn gostus iawn.

Mae Recordiadau Digidol yn Well Erbyn Hyn Hefyd

Mae recordiad digidol o fideo a sain (cryno ddisgiau, DVD a disgiau bychain) wedi disodli hen recordiau analog (tapiau) bron yn gyfan gwbl. Pan fo rhywbeth yn cael ei recordio'n ddigidol, mae'n cael ei storio ar ddisg fel cod digidol.

1) Mae ansawdd recordiad digidol fel DVD a chryno ddisgiau'n llawer gwell oherwydd mae'r cod digidol yn fwy dibynadwy oddi ar y disg. Mae disgiau hefyd yn fwy ymarferol gan y gallwch fynd yn syth i'r rhan rydych ei hangen yn hytrach na gorfod mynd trwy'r tâp i gyd.

2) Gan fod gennym recordydd fideo a recordydd DVD gyriant caled erbyn hyn, bydd y tâp fideo'n diflannu – yn union fel mae tapiau sain yn cael eu disodli gan gryno ddisgiau.
3) Mae gan gamera digidol lawer o fanteision dros gamera ffilm arferol – rydych yn argraffu'r lluniau rydych am eu cadw, gallwch eu golygu ar y cyfrifiadur a gallwch gymryd fideos byr. O ganlyniad, gallai camerâu hen-ffasiwn fod yn bethau ar gyfer amgueddfa cyn hir.
4) Mae camcorder digidol wedi disodli yr hen rai analog yn yr un ffordd – mae'r fideos o well ansawdd, mae'r camerâu'n llai a gallwch ddefnyddio meddalwedd i'w golygu ar y cyfrifiadur yn union fel rydych eisiau iddyn nhw ymddangos.
5) Gellir cywasgu cerddoriaeth ddigidol drwy dynnu i ffwrdd rhai seiniau nad ydym wir eu hangen. Dyna pam mae disgiau bychain *(minidisks)* mor fach.

TGCh Ar Gyfer Adloniant a Hamdden

Gallwch Lawrlwytho Cerddoriaeth a Fideo

Os oes gennych gysylltiad Rhyngrwyd, gallwch lawrlwytho gwybodaeth. Y cyfan sydd ei angen arnoch ydy cysylltiad band llydan a llawer o amynedd. Mae'n cymryd llawer mwy o amser i lawrlwytho nag i bori'r we.

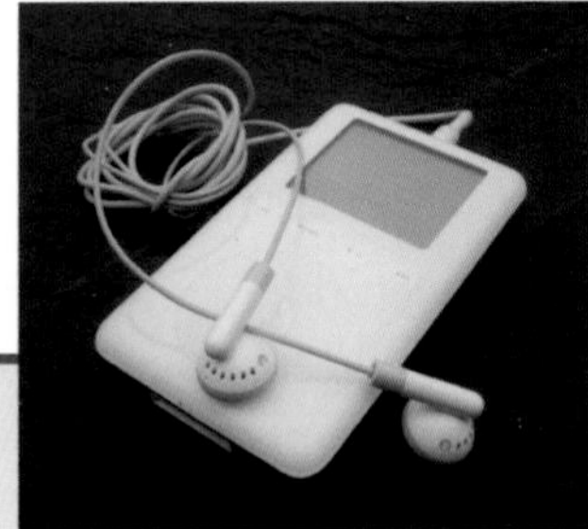
iPod

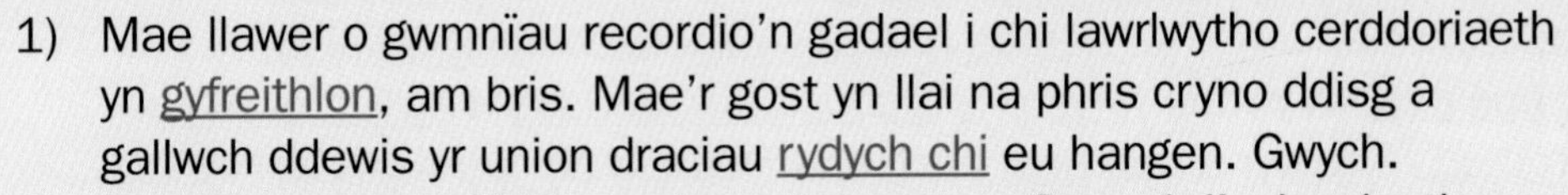

1) Mae llawer o gwmnïau recordio'n gadael i chi lawrlwytho cerddoriaeth yn gyfreithlon, am bris. Mae'r gost yn llai na phris cryno ddisg a gallwch ddewis yr union draciau rydych chi eu hangen. Gwych.
2) Er mwyn gwneud ffeiliau sain yn llai ac yn gyflymach i'w lawrlwytho, maen nhw'n cael eu cadw mewn fformat cywasgedig fel MP3. Nid ydy ansawdd y sain cystal â chryno ddisg, ond mae'r ffeiliau'n llawer llai.
3) Mae'n hawdd copïo cerddoriaeth wedi ei lawrlwytho i chwaraewr MP3 bychan fel iPod. Nid oes rhannau symudol i'r rhain felly fyddan nhw ddim yn llithro fel y bydd chwaraewyr cryno ddisgiau weithiau.
4) Gallwch wneud hyn gyda fideo hefyd, ond mae'r ffeiliau'n llawer mwy. Pan fydd cysylltiad Rhyngrwyd yn gyflymach, bydd lawrlwytho fideo yn dod yn fwy poblogaidd.

Mae Cyfrifiaduron yn Grêt – Felly Ewch Ag Un Yn Eich Poced...

Cyfrifiaduron poced ydy Cymhorthydd Digidol Personol (*Personal Digital Assistant* - PDA). Nid ydyn nhw mor bwerus â chyfrifiaduron bwrdd gwaith neu liniaduron ac mae'r sgrin yn fach, ond gallan nhw fod yn ddefnyddiol iawn.

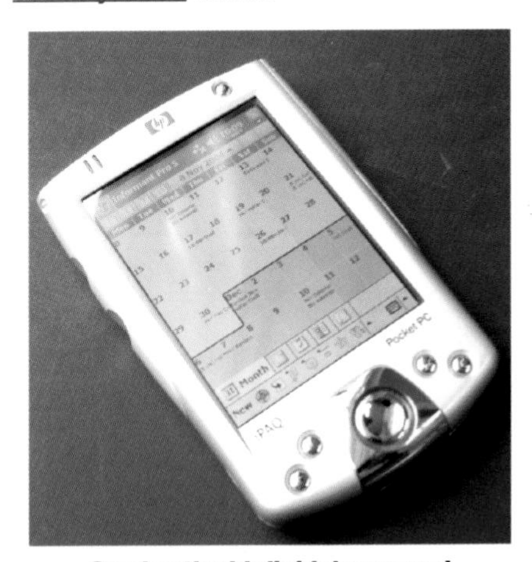
Cymhorthydd digidol personol

1) Gallwch ddefnyddio meddalwedd trefnydd personol i gadw dyddiadur apwyntiadau. Gallwch ei gydamseru gyda'r dyddiadur ar y cyfrifiadur bwrdd gwaith.
2) Gallwch wneud gwaith prosesu geiriau sylfaenol a thaenlenni arno, er bod gosod testun gyda phin neu fysellfwrdd bychan yn drafferthus.
3) Mae PDAs drud yn cysylltu â'r Rhyngrwyd drwy rwydweithiau ffonau symudol. Gallwch eu defnyddio i anfon e-bost ac i bori'r we.
4) Mae'r rhan fwyaf yn chwarae fideo, ffotograffau a sain digidol. Mae rhai yn gallu recordio hefyd.

I ddechrau ar nodyn cadarnhaol, mae PDAs yn ddefnyddiol iawn i bobl sy'n teithio ar fusnes. Ond ar wahân i hynny, maen nhw'n wirioneddol cŵl ac fe fydd pobl yn eu prynu er mwyn gallu chwarae fideos arnyn nhw, i rannu eu lluniau a'u cerddoriaeth ddigidol ac i wneud argraff ar eu ffrindiau. Mae'n debyg y bydd yr un fath â'r hyn a ddigwyddodd gyda'r ffôn symudol a'r gliniadur – fe fydd yn dechrau gyda phobl gyfoethog yn eu defnyddio ar gyfer busnes ac yna, ymhen dwy flynedd, fe fydd gan bob plentyn naw oed un.

Realiti Rhithwir ac Offer Digidol – datblygiadau rhyfeddol yn wir...

Fe welais i rywbeth am rithwirionedd ar y teledu. Roedd yn dweud y byddai technoleg rithwir yn y dyfodol yn datblygu i fod yn soffistigedig iawn. Mae'n bosib ein bod yn byw mewn oes felly y munud hwn heb sylweddoli hynny. Mewn sefyllfa o'r fath, does dim byd yn wirioneddol real o gwbl. Do'n i ddim yn coelio'r peth ar y pryd, ond dw i'n gwybod bellach ei fod yn wir.

TGCh yn y Gymuned

Daeth TGCh yn gymaint rhan o'r gymuned â boreau coffi a'r dafarn leol erbyn hyn.

Mae Llawer o Leoedd yn Darparu Mynediad i'r Rhyngrwyd

Mae'r cyhoedd yn gallu cael mynediad i'r Rhyngrwyd mewn sawl lle.

1) Gallwch ddefnyddio caffi Rhyngrwyd i bori'r we neu i gyrchu e-bost. Caffis bychain ydy'r rhain lle gallwch dalu i ddefnyddio cyfrifiadur. Gallwch gael paned o goffi tra byddwch yno hefyd. Maen nhw'n ddefnyddiol iawn pan fyddwch ymhell o gartref neu os nad oes ganddoch chi gyfrifiadur.
2) Mae cyfrifiaduron ar gyfer pori'r we yn y rhan fwyaf o lyfrgelloedd cyhoeddus a swyddfeydd post hefyd. Maen nhw'n aml yn rhad i fyfyrwyr a rhai pobl eraill ond fyddwch chi ddim yn cael cynnig paned a sgon yno.
3) Mae'n bosib hefyd y byddwch wedi gweld ffonau cyhoeddus ffansi â sgriniau cyffwrdd iddyn nhw i bori'r we. Maen nhw ar gael mewn mannau cyhoeddus fel canolfannau siopa a meysydd awyr.

Mae Terfynellau Sgriniau Cyffwrdd i'w Gweld ym Mhobman

Mae terfynellau gwybodaeth gyda sgriniau cyffwrdd i'w gweld ym mhobman erbyn hyn. Mae technoleg sgrin gyffwrdd yn eu gwneud yn hawdd i'w defnyddio, hyd yn oed i'r rhai hynny sydd â ffobia am gyfrifiaduron.

- Mae gan swyddfeydd twristiaeth sgriniau cyffwrdd yn aml i'ch helpu i gael gwybodaeth am atyniadau ymwelwyr.
- Mae'n bosib y byddwch yn eu gweld hefyd mewn sawl gorsaf fysiau neu drenau i'ch helpu i brynu tocyn neu i drefnu eich taith.
- Mae sgriniau cyffwrdd mewn canolfannau gwaith hefyd i'ch helpu i chwilio am swydd.

Cyfrifiadur sgrin gyffwrdd yn rhoi gwybodaeth am drafnidiaeth gyhoeddus.

Mae Gan Bob Gwasanaeth Cyhoeddus Wybodaeth Ar Y We

Mae gan bob gwasanaeth cyhoeddus wefan lle gallwch gael gwybodaeth. Dyma rai enghreifftiau:

1) Os ydych am ddarganfod gwybodaeth am eich ardal leol – lleoedd o ddiddordeb, hanes, pethau i'w gwneud, llety – edrychwch ar wefan y ganolfan ymwelwyr leol.
2) Os oes gennych ddiddordeb mewn gwleidyddiaeth leol, edrychwch ar wefan eich llywodraeth leol. Mae'r gwefannau hyn yn aml yn cynnal trafodaethau ar-lein gan roi cyfle i chi roi eich barn a gofyn cwestiwn.
3) Os oes angen cyngor arnoch chi ar frys heb fynd i weld y doctor, mae gan Galw Iechyd Cymru (*NHS Direct Wales*) system wybodaeth ar-lein gyda gwybodaeth am fathau cyffredin o salwch (www.nhsdirect.wales.nhs.uk). Drwy roi cyngor i bobl ynglŷn â salwch nad ydy'n salwch difrifol yn y dull hwn, mae'n rhyddhau meddygon teulu i ddelio â phroblemau mwy difrifol.

Doctor Doctor, dwi angen eich cyngor...

Mae'r cyfrifiaduron â sgriniau cyffwrdd sydd mewn lleoedd cyhoeddus wedi cael eu cynllunio yn arbennig o dda. Maen nhw nid yn unig yn anodd i'w malu ond yn hawdd i unrhyw un eu defnyddio. Gallai eich nain eu defnyddio hyd yn oed! Ewch i chwilio am un yn eich ardal chi a'i ddefnyddio.

TGCh a Theithio

Mae'n haws nag erioed i fynd o A i B – diolch i TGCh.

Mae TGCh yn Gallu Eich helpu i Deithio...

GWYBODAETH I DEITHWYR AC ARCHEBU

1) Os ydych angen gwybodaeth yn ymwneud â thrafnidiaeth gyhoeddus, chwiliwch ar y Rhyngrwyd gan lawrlwytho'r taflenni amser diweddaraf.
2) Mae defnyddio'r Rhyngrwyd yn ffordd hwylus o drefnu eich taith ymlaen llaw, p'un ai y byddwch yn teithio ar drên, ar fws, llong neu awyren.
3) Os ydych mewn canolfan siopa fawr neu orsaf, gallwch gael gwybodaeth o derfynell gwybodaeth (gweler y dudalen flaenorol). Mae rhai hefyd yn caniatáu i chi archebu tocynnau.

CYNLLUNIO TEITHIAU

1) Mae meddalwedd ar gyfer cynllunio taith yn defnyddio gwybodaeth am y ffyrdd a'r amser mae'n cymryd i ffeindio'r ffordd orau o deithio o un lle i'r llall. Y cyfan sydd raid i chi ei wneud ydy rhoi manylion am y man cychwyn a ble rydych am fynd iddo. Defnyddir llawer iawn ar y system hon gan gwmnïau loriau a chwmnïau gwerthu. Mae hyd yn oed yn llwyddiannus gyda theithiau cymhleth lle mae nifer o fannau aros.
2) Gall nifer o safleoedd ar y Rhyngrwyd eich helpu i gynllunio eich taith hefyd, e.e. www.multimap.com. Mae'r safleoedd hyn fel atlasau ffordd ar-lein. Gallwch edrych ar fapiau. Gallwch eu chwyddo a'u lleihau i gael y manylion sydd eu hangen arnoch cyn eu hargraffu. Yn ogystal â mapiau, maen nhw'n darparu gwybodaeth gyffredinol am yr ardal, e.e. gwestai a thai bwyta. Defnyddiol iawn.
3) Gall TGCh hefyd roi i chi'r wybodaeth ddiweddaraf ynghylch y traffig ar unrhyw adeg yn eich car – mae Trafficnet yn defnyddio synwyryddion a osodwyd ger y prif ffyrdd i fesur cyflymder y traffig. Caiff y wybodaeth hon ei hanfon i'r Rhyngrwyd ac i dderbynnydd mewn car drwy gyfrwng radio. Edrychwch ar: http://vauxhall.co.uktrafficnet (dim www).

...ac mae'n Gallu Eich Helpu Rhag Colli Eich Ffordd

Ystyr GPS ydy *Global Positioning System*, neu System Leoli Fyd-eang, ac mae'n cael ei defnyddio i leoli eich safle yn fanwl drwy gysylltu â lloerennau GPS.

1) Defnyddir GPS ar gyfer chwaraeon awyr agored fel hwylio a cherdded mynyddoedd i roi gwybodaeth am leoliad. Mae derbynnydd GPS yn gallu dweud beth ydy eich union leoliad, ac felly, mae'n ddefnyddiol iawn pan ydych yn cerdded mewn niwl neu pan na allwch weld dim byd ond môr.
2) Mae'n cymryd llai o sgil i ddefnyddio GPS nag i ddefnyddio cwmpawd. Ond mae'r derbynnydd yn defnyddio batri, ac felly, os ydy'r batri'n marw, gallwch fod mewn helynt. Nid ydyn nhw'n gweithio'n effeithiol mewn ardaloedd trefol chwaith.
3) Roedd y lloerennau GPS yn hynod o ddrud i'w cynhyrchu a'u lleoli, ond yn ffodus, nid oes rhaid i ni dalu am eu defnyddio. Mae derbynyddion yn costio rhwng £80 (am un sylfaenol) a £500. Dangos cyfeirnod grid eich lleoliad yn unig y mae'r rhai mwyaf sylfaenol, ond mae'r rhai mwy cymhleth yn dangos eich lleoliad ar fap.

Rhywbeth i'w osgoi!

SYSTEMAU LLYWIO CERBYDAU

Os ydy cyfrifiadur yn gwybod lle'r ydych yn defnyddio GPS, ac mae'n gallu cyrchu data mapiau, gall eich cyfeirio i'r lle rydych am fynd iddo.
Mae systemau llywio mewn rhai cerbydau yn defnyddio'r syniad hwn i roi cyfarwyddiadau i'r gyrrwr drwy gymorth sgrin gyda saethau arni, a llais artiffisial.
Gall systemau llywio ddefnyddio gwybodaeth fyw am draffig o drawsyryddion arbennig, hyd yn oed, i'ch helpu i osgoi tagfeydd traffig. Clyfar iawn.

Dim ond mater o amser ydy hi nes bydd ceir yn gyrru eu hunain...

Systemau llywio ceir, gwybodaeth am dagfeydd traffig, wel, wn i ddim... Weithiau dwi'n credu fod TGCh yn mynd yn rhy bell. Wrth gwrs ei fod yn glyfar, ond ydyn ni eisiau i gyfrifiadur ddweud wrthym pa ffordd i droi? Yn bersonol, mae'n well gen i fod yn fwy ymlaciol a chymryd fy siawns gydag arwyddion ffyrdd!

TGCh Ar Gyfer Pobl ag Anghenion Penodol

Efallai y bydd angen i bobl ag anabledd gael cyfarpar arbennig i ddefnyddio cyfrifiaduron. Unwaith y byddan nhw wedi eu derbyn, fodd bynnag, gallan nhw fod o gymorth mawr iddyn nhw.

Mae Rhai Cyfarpar Yn Helpu Pobl â Nam ar y Synhwyrau

TGCh ar gyfer pobl sy'n ddall neu'n rhannol ddall

Gellir addasu systemau cyfrifiadurol i'w gwneud yn haws i bobl eu defnyddio...

1) Gall newid gosodiad y sgrin *(screen setting)* fod o help i bobl sy'n rhannol ddall. Gallwch newid lliw y sgrin a maint y ffont i'w gwneud yn gliriach. Gallwch ddefnyddio bysellfwrdd arbennig gyda bysellau mawr lliwgar sy'n haws i'w gweld.
2) Mae caledwedd arbennig ar gael i bobl ddall – mae bysellfwrdd braille yn ei gwneud yn haws i deipio, a gellir argraffu dogfen mewn braille gydag argraffydd arbennig.
3) Darnau o feddalwedd ydy darllenwyr sgrin sy'n defnyddio technoleg synthesis lleferydd i ddarllen a disgrifio'r hyn sydd ar y sgrin. Ar dudalennau gwe, byddan nhw hyd yn oed yn disgrifio delweddau i chi.

Mae gwylio'r teledu'n haws hefyd erbyn hyn – gellir gosod teledu digidol i dderbyn disgrifiadau clywedol *(audio descriptions)* o'r hyn sy'n digwydd. Mae hyn yn helpu pobl ddall neu rannol ddall i ddeall yr hyn sy'n digwydd.

TGCh ar gyfer Pobl â Nam ar y Clyw

1) Mae pobl â nam ar y clyw yn gallu defnyddio cyfrifiaduron yn gwbl normal. Un peth y gallwch ei wneud, fodd bynnag, ydy arddangos eiconau gweledol yn hytrach na defnyddio ciwiau sain.
2) Mae DVD yn llawer gwell na thapiau fideo gan y gallwch gynnwys isdeitlau.
3) Mae cyfathrebu gydag e-bost a neges destun yn gweithio'n dda iawn ar gyfer pobl â nam ar y clyw. Mae gosod ffôn symudol i ddirgrynnu *(vibrate)* neu fflachio yn ddefnyddiol iawn hefyd.
4) Gellir defnyddio fideogynadledda i gynnal sgwrs drwy ddefnyddio iaith arwyddion *(sign language)* neu ddarllen gwefusau.
5) Mae'r ffôn testun yn system hŷn sy'n newid ffôn gyffredin am fysellfwrdd a sgrin. Mae'r hyn y byddwch yn ei deipio yn ymddangos ar y ddwy sgrin – rhywbeth yn debyg i ystafell sgwrsio. Mae'n rhaid bod gan yr anfonwr a'r derbynnydd beiriant ffôn testun.
6) Gellir gosod dolennau anwythiad *(induction loops)* mewn ffonau ac mewn mannau cyhoeddus. Mae'r rhain yn debyg i drawsyryddion *(transmitters)* sy'n anfon sain yn uniongyrchol i offer clywed. Gellir gosod offer arbennig mewn ffonau hefyd i'w gwneud yn gryfach o ran sain.

Mae technoleg ar gael hefyd ar gyfer pobl sy'n dioddef o anableddau lluosog, e.e. gellir cael sgrin teimlo ar gyfer pobl nad ydyn nhw'n gallu gweld na chlywed sy'n dangos braille. Mae hyn yn eu helpu i gyfathrebu.

Mae TGCh Yn Ddefnyddiol Ar Gyfer Pobl â Phroblemau Iaith

Os oes raid i chi gyfathrebu mewn iaith nad ydych yn gyfarwydd â hi, rydych yn debyg o gael trafferthion.

1) Mae meddalwedd geiriadurol *(dictionary software)* yn gallu eich helpu i gyfieithu geiriau unigol yn gyflym.
2) Mae meddalwedd dysgu yn gallu eich helpu i ymarfer iaith drwy ddilyn ymarferion sy'n eich helpu i wrando ar eiriau yn cael eu llefaru. Mae meddalwedd recordio yn recordio eich llais a'i chwarae'n ôl hefyd i chi gael gweld pa mor dda oeddech chi.
3) Mae'r rhan fwyaf o becynnau prosesu geiriau yn gallu gwirio eich sillafu mewn gwahanol ieithoedd yn ogystal â sicrhau bod eich brawddegau yn rhai synhwyrol.

TGCh Ar Gyfer Pobl ag Anghenion Penodol

Mae Rhai Systemau'n Helpu Pobl ag Anableddau Corfforol

Mae TGCh yn gallu helpu pobl sy'n dioddef o bob math o anabledd corfforol i fyw bywyd normal.

Gellir addasu systemau cyfrifiadurol

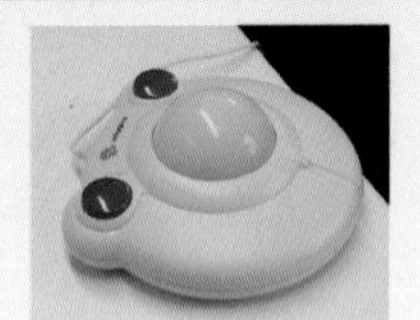
Pêl lwybro

1) Mae sawl un yn ei chael hi'n anodd i ddefnyddio llygoden – mae sawl dewis arall ar gael fel pêl lwybro, ffon rheoli a phad cyffwrdd. Mae pobl nad ydyn nhw'n gallu symud llawer ar eu dwylo yn gallu defnyddio bysellfwrdd sydd wedi'i gynllunio'n arbennig ac sy'n llai trafferthus i'w ddefnyddio.
2) Mae pobl nad ydyn nhw'n gallu defnyddio eu dwylo o gwbl neu ddim ond ychydig bach, yn gallu defnyddio meddalwedd adnabod llais. Mae'n caniatáu i chi siarad â'r cyfrifiadur er mwyn llywio drwy ddewislenni ac arddweud pethau i'w hysgrifennu.
3) Hyd yn oed os ydych chi wedi eich cyfyngu'n ddifrifol, gallwch barhau i reoli cyfrifiadur gyda switshis wedi eu trefnu'n ofalus – mae Stephen Hawking yn defnyddio'r dull hwn o weithio.

Gall TGCh helpu pobl i fod yn fwy annibynnol

1) Os ydych yn ei chael hi'n anodd i siopa mewn siopau cyffredin am ryw reswm, yna gallwch siopa ar y Rhyngrwyd. Mae archfarchnadoedd ar-lein yn cadw rhestr o'ch siopa arferol. Mae hyn yn arbed amser i bawb, ond gall fod yn ddefnyddiol os ydych chi'n anabl.
2) Mae teleweithio yn ardderchog os ydych yn ei chael hi'n anodd teithio (Gweler tudalen 76).
3) Ar gyfer pobl na allan nhw symud rhyw lawer, gellir gosod system sy'n rheoli amgylchedd yn awtomatig yn eu lle i gau llenni, i droi'r golau ymlaen, reoli'r gwres ac yn y blaen.

Mae Cyfrifiaduron yn Gallu Helpu Pobl ag Anawsterau Dysgu

Dyma rai enghreifftiau o'r dewisiadau:

1) Meddalwedd amlgyfrwng – yn helpu pobl sy'n ei chael hi'n anodd canolbwyntio. Mae'n defnyddio cyfryngau gwahanol, e.e. lluniau, clipiau sain a fideos i gynnal diddordeb y defnyddiwr.
2) Meddalwedd addysgol arbenigol – Mae dewis eang o feddalwedd ar gael i helpu pobl sy'n cael trafferth gyda darllen a mathemateg.
3) Sgriniau cyffwrdd – Mae'r rhain yn ddefnyddiol ar gyfer pobl sy'n cael trafferth defnyddio bysellfwrdd neu lygoden.
4) Gwirwyr sillafu – Mae'r rhain yn helpu pobl sy'n dioddef o ddyslecsia er enghaifft. Maen nhw'n gallu gwirio a chywiro geiriau wrth deipio.
5) Mae mathau eraill o feddalwedd yn gallu helpu pobl ag anawsterau dysgu canolig. Mae meddalwedd yn gallu helpu pobl i ddatblygu sgiliau ar gyfer byw ar eu pen eu hunain drwy ddarparu gemau sy'n efelychu bywyd go iawn.

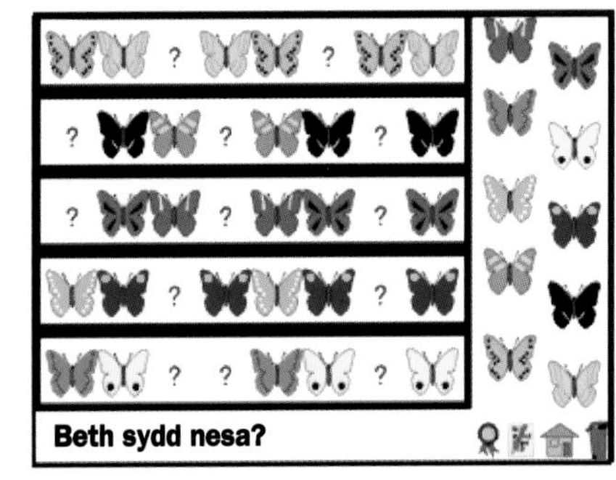

Rhaglen i helpu plant sy'n cael trafferth gyda mathemateg.

Nid gemau ydy'r cyfan...

Mae TGCh yn effeithio ar fywydau pawb – mewn gwledydd ar draws y byd. Rydym wedi arfer cymaint fel nad ydym yn sylwi arno bellach, mae fel ocsigen i'n bywyd! Ond mae'n gallu gwella ansawdd bywyd pobl mewn ffordd uniongyrchol iawn. Edrychwch ar www.dlf.org.uk neu www.abilitynet.org.uk i weld mwy.

TGCh Ar Gyfer Addysg a Dysgu Gydol Oes

Mae'n amlwg eich bod yn defnyddio TGCh ar gyfer eich cwrs TGAU mewn TGCh Gymhwysol. Ond dydy'r cyfan ddim yn gorffen fan hyn! Mae TGCh yn cael ei defnyddio i helpu pobl i ddysgu am bob math o bynciau ac ar bob math o lefel.

Mae TGCh yn Cael ei Defnyddio Mewn Ysgolion i Greu Ystafelloedd Dosbarth Electronig

1. **DYSGU DRWY GYMORTH CYFRIFIADUR (CAL)** (sy'n cael ei alw hefyd yn e-ddysgu) – Mae'n defnyddio meddalwedd i greu deunyddiau dysgu ar-sgrin. Gan amlaf, mae meddalwedd CAL yn rhyngweithiol, e.e. mae'n gallu darparu cwestiynau i'w hateb ar y sgrin, ac yna bydd y feddalwedd yn marcio'r gwaith i chi. Mae'r feddalwedd yn gallu rhoi awgrymiadau i chi ynglŷn â'r testunau y cawsoch drafferth â nhw gan osod cwestiynau ychwanegol yn eu cylch.

Gwella safon yr hyn mae'r disgyblion yn ei ddysgu ydy potensial mwyaf TGCh. Y gobaith hefyd ydy y bydd yn creu diddordeb i ddysgu. Y broblem fwya ydy cost y dechnoleg.

2. **BYRDDAU GWYN RHYNGWEITHIOL** – Maen nhw fel sgriniau cyfrifiadurol mawr y gall y dosbarth cyfan eu gweld. Maen nhw'n rhyngweithiol – gallwch reoli'r cyfrifiadur drwy symud a chlicio ar y bwrdd gyda phen arbennig.

3. **RHYNGRWYD** – Gall athrawon ddefnyddio'r Rhyngrwyd i lawrlwytho meysydd llafur a deunyddiau dysgu, ac ati. Gellir defnyddio e-bost i gyfnewid syniadau gydag ysgolion eraill. Mae'r Rhyngrwyd hefyd yn ddefnyddiol i gael hyd i wybodaeth ar destun arbennig...

DEFNYDDIO TGCh AR GYFER GWAITH YMCHWIL

1) Mae'r Rhyngrwyd yn gallu bod yn wych i ddod o hyd i wybodaeth sy'n hollol gyfoes. Mae peiriannau chwilio yn hawdd i'w defnyddio a, gydag ychydig o ymarfer, fe ddylech ddod o hyd i'r union beth yr ydych yn chwilio amdano. Ond mae'n rhaid i chi fod yn ofalus er mwyn gwneud yn siwr fod y wybodaeth a gawsoch chi ar y Rhyngrwyd yn ddibynadwy.
2) Mae gwyddoniaduron amlgyfrwng *(multimedia encyclopedias)* yn gallu bod yn ddefnyddiol iawn hefyd. Maen nhw'n haws i'w defnyddio i chwilio am wybodaeth ac mae'r elfennau amlgyfrwng fel clipiau sain a fideo yn gwneud pethau'n haws i'w deall ac yn llawer mwy diddorol.
3) Mae gwyddoniaduron ar-lein fel www.britannica.com yn ddibynadwy ac yn gyfoes, ond mae tâl am danysgrifio iddyn nhw.

Mae TGCh yn Helpu Pobl i Astudio Gartref

Nid ydy'r gwaith dysgu yn peidio unwaith y byddwch yn gadael yr ysgol neu'r coleg – bydd y rhan fwyaf o oedolion yn mynd ati i ddysgu sgiliau newydd ar ryw adeg neu'i gilydd yn eu bywyd. Un dewis ydy dilyn dosbarth nos mewn coleg lleol. Ond nid ydy hyn yn gyfleus bob tro. Os nad ydy hi'n gyfleus, mae TGCh yn gallu bod yn ddewis da...

1) Gallwch brynu CD-ROM a DVD i ddysgu sgiliau newydd i chi eich hunan, e.e. i ddysgu iaith newydd neu i'ch helpu i baratoi am eich prawf theori gyrru.
2) Os ydych am wneud rhywbeth nad ydy'n cael ei gynnig gan eich coleg lleol, gallwch ddilyn cwrs ar-lein dros y Rhyngrwyd.
3) Mae cyrsiau ar-lein yn ddefnyddiol gan eich bod yn gallu gweithio gartref ac yn eich amser eich hun. Ond mae anfanteision hefyd – fyddwch chi ddim yn cael y cyfle o weithio gydag eraill mewn grŵp a does dim tiwtor ar gael i'ch helpu.
4) Er hynny, mae gan y rhan fwyaf o gyrsiau ar-lein ystafell sgwrsio neu fforwm trafod lle gallwch drafod y gwaith gyda myfyrwyr eraill sy'n dilyn y cwrs – yn ogystal ag anfon cwestiynau i diwtoriaid.

Peidiwch â thrafferthu gwrando arna i – dim ond geiriau a lluniau sydd gen i...

Mae'r dudalen yma yn gwneud i mi deimlo'n annigonol! Does dim animeiddio na cherddoriaeth! Allwch chi ddim defnyddio fideo gynadledda chwaith. Ond fe allwch chi ddefnyddio'r llyfr i lwyddo yn eich arholiad TGAU!

Adran 3.3 – Crynodeb Adolygu

Cyn i chi ddechrau gwneud aseiniadau Uned 3, mae'n rhaid i chi ddeall y gwaith. Erbyn hyn, fe ddylech fod yn arbenigwr ar sut mae TGCh wedi newid cymdeithas. Ond er mwyn bod yn gwbl siwr, rhowch gynnig ar y cwestiynau hyn. Fyddwch chi ddim yn hir yn mynd drwyddyn nhw.

1) Enwch chwech o bethau gwahanol y gallwch eu gwneud ar y Rhyngrwyd.
2) I ba bwrpas y mae cyfryngau ffrydio yn cael eu defnyddio?
3) Pam fod y Rhyngrwyd yn ddefnyddiol ar gyfer pobl sydd â diddordebau anarferol?
4) Sut mae fforwm trafod ar-lein yn gweithio?
5) Nodwch dri o anfanteision y Rhyngrwyd.
6) Esboniwch sut y gallai ffôn symudol ddarparu tystiolaeth yn erbyn troseddwr.
7) Enwch dri pheth y gall ffôn symudol eu hanfon ar wahân i sain.
8) Beth ydy ystyr WAP? Beth ydy?
9) Nodwch un fantais o ddarlledu digidol yn lle'r hen ddull o ddarlledu analog.
10) Gellir cywasgu data digidol. Sut mae hyn yn cael ei wneud?
11) Pam fod angen cerdyn allwedd dadgodio gyda bocs teledu digidol?
12) Sut mae gemau rhithwir yn gweithio?
13) Nodwch ddwy fantais DVD dros dapiau fideo.
14) Beth ydy MP3?
15) Beth ydy PDA? Nodwch dri pheth y mae'n gallu ei wneud.
16) Enwch dri man cyhoeddus lle mae'n bosib cael mynediad i'r Rhyngrwyd.
17) Sut mae sgriniau cyffwrdd yn gweithio?
    Rhowch un enghraifft o fan lle mae'n gallu cael ei ddefnyddio gan y cyhoedd.
18) Pa fath o wybodaeth sydd i'w chael ar wefan Galw Iechyd Cymru?
19) Nodwch ddwy ffordd y gall y Rhyngrwyd eich helpu i gynllunio taith.
20) Sut mae TGCh yn gallu eich helpu i osgoi cael eich dal mewn tagfa draffig?
21) Beth ydy GPS? Sut y mae'n gallu bod o help i rai sy'n hwylio?
22) Mae'n gallu bod yn beryglus i gerddwyr mynydd i ddibynnu ar GPS – maen nhw'n dal i ddefnyddio cwmpawd. Pam ei bod yn beryglus i ddibynnu ar GPS?
23) Nodwch ddwy ffordd y mae'n bosib addasu system gyfrifiadurol ar gyfer person sy'n ddall neu'n rhannol ddall.
24) Nodwch ddwy enghraifft o sut y mae TGCh yn gallu helpu pobl sy'n fyddar neu sy'n dioddef gyda nam ar eu clyw.
25) Sut y mae'n bosib defnyddio TGCh i helpu pobl i ddysgu iaith newydd?
26) Awgrymwch ddwy ffordd y gellir addasu systemau cyfrifiadurol ar gyfer pobl ag anawsterau symud.
27) Nodwch dair ffordd y mae TGCh yn gallu helpu pobl ag anawsterau dysgu.
28) Beth ydy CAL?
29) Nodwch ddwy ffordd y mae oedolion yn gallu defnyddio TGCh i ddysgu gartref.

Cyngor Asesu Uned 1 (Edexcel)

Fe fydd yn rhaid i chi sefyll arholiad ar gyfer Uned 1 – arholiad ymarferol ar y cyfrifiadur, nid arholiad ysgrifenedig, felly peidiwch â chynhyrfu. Dilynwch y cyfarwyddiadau'n ofalus ac fe fyddwch yn iawn.

Peidiwch â chynhyrfu!

Mae'r arholiad yn para 2½ awr ac yn cael ei farcio allan o 100. Bydd yn cynnwys tua phedair tasg, gyda phob un wedi'i rhannu'n nifer o dasgau llai. Gofynnir i chi ddefnyddio taenlen, cronfa ddata, prosesydd geiriau a meddalwedd cyflwyno.

Mae'r gwaith y disgwylir i chi ei wneud gan ddefnyddio gwahanol fathau o feddalwedd wedi'u nodi isod. Rhaid i chi wneud yn siwr eich bod yn gallu gwneud pob un o'r rhain yn hyderus...

Meddalwedd Arholiad 1 – Taenlenni

BETH SY'N RHAID I CHI EI WNEUD:

1) Rhoi testun a rhifau i mewn, a fformatio'r celloedd i gyd-fynd â'r hyn roesoch chi i mewn.
2) Torri, copïo a gludo data, a mewnosod a dileu rhesi a cholofnau.
3) Defnyddio fformiwlâu, ffwythiannau syml a chyfeirnodau celloedd perthynol *(relative)* ac absoliwt.
4) Cynhyrchu siartiau ac argraffu rhannau arbennig o'r daenlen.

SUT I GAEL Y MARCIAU GORAU:

1) Gwnewch yn berffaith siwr eich bod wedi gwneud yr hyn y gofynnwyd i chi ei wneud a bod eich sillafu'n gywir. Mae'n hawdd iawn gwneud camgymeriadau bychain, yn enwedig mewn fformiwlâu, sy'n gallu difetha eich gwaith i gyd.
2) Peidiwch â gwastraffu amser yn argraffu yn ystod yr arholiad – fe gewch amser i wneud hyn yn nes ymlaen.
3) Os gofynnir i chi gynhyrchu siart, gwnewch yn siwr eich bod yn cynnwys teitl ac allwedd addas.
4) Gwnewch yn siwr fod eich taenlen yn ateb anghenion y defnyddiwr, ac yn addas o ran y ffordd y mae'n cael ei chyflwyno a'i gosod.

Meddalwedd Arholiad 2 – Prosesu Geiriau

BETH SY'N RHAID I CHI EI WNEUD:

1) Rhoi testun i mewn, ei dorri, ei ludo, ei symud a'i fformatio.
2) Defnyddio nodweddion fformatio fel penynnau *(headers)*, troedynnau *(footers)* a phwyntiau bwled.
3) Ychwanegu graffigwaith a thablau i'ch dogfen, a geirlapio *(word wrap)* testun o'u hamgylch.
4) Defnyddio cyfleusterau postgyfuno *(mail-merge)*.

SUT I GAEL Y MARCIAU GORAU:

1) Wrth brosesu geiriau rydych chi'n fwy tebygol o wneud camgymeriadau sillafu, felly gwnewch yn siwr eich bod yn gwirio'r gwaith a hefyd yn defnyddio gwirydd sillafu.
2) Gwnewch yn siwr fod eich dogfen yn ateb anghenion y defnyddiwr, ac yn addas o ran ei harddull a'i chywair, a'r ffordd y caiff ei chyflwyno a'i gosod.
3) Peidiwch â gwastraffu amser yn argraffu yn ystod yr arholiad – fe gewch amser i wneud hyn yn nes ymlaen.
4) Gwnewch yn siwr eich bod yn gyfarwydd â'r patrwm arferol o osod llythyr, memo, ffacs ac ati.

Cyngor Asesu Uned 1 (Edexcel)

Meddalwedd Arholiad 3 – Cronfeydd Data

BETH SY'N RHAID I CHI EI WNEUD:

1) Paratoi trefn a strwythur y gronfa ddata a'r rheolau dilysu *(validation rules)* ar gyfer mathau gwahanol o ddata (e.e. testun, dyddiad).
2) Cofnodi data gan ddefnyddio ffurflenni cofnodi data.
3) Creu perthynas rhwng meysydd mewn dau dabl.
4) Chwilio am wybodaeth a threfnu data a chynhyrchu adroddiadau i ddangos y canlyniadau.

SUT I GAEL Y MARCIAU GORAU:

1) Cyn eich arholiad edrychwch ar enghreifftiau o gronfeydd data ac adroddiadau cronfeydd data er mwyn dysgu sut y dylen nhw edrych a chael eu trefnu.
2) Wrth greu cronfa ddata bydd angen gwneud ambell i beth anodd fel creu rheolau dilysu a defnyddio tablau perthnasol i'w gilydd. Gwnewch yn siwr eich bod yn cael digon o ymarfer nes y byddwch yn gyfforddus yn gwneud y cyfan sydd ei angen.
3) Gwirio eich gwaith ddwywaith i osgoi camgymeriadau.

Meddalwedd Arholiad 4 – Meddalwedd Cyflwyno

BETH SY'N RHAID I CHI EI WNEUD:

1) Penderfynu ar strwythur a llwybr llywio drwy'r cyflwyniad.
2) Mynd ati i greu neu ddod o hyd i wahanol gydrannau'r cyflwyniad – testun, delweddau, sain, fideos.
3) Creu fframiau, haenau, cefndiroedd, ac mewn amser, sleidiau cyfan.
4) Cyfuno y cydrannau i greu cyflwyniad terfynol gan ei olygu lle bo angen.

SUT I GAEL Y MARCIAU GORAU:

1) Edrych ar amrywiaeth o gyflwyniadau a gynlluniwyd at wahanol ddibenion, a dysgu pa osodiadau sy'n gweithio orau ar gyfer pa gynulleidfaoedd a pha ddiben.
2) Bydd angen rhoi sylw i'ch arddull ysgrifennu, cywair, eglurder a chysondeb.
3) Gwneud yn siwr fod eich cyflwyniad yn trosglwyddo'r neges a fwriadwyd.
4) Gwirio eich gwaith ddwywaith am gamgymeriadau a allai olygu eich bod yn colli marciau pwysig.

Bydd Deunyddiau yn cael eu Cyhoeddi gan Edexcel cyn yr Arholiad i'ch helpu i Baratoi

1) Bydd deunyddiau ar gyfer yr arholiad yn cael eu hanfon bob blwyddyn ym mis Hydref.
2) Bydd y rhain yn gosod y senario ar gyfer yr arholiad, e.e. efallai y bydd y tasgau sydd wedi eu gosod yn ymwneud â sefydliadau dychmygol. Byddan nhw hefyd yn cynnwys gweithgareddau fydd yn eich helpu i baratoi.
3) Mae'n bwysig iawn eich bod yn astudio'r holl ddeunyddiau hyn ac yn gwneud pob un o'r gweithgareddau.
4) Gwnewch yn siwr eich bod yn gallu gwneud popeth yn yr hen bapurau am y ddwy flynedd flaenorol. Os gallwch wneud hynny, yna bydd popeth yn iawn, rwy'n addo.

Lwcus iawn – arholiad braf. Mmmmm...

Dyma ambell awgrym defnyddiol arall ...gwnewch yn siwr eich bod yn gwybod sut i argraffu gwaith o'r holl becynnau ar un dudalen o bapur A4 (mae gofynion yr arholiadau'n fanwl iawn ynglŷn â hyn), cofiwch gadw eich gwaith yn rheolaidd a darllen yr holl gyfarwyddiadau'n ofalus.

Cyngor Asesu Uned 2 (Edexcel)

Mae Uned 2 yn cael ei hasesu drwy gyfrwng portffolio ysgrifenedig. Mae'n cael ei rhannu yn ddwy ran:
– Disgrifio a gwerthuso'r systemau o fewn sefydliad real – tasgau a) a b)
– Cynllunio, dylunio a gweithredu system o'ch eiddo chi – tasgau c) a ch).

Tasg a) – Adroddiad ynglŷn â Phwrpas Defnyddio TGCh mewn Sefydliad

HYD AT 10 MARC

BETH SY'N RHAID I CHI EI WNEUD:

1) Dewis sefydliad (neu adran mewn sefydliad mawr) i'w astudio. Yna ymweld â'r sefydliad ac i gyfweld pobl – paratowch restr o gwestiynau ymlaen law a nodwch yr atebion yn ofalus. Dylai'r rhain gael eu cynnwys yn eich portffolio.
2) Paratoi disgrifiad clir o waith y sefydliad. Rhaid i chi gynnwys prif swyddogaethau'r sefydliad ac unrhyw wybodaeth berthnasol arall, fel nifer y gweithwyr.
3) Nodi'r systemau a ddefnyddir ganddyn nhw a'u hamcanion (yr hyn ddylai ddigwydd os ydy'n gweithio). Peidiwch â sôn am ba mor dda mae'n cyflawni'r amcanion hynny. Byddwch yn gwneud hynny yn nhasg b).

SUT I GAEL Y MARCIAU GORAU:

1) Mae angen i chi ddangos eich bod yn deall y dewis eang o dechnegau TGCh sydd ar gael i ddewis ohonyn nhw. Efallai nad ydy'n bosibl delio gyda phob un ohonyn nhw. Os ydy'r sefydliad yn un mawr iawn, gallwch ysgrifennu am un adran, e.e. gwerthiant neu'r adran gyllid. Gwnewch yn siwr, fodd bynnag, eich bod yn ymdrin ag ystod dda o'r defnydd sy'n cael ei wneud o TGCh.
2) Peidiwch â rhestru'r defnydd ohonyn nhw'n unig – rhaid i chi egluro'n llawn beth ydy pwrpas defnyddio TGCh ar gyfer y systemau TGCh sy'n cael eu defnyddio. Er enghraifft, gallwch ddweud bod siop fideos yn defnyddio cronfa ddata sy'n dangos pwy sydd wedi benthyca pob ffilm a phryd y disgwylir hi'n ôl. Ond mae angen mynd ymlaen i egluro pam –

"mae angen i'r siop fideos wybod os ydy ffilm yn hwyr fel bod y siop yn gallu dirwyo'r person hwnnw. Mae hefyd am allu dweud wrth bobl sydd am logi ffilm arbennig pryd y bydd ar gael i'w benthyg."

Tasg b) – Adroddiad ar System TGCh a Sut Mae'n Ateb Anghenion y Sefydliad

HYD AT 14 MARC

BETH SY'N RHAID I CHI EI WNEUD:

1) Disgrifio'r galedwedd a'r feddalwedd sy'n cael eu defnyddio yn un o'r systemau TGCh yn Nhasg 1.
2) Rhaid i chi ddisgrifio o leiaf un darn o galedwedd o bob un o'r pum grŵp canlynol:
   - dyfais mewnbynnu
   - dyfais storio
   - dyfais brosesu
   - dyfais allbynnu
   - pyrth a cheblau

SUT I GAEL Y MARCIAU GORAU:

1) Drwy gynnwys manylion penodol yn eich disgrifiadau – fel manylebau, cyflymder, maint y cof a lle storio, ac ati. Gwnewch yn siwr eich bod yn cyfeirio at bob un o'r pump uchod neu fe fyddwch yn colli marciau.
2) Peidiwch â gwneud dim ond rhestru'r eitemau, ewch ati i'w gwerthuso. Mae gwerthuso'n golygu:
   - Dweud os ydy'r amcanion/anghenion wedi cael eu hateb.
   - Dweud beth mae'n gallu ei wneud, o'i gymharu â beth mae'r busnes angen iddo ei wneud.
   - Cynnig dewisiadau a fyddai'n ateb yr angen yn well.
3) Cofiwch nad ydy gwahanol rannau'r system yn gweithio ar eu pen eu hunain. Esboniwch felly sut mae gwahanol gydrannau'r system wedi eu cysylltu â'i gilydd.

Cyngor Asesu Uned 2 (Edexcel)

Mae ail ran Uned 2 yn trafod eich system TGCh chi.

Tasg c) – Cynhyrchu Manyleb Ddylunio ar Gyfer System TGCh Newydd

HYD AT 17 MARC

BETH SY'N RHAID I CHI EI WNEUD:

1) Gweld beth ydy'r broblem y mae'n rhaid i chi ei datrys ydy'r peth cyntaf sy'n rhaid i chi ei wneud. Nid oes raid i hyn fod ar gyfer y sefydliad a ddewiswyd yn y tasgau blaenorol, ond gall fod os oes gan y sefydliad broblem rydych chi'n credu y gallwch chi ddelio â hi.
2) Unwaith y byddwch wedi cael hyd i'r broblem i'w datrys, gallwch ddechrau cynllunio'r project. Gofynnwch:

- Beth ydy'r amcanion ar gyfer y system?
- Pa ddata fydd rhaid i mi eu casglu?
- Pa dasgau sydd angen eu cyflawni?
- Pa feddalwedd i'w defnyddio a pham?
- Beth fydd angen i'r defnyddiwr ei wneud?
- Faint o amser sydd gen i?
- Pa fathau o ddata a ddefnyddir?
- Ym mha drefn y dylai'r tasgau ddigwydd?
- Pa galedwedd i'w defnyddio?
- Alla i ddatrys y broblem o gwbl?

3) Llunio manyleb ddylunio. Dylai fod yn ddisgrifiad manwl o'r dyluniad ar gyfer y system TGCh. Rhaid i chi gynnwys manylion am yr anghenion o ran mewnbwn, proses ac allbwn, ffynonellau gwybodaeth, a'r math o feddalwedd rhaglenni fydd ei hangen. Bydd angen cynnwys:

- Diagram llif data (gweler t.63) er mwyn cael golwg clir o'r system newydd a dangos sut y bydd y wybodaeth yn llifo drwyddi.
- Rhai dyluniadau bras ar gyfer ffurflenni mewnbwn i'w defnyddio.
- Dyluniadau cychwynnol yn dangos sut bydd yr allbwn yn edrych.
- Dyluniadau terfynol gyda manylion llawn am sut bydd y system yn edrych ac yn gweithio.

4) Peidiwch ag anghofio cynnwys cynllun profi manwl yn eich adroddiad – bydd y cynllun yn esbonio sut rydych yn bwriadu profi eich system. Ystyriwch yr amcanion a osodwyd gennych ar gyfer eich system cyn mynd ati i wneud y gwaith. Hefyd, mae angen dweud:

- Faint o brofion yr ydych yn bwriadu eu cynnal.
- Pa ddata rydych chi'n mynd i'w defnyddio.
- Pa ganlyniadau yr ydych yn eu disgwyl.

Cofiwch gynnwys data normal, data eithaf a data annilys. Gweler tudalen 65.

SUT I GAEL Y MARCIAU GORAU:

1) Gwneud yn siwr eich bod yn dewis problem y mae angen ateb cyfansawdd i'w datrys. Er enghraifft, gallwch ddewis cronfa ddata berthynol (*relational database*) neu daenlen sydd â dalennau wedi eu cysylltu.
2) Os ydy'n bosibl, mae'n syniad da i greu dyluniad cychwynnol a chael adborth gan eich defnyddwyr. Yna gallwch gynnwys yr adborth yn eich manyleb ddylunio.
3) Gallwch gynnwys disgrifiad o ffactorau llwyddiant eich system yn eich manyleb ddylunio – h.y. beth ydy bwriad pob rhan o'ch system. Bydd hyn yn eich helpu i werthuso pa mor dda y mae eich system yn gwneud yr hyn y mae fod i'w wneud.
4) Bydd y manylebau dylunio gorau yn ei gwneud yn bosibl i unrhyw un â gwybodaeth o TGCh i edrych ar eich dyluniad a gweithredu'r system.
5) Dylai'r cynllun profi brofi'n effeithiol y cyfan y mae eich system yn gallu ei wneud.

Ond dydych chi ddim wedi gorffen eto – trowch y dudalen i weld y dasg olaf yn Uned 2...

Cyngor Asesu Uned 2 (Edexcel)

Tasg ch) – Gweithredu, Profi a Gwerthuso'r Sysytem

HYD AT 17 MARC

BETH SY'N RHAID I CHI EI WNEUD:

1) Creu'r system ydy'r cam nesaf. Rhaid i chi ddangos tystiolaeth o'r system yn cael ei datblygu a'i defnyddio.
2) Cofnodi sut y gwnaethoch baratoi'r system, unrhyw broblemau a gawsoch yn y broses a sut y gwnaethoch ddod dros y broblem.
3) Cynhyrchu canllawiau i ddangos i bobl eraill sut i ddefnyddio'r system. Gallwch wneud hyn fel llyfryn neu gymorth ar-lein. Gallwch ddefnyddio delweddau sgrin i helpu egluro sut i wneud y tasgau.
4) Profi eich system. Defnyddiwch ystod o ddata a phrofwch yn erbyn pob math o broblem sy'n gallu codi wrth ddechrau ar y gwaith.
5) Cofnodi'r holl brofion yn eglur, e.e. mewn tabl.
6) Defnyddio canlyniadau'r profion i werthuso eich system. Nodwch pa mor effeithiol y mae'r system wedi gweithio. Dangoswch dystiolaeth ynglŷn ag unrhyw welliannau a wnaethoch ar ôl profi. Eglurwch y gwelliannau yma.

SUT I GAEL Y MARCIAU GORAU:

1) Y ffordd orau o ddangos tystiolaeth o'r system yn cael ei chreu ydy cadw dyddiadur datblygu. Pwrpas y dyddiadur fydd cadw cofnod o'r hyn wnaethoch chi. Dylai gynnwys sgrinluniau gyda disgrifiad ac esboniad o'r hyn sy'n digwydd ym mhob un. Edrychwch ar dudalen 65 am fwy o fanylion.
2) Er mwyn cael marciau da fe ddylai eich gwerthusiad fod yn fanwl. Mae hyn yn gallu cynnwys tystiolaeth o werthusiad gan berson arall. Felly, mae'n bwysig cael rhywun arall i brofi eich system ac i roi eu barn.
3) O ganlyniad i'r gwerthusiad hwn, mae'n syniad da hefyd i gynnig ychydig o welliannau ar gyfer y dyfodol.
4) Gwerthuswch eich canllawiau. Eto, ceisiwch gael rhywun arall i'w defnyddio ac i gynnig adborth.
5) I gael y marciau uchaf, fe ddylai eich canllawiau ei gwneud yn bosibl i unrhyw un ddefnyddio'r system – ni ddylen nhw orfod bod yn arbenigwyr ar systemau fel eich system chi.

Cynlluniwyd system Osian fel bod unrhyw un ar wahân i Osian yn gallu defnyddio'r system.

Efallai y byddai arholiad wedi bod yn haws...

Hmmm, efallai nad ydy'r syniad o 'ddim arholiad' yma cystal ag y mae'n swnio wedi'r cyfan. Mae'n edrych yn lot o waith! Ar y llaw arall, os wnai'r ymdrech, mae gen i ddigon o amser i wneud yn siwr fy mod wedi cyflawni gwaith da fydd yn ennill marciau uchel. Bydd yn werth yr holl ymdrech!

Cyngor Asesu Uned 3 (Edexcel)

Mae eich gwaith ar Uned 3 ar ffurf portffolio sy'n gwerthuso'r ffordd mae TGCh yn effeithio ar fywyd pob dydd. Mae'n cael ei rannu'n bum tasg. Rhaid i chi werthuso'r defnydd a wneir o TGCh – tasgau a) – ch), a deddfau TGCh (tasg d).

Tasg a) – Ysgrifennu Adroddiad ar Effaith TGCh ar Eich Gweithgareddau Chi

HYD AT 11 MARC

BETH SY'N RHAID I CHI EI WNEUD:

1) Mae tasg a) yn delio â'ch defnydd chi o TGCh – gartref ac yn yr ysgol neu'r coleg.
2) Gallwch ddewis unrhyw fath o dechnoleg TGCh sy'n cael eu defnyddio ganddoch chi. Dyma rai enghreifftiau:

- Enghreifftiau o ddefnydd personol TGCh – medalwedd gemau, Rhyngrwyd (e.e. prynu ar e-bay), gliniadur.
- Enghreifftiau o ddefnydd cymdeithasol TGCh – ffôn symudol, e-bost, Rhyngrwyd (e.e.ystafelloedd sgwrsio).
- Enghreifftiau o ddefnydd at waith ysgol/coleg – Ymchwil ar y Rhyngrwyd, meddalwedd taenlenni, prosesu geiriau.

3) Ar gyfer pob un eitem o'ch defnydd o TGCh, rhaid i chi ddisgrifio sut y mae'n ateb eich anghenion, e.e. defnydd cymdeithasol o TGCh: ffôn symudol. Esboniwch bod ei hangen arnoch i gysylltu gyda eich ffrindiau a'r teulu pan fyddwch allan. Gallwch fynd ymlaen i ddisgrifio sut y mae ffôn symudol yn caniatáu i chi gysylltu â nhw, fel negeseuon testun neu negeseuon llun, llais-bost ac yn y blaen.

SUT I GAEL Y MARCIAU GORAU:

1) Dewis o leiaf dair enghraifft o'ch defnydd o TGCh, un o bob un o'r categorïau hyn:

i) Defnydd personol (ar eich pen eich hun). ii) Defnydd cymdeithasol (gydag eraill). iii) At ddefnydd gwaith ysgol/coleg.

2) Gwerthuso pa mor dda mae TGCh yn ateb eich anghenion – mae hyn yn gallu rhoi hwb mawr i'ch marciau. Er enghraifft, Defnyddio TGCh at pwrpas gwaith: Defnyddio'r Rhyngrwyd i wneud gwaith ymchwil ar gyfer eich project Hanes. Esboniwch sut ydych chi'n ei defnyddio, a pham, ac ewch ati i ddweud pa mor ddefnyddiol ydy'r Rhyngrwyd yn ateb eich problemau.
3) Ystyriwch anfanteision yn ogystal â phwyntiau positif – e.e. 'Rydw i wedi dod o hyd i lwyth o wybodaeth ar y Rhyngrwyd, mae'n anodd dweud os ydy'r wybodaeth honno'n gywir.'

Tasg b) – Ysgrifennu Adroddiad ar Effaith TGCh ar Berson sy'n Gweithio

Mae tasg b) yn debyg i dasg a), ond y tro yma rydych yn ysgrifennu am oedolyn sy'n gweithio.
Y ffordd orau o fynd ati ydy cyfweld oedolyn a'i gael i sôn am sut mae'n defnyddio TGCh.

HYD AT 14 MARC

BETH SY'N RHAID I CHI EI WNEUD:

1) Rhaid i chi drafod ei ddefnydd o TGCh yn bersonol, cymdeithasol a gwaith, a hynny yn y cartref ac yn y gweithle.
2) Rhaid i chi hefyd ddweud sut mae TGCh wedi newid dulliau ac arferion gwaith yr unigolyn hwnnw.
3) Yn union fel yn nhasg a), disgrifiwch ac esboniwch ei ddefnydd o TGCh, ac yna gwerthuso pa mor dda mae hyn yn ateb ei anghenion (e.e. 'Mae defnyddio e-bost i gysylltu â chyd-weithwyr yn gweithio'n dda, oherwydd mae'n gallu atodi gwybodaeth ychwanegol fel adroddiadau. Eto, mae'n credu ei bod yn well cyfarfod â phobl yn bersonol i drafod materion mwy cymhleth gan fod modd egluro pethau'n well.')

SUT I GAEL Y MARCIAU GORAU:

1) Eto, yr allwedd ydy bod yn drylwyr wrth werthuso. Mae hyn yn cynnwys edrych ar yr anfanteision yn ogystal â'r manteision.

Ewch i'r dudalen nesaf am gyngor ar y dair tasg sy'n weddill yn Uned 3...

Cyngor Asesu Uned 3 (Edexcel)

Tasg c) – Ysgrifennu Adroddiad ar Effaith TGCh ar rywun ag Anghenion Arbennig

HYD AT 11 MARC

BETH SY'N RHAID I CHI EI WNEUD:

1) Y tro hwn rydych yn ysgrifennu am rywun ag anghenion penodol neu arbennig. Cyn dechrau, rhaid i chi ddweud beth ydy'r anghenion hynny, a chysylltu'r defnydd o TGCh gyda'r anghenion hynny.

SUT I GAEL Y MARCIAU GORAU:

1) Cofiwch, disgrifio yn gyntaf ac yna gwerthuso (e.e. 'Mae ganddo/ganddi feddalwedd adnabod llais ond nid ydy'n gweithio'n dda iddo/iddi oherwydd mae'n dal i gael negeseuon ar-sgrin. Mae'n meddwl felly am drio bysellfwrdd Braille.')
2) Dewis yn ofalus yr offer TCGh sy'n cael eu defnyddio. Nid oes raid i chi ysgrifennu am bob darn o feddalwedd TGCh y maen nhw'n eu defnyddio, ond mae angen cynnwys dewis da i gynrychioli'r ffordd y maen nhw'n defnyddio TGCh. Mae angen esbonio sut mae technoleg TGCh yn ateb eu hanghenion personol, cymdeithasol a gwaith.

Tasg ch) – Ysgrifennu Adroddiad ar Effaith TGCh o Fewn Eich Cymuned Leol

HYD AT 11 MARC

BETH SY'N RHAID I CHI EI WNEUD:

1) Mae tasg ch) yn ymwneud â'ch cymuned leol. Gwnewch yn siwr yn gyntaf eich bod yn dweud ble mae eich cymuned leol – braidd yn amlwg ond yn bwysig.
2) Mae angen cysylltu'r defnydd o TGCh ag anghenion y gymuned yn yr adroddiad hwn – e.e. 'Mae pobl sy'n ddi-waith yn gallu defnyddio'r Rhyngrwyd yn ddi-dâl mewn llyfrgell gyhoeddus. Mae'n gallu helpu pobl i ddod o hyd i waith neu i ddysgu sgiliau newydd.'

SUT I GAEL Y MARCIAU GORAU:

1) Bydd angen sôn am y gwahanol fathau o ddefnydd sy'n cael ei wneud gan eich cymuned leol o TGCh. Enwch o leiaf dri defnydd cwbl wahanol.
2) Fel arfer, gwnewch yn siwr eich bod yn gwerthuso yn ogystal â disgrifio – e.e. 'Mae gallu defnyddio'r Rhyngrwyd yn rhad ac am ddim o help i'r di-waith, ond mae pobl eraill yn gorfod talu am ei defnyddio. Mae'r gost yn gallu bod yn ormod i rai pobl fel pobl hŷn y gallai'r Rhyngrwyd fod yn ddefnyddiol iddyn nhw, e.e. hamddena a chyfarfod pobl.'

Tasg d) – Esboniwch y Ddeddfwriaeth TGCh sy'n Amddiffyn Pobl a Grwpiau

HYD AT 11 MARC

BETH SY'N RHAID I CHI EI WNEUD:

1) Mae tasg d) yn ymwneud â deddfwriaeth TGCh. Nid oes raid iddi fod yn adran ar wahân yn eich portffolio – gallwch drafod deddfwriaeth berthnasol ym mhob un o'r adrannau eraill.
2) Cysylltwch y ddeddfwriaeth â'r defnydd a ddisgrifiwyd – dewiswch y ddeddf sydd fwyaf perthnasol i'r person/grŵp yr ydych wedi bod yn ymchwilio iddo. Disgrifiwch y ddeddf, pwy y mae'n ei amddiffyn a pham y cafodd ei chyflwyno.

SUT I GAEL Y MARCIAU GORAU:

1) Gwerthuso sut y gallai effeithio ar bobl yn eich adroddiadau.
2) Gwneud yn siwr eich bod yn gwneud sylwadau ynglŷn â pa mor addas ac effeithiol ydy'r ddeddf.

Efallai y byddai'n well os byddai TGCh yn...

...diflannu ac yn rhoi llonydd i bawb. Wel, efallai nad ydy'r portffolio yma yn llawer o sbort, ond o leia mae'n caniatáu i chi ysgrifennu am bethau sy'n gallu bod yn sbort fel y ffôn symudol a'r Rhyngrwyd.

Cyngor Asesu Uned 1 (AQA)

Mae llawer o wybodaeth ddefnyddiol ar gael yn y tair tudalen nesa ar eich gwaith cwrs ar gyfer Uned 1. Mae pump tasg i'w gwneud a dylai 20 ochr A4 fod yn ddigon i chi ar gyfer y tasgau i gyd. Mae'r dair tasg gyntaf yn ymwneud â dogfennau busnes.

Tasg 1 – Ysgrifennu Adroddiad am Ddogfennau a Ddefnyddir Gan Fusnesau

HYD AT 21 MARC

BETH SY'N RHAID I CHI EI WNEUD:

1) Casglu amrywiaeth o ddogfennau a gynhyrchwyd gan fusnesau go iawn, e.e. taflenni, a llyfrynnau. Dewiswch o leiaf dri i'w hadolygu ar gyfer eich project.
2) Disgrifio'r dogfennau. Gwnewch yn siwr eich bod yn ysgrifennu am y canlynol:
   - Cynnwys – arddull ysgrifennu a'r neges sy'n cael ei rhoi. Y defnydd o ffotograffau, diagramau, siartiau.
   - Gosodiad – sut y mae'r dudalen wedi ei threfnu. Colofnau, ymylon, lliwiau ac ati.
   - Pwrpas – beth ydy pwrpas y ddogfen. Pwy ydy'r gynulleidfa darged?
3) Gwnewch sylwadau ar addasrwydd y dogfennau gan ystyried eu pwrpas. Esboniwch sut y maen nhw'n ceisio ateb anghenion eu defnyddwyr, a thynnwch sylw at pa mor dda y maen nhw wedi gwneud hynny.

"Dim ond tair dogfen sydd raid i ni eu hadolygu."

SUT I GAEL Y MARCIAU GORAU:

1) Dewiswch ddogfennau sydd gryn dipyn yn wahanol i'w gilydd, ac a gafodd eu creu drwy ddefnyddio o leiaf tair rhaglen feddalwedd wahanol (e.e. cyhoeddi bwrdd gwaith, prosesu geiriau, taenlenni, cronfeydd data).
2) Rhaid i chi gynnwys y dogfennau gwreiddiol yn eich portffolio. Os nad ydych chi'n gwneud hyn rydych yn debygol o golli marciau. (Mae hyn yn ychwanegol at y cyfanswm o 20 ochr A4).
3) Gwnewch yn siwr fod eich disgrifiadau o'r cynnwys, y gosodiad a'r pwrpas mor fanwl â phosibl.
4) Cofiwch gynnwys werthusiadau manwl a threiddgar yn ymwneud â pha mor addas ydy pob dogfen i'r defnyddwyr y bwriadwyd hi ar eu cyfer. Awgrymwch sut mae'n bosib gwella'r dogfennau o ganlyniad i'ch gwerthusiad.

Tasg 2 – Cyhyrchu Eich Dogfennau Busnes Eich Hunan

HYD AT 25 MARC

BETH SY'N RHAID I CHI EI WNEUD:

1) Paratoi tair dogfen fusnes. Rhaid iddyn nhw fod mor realistig â phosibl, felly fe allwch chi eu creu ar gyfer cwmni sydd eisoes yn bod, neu fe allwch chi greu cwmni ffug sydd angen set o ddogfennau a deunyddiau marchnata. Fe fydd angen i chi gynhyrchu sawl drafft o'r dogfennau hyn cyn penderfynu ar eich gwaith terfynol (gweler y dudalen nesaf).
2) Gwnewch yn siwr fod eich dogfennau'n addas i'r pwrpas ac i'w cynulleidfa ac wedi eu cyflwyno'n dda.
3) Defnyddio nodweddion TGCh fel chwilio a threfnu i gasglu a threfnu'r wybodaeth i'w defnyddio yn y dogfennau. Defnyddiwch gymaint o wahanol fathau o nodweddion TGCh â phosibl – e.e. chwilio'r Rhyngrwyd i ddod o hyd i wybodaeth, defnyddio meddalwedd taenlenni i droi data'n siartiau a chronfeydd data i drefnu data.
4) Dangos tystiolaeth o'r defnydd a wnaethoch o nodweddion TGCh. Tra byddwch yn chwilio am wybodaeth a'i threfnu gwnewch sgrinluniau a'u gludo mewn dogfen ar wahân. Ychwanegwch esboniadau ysgrifenedig am yr hyn yr ydych wedi ei wneud a pham.

SUT I GAEL Y MARCIAU GORAU:

1) Mae'n bwysig fod pob dogfen yn defnyddio dwy neu dair rhaglen feddalwedd, e.e. mewn taflen cyhoeddi bwrdd gwaith gallwch gynnwys siart o daenlen a chynnwys graffigwaith wedi ei olygu o becyn graffigwaith.
2) Dylai eich dogfennau ddangos ystod o arddulliau ysgrifennu a gosodiadau. Mae'n haws i'w wneud os ydych yn creu tri math cwbl wahanol o ddogfennau ar gyfer tri phwrpas gwahanol neu dair cynulleidfa wahanol.

Cyngor Asesu Uned 1 (AQA)

Tasg 3 – Creu Drafft Cynnar â Nodiadau a Gwerthuso Fersiynau Terfynol

HYD AT 22 MARC

BETH SY'N RHAID I CHI EI WNEUD:

1) Cynhyrchu tri drafft o bob un o'ch dogfennau yng Nhasg 2. Anodi pob drafft, hynny ydy ysgrifennu nodiadau arnyn nhw, i egluro pa gywiriadau a gwelliannau sydd angen eu gwneud i'r drafft nesaf.
2) Ysgrifennu adroddiad ysgrifenedig ar gyfer pob dogfen. Yn yr adroddiad mae angen egluro sut mae nodweddion y rhaglenni a ddefnyddiwyd wedi caniatáu i chi ateb pwrpas y ddogfen.
3) Gwerthuso eich dogfennau gorffenedig yn yr adroddiad. Gwnewch sylwadau ynglŷn â pha mor dda yn eich barn chi yr ydych wedi ateb eu pwrpas. Awgrymwch sut y gallen nhw gael eu gwella.

SUT I GAEL Y MARCIAU GORAU:

1) Bydd angen i'ch nodiadau gynnwys mwy na chywiriadau syml fel camgymeriadau sillafu. Dylai eich drafftiau cyntaf fod gryn dipyn yn wahanol i'r ddogfen derfynol. Dylai eich sylwadau ym mhob cam ddangos eich bod yn gwerthuso eich gwaith ac yn gwneud gwelliannau go iawn o ran arddull a chyflwyniad.
2) Bydd angen i'ch nodiadau wneud mwy na dweud beth ydych chi'n bwriadu ei wneud yn y drafft nesaf – mae angen cynnig rhesymau da dros wneud pob un o'r newidiadau. Peidiwch â gwneud newidiadau yn ddiangen.
3) Mae'n iawn gwneud newidiadau ac yna sylweddoli nad ydych yn eu hoffi gan eu newid yn ôl mewn drafft diweddarach. Mae arholwyr yn hoffi hyn, mewn gwirionedd, cyn belled â'ch bod wedi esbonio eich rhesymau ym mhob cam.
4) Cymharu eich dogfen derfynol chi â dogfennau masnachol go iawn yn ystod eich gwerthusiad. Defnyddiwch hyn i ddweud sut y gallai eich dogfennau chi gael eu gwella ymhellach. Dylech gynnwys unrhyw ddogfennau real a ddefnyddiwyd yn eich portffolio.

Tasg 4 – Ysgrifennu Adroddiad ar y Feddalwedd a Ddefnyddir Gan Fusnesau

Mae'r bedwaredd dasg ychydig yn wahanol...

HYD AT 13 MARC

BETH SY'N RHAID I CHI EI WNEUD:

1) Ysgrifennu am y defnydd mae sefydliadau yn ei wneud o'r canlynol:
   - meddalwedd CAD/CAM
   - meddalwedd synhwyro a rheoli
   - meddalwedd trin delweddau
2) Disgrifio'n fanwl brif nodweddion pob un o'r mathau hyn o feddalwedd.
3) Disgrifio pam mae pob un o'r mathau hyn o feddalwedd yn cael eu defnyddio o fewn sefydliadau gwahanol.

SUT I GAEL Y MARCIAU GORAU:

1) Disgrifio o leiaf dair nodwedd a thri rheswm pam y defnyddiodd y sefydliad bob un o'r gwahanol fathau o feddalwedd.
2) Trafod yn fanwl effaith pob un math o feddalwedd ar y sefydliadau sy'n eu defnyddio.

Cyngor Asesu Uned 1 (AQA)

Mae'r 19 marc sy'n weddill yn Uned 1 ar gael am ddefnyddio dulliau safonol o weithio (gweler isod) ac am wirio (sicrhau cywirdeb) eich ffynonellau gwybodaeth.

Tasg 5 – Dangoswch Eich Bod Wedi defnyddio Dulliau Safonol o Weithio

HYD AT 19 MARC

BETH SY'N RHAID I CHI EI WNEUD:

1) Defnyddio dulliau safonol o weithio ar y cyfrifiadur wrth gynhyrchu gwaith ar gyfer yr uned hon. Mae hyn y cynnwys:
   - Defnyddio enwau ffeiliau synhwyrol – enwau sy'n caniatáu i rywun arall weld ar unwaith beth sydd yn y ffeil.
   - Defnyddio ffolderi i drefnu eich gwaith – e.e. gallwch gael pum ffeil wahanol i bob un o'r tasgau yn yr uned. Yna, o fewn pob un o'r ffolderi hynny fe allwch gael ffolderi ar wybodaeth gefndirol, gwaith sydd ar y gweill, gwaith wedi ei gwblhau, ac ati.
   - Gwnewch gopïau wrth gefn sydd wedi eu dyddio ar gyfer pob un o'ch ffeiliau a'u cadw mewn ffolder ar wahân.
   - Cadwch eich drafftiau cyntaf yn ogystal â hen fersiynau o bob darn o waith – peidiwch â'u dileu. Rhowch nhw mewn ffolder ar wahân.
2) Gwnewch sgrinluniau (*screen shots*) yn *Windows Explorer* (neu rywbeth tebyg) i ddangos sut y cafodd y ffeiliau eu trefnu. Gludiwch y rhain mewn dogfen ar wahân gan gynnwys darn ysgrifenedig i'w hesbonio.
3) Dangoswch dystiolaeth eich bod wedi gwirio ffynonellau'r wybodaeth a ddefnyddiwyd gennych yn yr uned hon. Cofiwch gynnwys gyfeiriadau i ddangos o ble daeth y wybodaeth, gan roi ffynhonnell arall i gefnogi hynny.

Gwaith wedi ei baratoi'n drefnus mewn ffolderi

Pob ffolder yn cynnwys gwahanol ddrafftiau wedi eu henwi gan ddefnyddio system sy'n bosib ei deall.

Defnyddiwch sgrinluniau yn dangos sut y gwnaethoch drefnu eich gwaith.

SUT I GAEL Y MARCIAU GORAU:

1) Defnyddiwch y system hon o'r dechrau ar gyfer eich gwaith portffolio – mae'n llawer haws na cheisio gwneud hynny ar y diwedd.
2) Gwnewch yn siwr eich bod yn gwirio o leiaf dair o'ch ffynonellau gwybodaeth. Os nad ydych chi'n gwneud hynny, y marc uchaf y gallwch ei gael ydy 11 allan o 19. Mae hyn yn bwysig iawn wrth ddefnyddio ffynonellau'r Rhyngrwyd, ond peidiwch â threulio dyddiau dibendraw yn gwirio pob ffynhonell – bydd tair yn hen ddigon.
3) Cofiwch nad oes un ffordd gywir o drefnu a rheoli eich gwaith. Mae'r marciau uchaf yn cael eu rhoi i bobl sy'n creu eu system gyfeirio effeithiol eu hunain, un sy'n addas i'w sefyllfa nhw, ac yna esbonio'n glir sut mae'n gweithio a pham y dewiswyd hi ganddyn nhw i drefnu eu gwaith. Cofiwch y pedwar pwynt sydd ar dop y bocs yma, yna, mae'r cyfan yn eich dwylo chi.

Roedd Bob wrth ei fodd yn defnyddio dulliau traddodiadol o weithio.

Hwrê, Dim arholiad! Ww-hw! (dim ond aseiniad hir...)

Mae tipyn o waith yma, ond mae'n ddigon hawdd. Fe fyddwn i'n argymell eich bod yn edrych yn ôl ar Adran 1.4 rywbryd yn ystod eich gwaith ar gyfer Uned 1 – mae llawer o wybodaeth yno am ddogfennau busnes a dulliau safonol o weithio yn ogystal â thair tudalen yn ymwneud â'r tri math o feddalwedd y mae'n rhaid i chi sôn amdanyn nhw yn nhasg 4.

Cyngor Asesu Uned 2 (AQA)

Mae Uned 2 yn cael ei hasesu hefyd ar waith portffolio ysgrifenedig. Mae'r portffolio yn cael ei farcio allan o 100. Mae pedair tasg i'w gwneud ac, unwaith eto, dylai 20 ochr A4 fod yn ddigon ar gyfer y tasgau hyn i gyd. Mae'r ddwy dasg gyntaf yn delio â sut mae dau sefydliad yn defnyddio TGCh.

Tasg 1 – Cyflwyno Adroddiad ar Sut a Pham y Mae Dau Sefydliad yn Defnyddio Systemau TGCh

HYD AT 23 MARC

BETH SY'N RHAID I CHI EI WNEUD:

1) Dewis dau sefydliad cwbl wahanol i'w hastudio. Gallwch chwilio amdanyn nhw eich hunan, e.e. drwy aelod o'r teulu neu swydd ran-amser, ond ewch at eich athro/athrawes i wirio eu bod yn iawn. Yna bydd yn rhaid i chi ymweld â'r sefydliadau ac i gyfweld pobl – bydd angen i chi gynnwys unrhyw nodiadau yn eich portffolio.
2) Disgrifio prif nodweddion y defnydd a wneir gan y sefydliadau o TGCh. Gwnewch yn siwr eich bod yn rhoi sylw i'r canlynol yn eich disgrifiadau:
   - Sut mae TGCh yn cael ei defnyddio i storio gwybodaeth
   - Sut mae TGCh yn cael ei defnyddio i gyfathrebu – rhwng adrannau a gyda cwsmeriaid, cyflenwyr, ac ati.
   - Sut mae TGCh yn cael ei defnyddio i gynnal prif waith y sefydliad.
3) Cynnwys manylion am y wybodaeth a ddefnyddir gan systemau TGCh a'r prosesu sy'n digwydd.
4) Disgrifio o leiaf ddwy fantais a dwy anfantais y systemau TGCh sy'n cael eu defnyddio.
5) Cynnig sylwadau ynglŷn â'r effaith a gafodd TGCh ar bob sefydliad. Cofiwch gynnwys newidiadau mewn dulliau gweithio, costau ac effeithlonrwydd.

SUT I GAEL Y MARCIAU GORAU:

1) Rhaid i chi wneud mwy na disgrifio sut mae TGCh yn cael ei defnyddio – rhaid hefyd dadansoddi a gwerthuso pa mor dda y mae'n ateb anghenion pob sefydliad, a'r effaith y mae wedi'i gael.
2) Soniwch am ddiogelwch data a pha mor gadarn a dibynadwy ydy'r systemau sy'n cael eu defnyddio.
3) Defnyddiwch dair ffynhonnell wybodaeth wahanol yn eich adroddiad – e.e. eich nodiadau yn dilyn eich ymweliad â sefydliad, cyfweliadau gyda staff, y dogfennau busnes a ddefnyddir gan y sefydliadau, gwefannau cwmnïau, ac ati. Dangoswch eich bod wedi gwirio rhai o'ch ffynonellau (gweler t.103).

Tasg 2 – Cyflwyno Adroddiad ar Brif Gydrannau Caledwedd System TGCh

HYD AT 18 MARC

BETH SY'N RHAID I CHI EI WNEUD:

1) Disgrifio'r galedwedd sy'n cael ei defnyddio yn un o'r systemau TGCh yn nhasg 1.
2) Rhaid i chi ddisgrifio un darn o galedwedd ar gyfer pob un o'r pum grŵp canlynol:
   - dyfais mewnbynnu
   - dyfais storio
   - dyfais brosesu
   - dyfais allbynnu
   - pyrth a cheblau
3) Esbonio sut y mae'r cydrannau gwahanol yn cael eu cysylltu gyda'i gilydd o fewn y system.

Dod o hyd i wybodaeth am galedwedd oedd un o hoff arferion Bob.

SUT I GAEL Y MARCIAU GORAU:

1) Cofiwch gynnwys manylion penodol yn eich disgrifiadau – fel manylebau, cyflymder, maint y cof a'r lle storio, ac ati.
2) Trafodwch gost y galedwedd – y cydrannau unigol a'r system.
3) Gwnewch sylwadau ynglŷn â pha mor effeithlon ydy'r systemau. Os ydych am wneud argraff, gallwch awgrymu dewis arall o galedwedd, hyd yn oed, a allai ateb gofynion y sefydliad yn well.

Cyngor Asesu Uned 2 (AQA)

Yn y ddwy dasg nesaf bydd gofyn i chi fynd ati i greu eich system TGCh eich hunan.

Tasg 3 – Dylunio a Chreu System TGCh Newydd

HYD AT 35 MARC

BETH SY'N RHAID I CHI EI WNEUD:

1) Dweud beth ydy'r broblem y mae eich system yn mynd i'w datrys. Gallwch gynllunio system ar gyfer sefydliad go iawn (un o'r rhai yr ydych yn edrych arnyn nhw ar gyfer tasgau 1 a 2, efallai), e.e. cymryd drosodd o system sy'n seiliedig ar waith llaw neu wella system TGCh sy'n bodoli ar hyn o bryd. Fel arall, gallwch gynllunio system at bwrpas ffug a ddyfeisiwyd gennych neu gan eich athro/athrawes.
2) Nid oes raid i'r system a gynllunnir fod yn rhy gymhleth – fydd ddim gofyn i chi adeiladu math newydd o gyfrifiadur nac unrhyw beth tebyg. Er enghraifft, gallwch greu system daenlenni newydd i helpu cwmni i reoli ei stoc, neu greu system cronfa ddata a phostgyfuno i reoli cofnodion cwsmeriaid ac i anfon llythyrau atgoffa.
3) Cofiwch ddarganfod beth fydd eich defnyddwyr angen i'r system newydd allu ei wneud. Bydd angen i chi wneud rhestr o ofynion y defnyddiwr gan esbonio pam mae angen pob eitem.
4) Pan fyddwch yn gwybod beth sydd ei angen, gallwch ddechrau cynllunio'r project. Gofynnwch:

- beth ydy amcanion y system?
- pa fath o ddata sy'n cael eu defnyddio?
- ym mha drefn y mae angen cyflawni'r tasgau?
- pa galedwedd fydd y system ei hangen?
- pa ddata fydd angen eu casglu?
- beth ydy'r tasgau sydd i'w cyflawni?
- pa feddalwedd wna i ei defnyddio a pham?
- beth fydd yn rhaid i'r defnyddiwr ei wneud?

5) Cynhyrchu manyleb ddylunio. Dylai fod yna ddisgrifiad manwl o'r dyluniad ar gyfer y sytem TGCh. Bydd rhaid i chi nodi ffynonellau gwybodaeth ar gyfer y system (gan gynnwys y math o ddata), anghenion mewnbwn, proses ac allbwn, a'r math o raglenni meddalwedd fydd eu hangen. Cofiwch hefyd i sôn am bwrpas a manteision y system.
6) Darlunio'r system yn graffigol. Y cyfan mae hyn yn ei olygu ydy llunio diagram llif data i ddangos y system newydd, ac i ddangos sut y bydd y wybodaeth yn llifo drwyddi.
7) Y cam nesaf ydy gosod y system. Dangoswch dystiolaeth o sut y gwnaethoch hyn, gam wrth gam. Byddai sgrinluniau o'r system yn cael ei datblygu a'i defnyddio yn ddefnyddiol i'r pwrpas hwn.

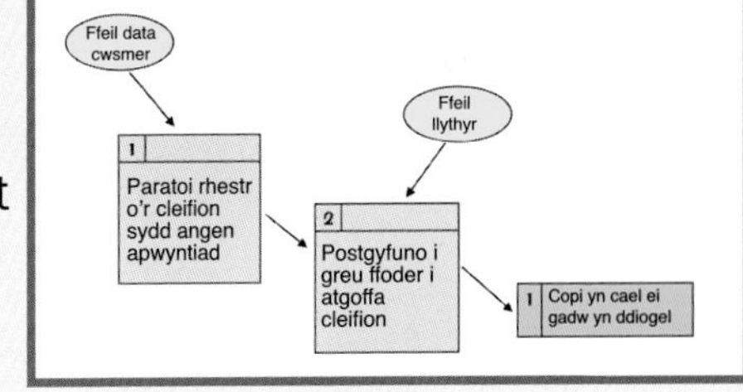

Diagram llif-data (gweler tud. 63)

SUT I GAEL Y MARCIAU GORAU:

1) Dewis problem y bydd angen ateb cyfansawdd i'w datrys – e.e. cronfa ddata berthynol neu daenlen gyda dalennau cysylltiol.
2) Cynnwys dyddiadur datblygu ysgrifenedig (gweler tudalen 65) ochr yn ochr â sgrinluniau yn dangos y system yn cael ei datblygu a'i defnyddio. Mae angen disgrifio ac esbonio be sy'n digwydd ym mhob sgrinlun, yn ogystal ag esbonio i'r darllenydd sut wnaethoch chi ddatblygu eich system gam wrth gam.
3) Cynnwys yn eich sylwebaeth ddisgrifiad o'r ffactorau sy'n gyfrifol am lwyddiant eich system – beth mae disgwyl i'r system ei wneud bob cam o'r ffordd er mwyn sicrhau fod amcanion gwreiddiol yn cael eu hateb yn effeithiol.
4) Defnyddio setiau data mawr wrth ddangos sut mae'r system yn gweithio. E.e. os ydy'r gronfa ddata newydd yn cynnwys gwybodaeth am gwsmeriaid, fe ddylai gynnwys o leiaf 25 o gofnodion, nid dim ond un neu ddau o gofnodion. Mae angen cynnwys data nodweddiadol a data gwallus hefyd i ddangos sut mae eich system yn ymateb.

Dyna ni! Mae'r cyfan drosodd! Dim cweit! Trowch y dudalen – un bach arall!

Cyngor Asesu Uned 2 (AQA)

Tasg 4 – Gwerthuso a Phrofi Eich System TGCh Newydd

HYD AT 24 MARC

BETH SY'N RHAID I CHI EI WNEUD:

1) Profi eich system. Defnyddio ystod o ddata a'u profi yn erbyn yr holl amodau cychwynnol.
2) Profi eich system gan ddefnyddio data cyffredin, data annilys, a data eithaf (gweler tudalen 65).
3) Paratoi dogfennau trefnus o ganlyniadau eich profion i gyd.
4) Defnyddio canlyniadau eich profion i werthuso eich system – dweud pa mor dda y llwyddodd y system i wneud yr hyn y bwriadwyd iddi ei wneud. Gwneud sylwadau am ei heffeithlonrwydd a pha mor gadarn ydy hi (os ydy'n chwalu neu'n achosi llawer o drafferth, nid ydy'n gadarn iawn).
5) Defnyddio eich profion i wella eich system (gwneud iddi weithio'n well). Darparu tystiolaeth o unrhyw welliannau a wnaethoch yn dilyn y profi ac egluro'r gwelliannau.
6) Cynhyrchu canllaw ar gyfer defnyddwyr i ddangos i bobl eraill sut i ddefnyddio'r system. Gallwch ddefnyddio sgrinluniau i helpu esbonio sut i gyflawni rhai tasgau. Mae angen bod yn ddigon manwl i alluogi pobl â dim ond gwybodaeth elfennol o TGCh i ddefnyddio eich system.

SUT I GAEL Y MARCIAU GORAU:

1) Er mwyn ennill marciau da, mae angen i'ch gwerthusiad fod yn fanwl iawn. Mae angen dangos tystiolaeth hefyd bod rhywun arall wedi gwerthuso'r system. Beth mae hyn yn ei olygu, ydy cael rhywun arall i brofi eich system ac i roi ei farn arni. Yn ddelfrydol, dylai'r person hwn fod yn gymwys mewn sawl ffordd – e.e. os gwnaethoch chi greu system ar gyfer sefydliad go iawn, gallwch gael rhywun o'r sefydliad hwnnw i brofi eich system ac i gynnig adborth. Mae angen cynnwys ei adroddiad yn eich portffolio.
2) Gwerthuso eich dogfennaeth ar gyfer defnyddwyr. Unwaith eto, byddai'n help i chi gael person arall i'w phrofi ac i gynnig adborth.
3) Defnyddio'r adborth hwn gan bobl eraill i wella eich system ymhellach os ydy hyn yn bosibl. Cofiwch wneud sylw am yr hyn y mae pobl eraill yn ei ddweud – os nad ydych yn newid eich system yn ôl eu hawgrymiadau, dywedwch pam.

Roedd Dylan ar bigau'r drain yn aros am adborth gan Delyth.

Dim arholiad eto…ond 20 tudalen A4 arall… waw?

Hmmm, efallai nad ydy peidio sefyll arholiad yn llawer o fantais wedi'r cwbl. Mae'n edrych yn lot o waith! Ond ar y llaw arall, os wnewch chi'r ymdrech, fe fydd ganddoch chi ddigon o amser i wneud yn siwr eich bod yn cael marciau da. Mae'n werth dal ati!

Cyngor Asesu Uned 3 (AQA)

Mae Uned 3 yn cael ei hasesu drwy gyfrwng gwaith portffolio wedi ei farcio allan o 100 hefyd. Ond mae'r Uned ychydig yn wahanol i'r ddwy Uned arall gan fod yn rhaid i chi gwblhau'r gwaith mewn amser penodol. Bydd rhaid i chi wneud y gwaith yn ystod 'gwers dan ofal' fydd dan ofal arolygydd.

Byddwch yn Derbyn Llyfryn yr Ymgeisydd Cyn i'r Wers Dan Ofal Ddechrau

1) Disgwylir i chi gyflawni tair tasg ar gyfer Uned 3. Er bod y tasgau'n debyg bob blwyddyn, bydd yr union gynnwys yn newid o flwyddyn i flwyddyn. Caiff y rhain eu disgrifo yn Llyfryn yr Ymgeisydd.
2) Darllenwch y Llyfryn yn ofalus wedi ei dderbyn – mae llawer o baratoi cyn cyrraedd eich gwers gyntaf dan ofal. Nid rhestr o gyfarwyddiadau a thasgau yn unig ydy'r Llyfryn, mae'n adnodd gwerthfawr – mae'n rhoi syniadau i chi am y math o ymchwil y dylech ei gwneud, mae'n cynnwys rhestri o bopeth y disgwylir i chi eu cyflwyno. Mae'n cynnwys manylion llawn am y dull marcio ar gyfer pob tasg yn ogystal ag awgrymiadau ar sut i ennill mwy o farciau.
3) Gofynnwch i'ch athro/athrawes esbonio unrhyw beth yn y Llyfryn nad ydych yn ei ddeall.

Byddwch yn Gweithio ar y Dair Tasg yn Ystod y Wers Dan Ofal

1) Dyma'r cyfnod y byddwch yn gwneud y gwaith. Mae gennych hawl i leiafswm o 10 awr, ac uchafswm o 20 awr, o wersi dan ofal – eich athro/athrawes fydd yn gyfrifol am benderfynu faint o amser yn union fyddwch chi yn ei gael. Mae'n debyg y byddwch yn derbyn cyfnodau o wersi dan ofal am ychydig wythnosau yn lle gwersi TGCh.
2) Ni allwch wneud unrhyw waith ymchwil tuag at eich tasgau yn ystod cyfnodau gwersi dan ofal – rhaid i hynny ddigwydd yn eich amser eich hun neu yn ystod gwersi TGCh arferol. Ni allwch ddefnyddio'r Rhyngrwyd neu werslyfrau yn y gwersi dan ofal, ond gallwch ddefnyddio eich nodiadau ymchwil chi eich hunan.
3) Ni allwch weithio ar y tasgau eu hunain oddi allan i oriau gwersi dan ofal, er y gallwch wneud faint fynnoch o waith ymchwil yn y cyfnod hwnnw. Caiff yr holl waith i'w asesu ei wneud yn gyfan gwbl ar gyfrifiadur yn ystod y gwersi dan ofal, a'i gadw yno hyd nes i chi ei argraffu ar y diwedd.
4) Nid oes amodau arholiad llawn mewn gwersi dan ofal, ond byddwch yn cael eich goruchwylio i sicrhau mai eich gwaith chi ydy'r cyfan. Caiff y gwaith gorffenedig ei anfon at arholwr AQA i'w farcio – nid ydy'r gwaith yn cael ei farcio gan eich athro/athrawes.

HELP GYDA'R YMCHWIL...

1) Dechreuwch ar eich ymchwil cyn gynted ag y cewch Llyfryn yr Ymgeisydd. Bydd y llyfryn yn dweud wrthoch chi beth ydy'r testun ar gyfer pob tasg ac yn cynnig syniadau am yr hyn y disgwylir i chi ei ddarganfod.
2) Gallwch gyfweld pobl fel rhan o'ch ymchwil, gallwch arsylwi systemau TGCh yn cael eu defnyddio neu lunio holiadur gan ddadansoddi'r canlyniadau.
3) Defyddiwch lyfrau, cylchgronau, papurau newydd, gwefannau ac ati. Ewch ati i chwilio ar y Rhyngrwyd a dangos tystiolaeth drwy argraffu'r ymholiadau a wnaethoch yn y peiriant chwilio a'r canlyniadau.
4) Cofiwch gynnwys Rhestr o Ffynonellau ar gyfer pob un o'r dair tasg. Gallwch wneud hyn yn eich amser eich hun ond, cofiwch, maen nhw'n rhan bwysig o'r tasgau (8 marc am bob tasg) a rhaid eu cyflwyno. Ym mhob Rhestr o Ffynonellau a ddefnyddiwyd gennych wrth ymchwilio i dasg mae'n bwysig eich bod yn cynnwys pob ffynhonnell wybodaeth – hyd yn oed y bobl fu'n eich helpu (ar wahân i'ch athro/athrawes). Gwnewch sylwadau ynglŷn â pha mor ddefnyddiol y bu pob ffynhonnell ar eich rhestr, ac esboniwch sut y gwnaethoch wirio cywirdeb y wybodaeth.

Trowch y dudalen i gael cyngor gwych ar yr union dasgau y bydd angen i chi eu gwneud.

Cyngor Asesu Uned 3 (AQA)

Tasg 1 – Ysgrifennu Adroddiad yn Disgrifio Gwahanol Fathau o Dechnoleg

HYD AT 30 MARC

BETH SY'N RHAID I CHI EI WNEUD:

1) Mae'n debygol y bydd yn rhaid i chi ddisgrifio'r gwahanol fathau o dechnoleg sydd ar gael i gyrchu ac i gyfnewid gwybodaeth ac i gynnal trafodion o fewn rhannau arbennig o'r gymdeithas leol. Un flwyddyn, er enghraifft, roedd yn rhaid i fyfyrwyr ysgrifennu am Adloniant a Hamdden yn eu cymdeithas leol .
2) Edrych ar enghreifftiau o wahanol fathau o dechnoleg. Esbonio pwrpas a phrif fanteision ac anfanteision pob un ohonyn nhw. Edrych ar Lyfryn yr Ymgeisydd – bydd yn dweud yn union beth i'w gynnwys.

SUT I GAEL Y MARCIAU GORAU:

1) Adolygu'r tueddiadau mewn technoleg dros gyfnod o amser, gan gynnwys datblygiadau pellach yn y dyfodol.
2) Dangos eich bod wedi defnyddio TGCh i chwilio, dewis a threfnu gwybodaeth.

Edrychwch ar dudalen 103 am fwy o fanylion ar sut i wneud hyn.

Tasg 2 – Paratoi Cyflwyniad ar Effaith Datblygiadau TGCh

HYD AT 52 MARC

BETH SY'N RHAID I CHI EI WNEUD:

1) Bydd hyn hefyd yn canolbwyntio ar ran arbennig o gymdeithas, fydd yn cael ei nodi yn Llyfryn yr Ymgeisydd. Y dewis un flwyddyn oedd Busnesau a Sefydliadau o fewn y gymdeithas leol.
2) Dylai'r cyflwyniad ddefnyddio sioe sleidiau ar y cyfrifiadur neu set o dudalennau gwe. Defnyddiwch gymaint ag sy'n bosib o nodweddion y feddalwedd rydych yn ei defnyddio.
3) Disgrifio effeithiau TGCh ar unigolion a'r gymdeithas leol yn gyffredinol. Edrych hefyd ar yr anghenion sy'n codi, y manteision o ddefnyddio TGCh a'r canlyniadau i grwpiau ac unigolion sydd â mynediad cyfyngedig i TGCh.

SUT I GAEL Y MARCIAU GORAU:

1) Awgrymu effaith bosib datblygiadau pellach mewn TGCh yn y dyfodol, ac ymchwilio i effeithiau moesol o fod â mynediad (neu ddim mynediad) i TGCh.
2) Gwneud yn siwr fod eich cyflwyniad yn addas ar gyfer eich cynulleidfa – nodwch pwy ydy'r gynulleidfa honno.
3) Dangos eich bod wedi defnyddio nodweddion TGCh i chwilio am wybodaeth, ei dewis a'i threfnu.
4) Ysgrifennu gwerthusiad byr o'ch gwaith i'w gyflwyno. Sut mae gwella'r gwaith?

Tasg 3 – Creu Cylchlythyr neu Bamffled ar Ddeddfwriaeth TGCh

HYD AT 18 MARC

BETH SY'N RHAID I CHI EI WNEUD:

1) Nodi prif bwrpas deddfwriaeth TGCh, gan gynnwys defnyddio TGCh yn y gwaith ac yn y cartref. Bydd Llyfryn yr Ymgeisydd yn dweud wrthych ar gyfer pwy y dylai eich cylchlythyr pamffled gael ei gynllunio ar ei gyfer, a beth i'w gynnwys ynddo.
2) Esbonio pam y cyflwynwyd pob deddf, pwy y mae'n effeithio arno a pha fath o ddefnydd o TGCh sy'n cael ei effeithio.

SUT I GAEL Y MARCIAU GORAU:

1) Esbonio sut mae pob deddf yn effeithio ar wahanol sefydliadau a defnyddwyr eraill sy'n defnyddio TGCh.
2) Cynhyrchu gwerthusiad o'ch gwaith. Gwnewch sylwadau ar y gosodiad a'r dyluniad yn ogystal â'r cynnwys.

A plîs, plîs, PLÎS, a wnewch chi BOB AMSER...

...gynnwys Rhestr o Ffynonellau ar gyfer pob tasg. Rydych yn colli marciau drwy beidio â gwneud hyn. Peidiwch â cheisio cofio amdanyn nhw i gyd ar y diwedd, allwch chi ddim – cadwch restr wrth weithio drwy'r tasgau.

Cyngor Asesu Uned 1 (OCR)

Os mai eich bwrdd arholi ydy OCR, byddwch yn sefyll arholiad ysgrifenedig un ai ym mis Ionawr neu ym mis Mehefin. Mae'r arholiad yma werth un rhan o dair o'ch marc terfynol, felly rhaid paratoi'n drylwyr. Daliwch ati i ddarllen...
Mae eich cwrs OCR wedi ei rannu'n dri modiwl, sef A, B ac C (adrannau 1, 2 a 3 yn y llyfr hwn). Caiff pob un o'r 3 modiwl eu cynnwys yn yr arholiad. Yn ffodus, dim ond rhai pethau penodol ym mhob modiwl sy'n gallu cael eu profi yn ysgrifenedig ar bapur, ac rwy'n gwybod pa rai...

Dyma Allai Fod yn Modiwl A yn yr Arholiad

BETH SY'N RHAID I CHI EI WNEUD:

1) Cyflwyno gwybodaeth gan ddefnyddio prosesu geiriau, cyhoeddí bwrdd gwaith (DTP) a meddawledd amlgyfrwng.
2) Defnyddio meddalwedd taenlenni i drefnu a dadansoddi data rhifiadol.
3) Defnyddio meddawledd cronfa ddata i drefnu a dadansoddi gwybodaeth sydd wedi'i threfnu.
4) Y defnydd o'r rhaglenni canlynol gan sefydliadau:
   - rhaglenni sy'n cipio, trin a gwella delweddau graffig.
   - rhaglenni sy'n awtomeiddio a rheoli prosesau, fel CAD/CAM.
   - rhaglenni sy'n monitro a chofnodi data ffisegol a data amgylcheddol.

   Bydd angen i chi allu gweld pam y mae rhai mathau o raglenni'n addas ar gyfer rhai sefydliadau yn ogystal, a pha nodweddion a chyfleusterau sy'n eu gwneud yn addas.
5) Dulliau safonol o weithio – mae hyn yn ymwneud â sut i gadw eich gwaith yn ddiogel ac yn gyfrinachol.

SUT I GAEL Y MARCIAU GORAU:

- Adran 1.1
- Tudalennau 33 - 35
- Adran 1.2
- Tudalennau 39 - 40

Edrychwch ar dudalen 103 hefyd – tudalen yn rhoi cyngor ar gwrs AQA ydy hon, ond mae'n esbonio mwy am yr hyn y mae byrddau arholi yn ei olygu wrth ddulliau safonol o weithio.

Dyma Allai Fod yn Modiwl B yn yr Arholiad

BETH SY'N RHAID I CHI EI WNEUD:

1) Y pedair prif adran mewn unrhyw sefydliad:
   - gwerthiant
   - pryniant
   - cyllid
   - rhedeg y busnes
2) Y brif galedwedd a ddefnyddir mewn system TGCh:
   - dyfeisiau mewnbynnu
   - dyfeisiau allbynnu
   - dyfeisiau prosesu
   - dyfeisiau storio
   - pyrth a cheblau
   - NICs, modemau ac ASDLs
   - protocolau rhwydweithiau a gwasanaethau

Bydd angen i chi wybod hefyd pam y mae pob dyfais yn cael ei defnyddio.

CYNGOR: Peidiwch â dysgu fel parot – bydd rhai cwestiynau yn cael eu gosod i brofi a ydych chi'n deall y gwaith.

SUT I GAEL Y MARCIAU GORAU:

- Adran 2.1
- Adran 2.2

Nid oes raid i chi wybod y manylion i gyd, ond bydd rhaid i chi wybod yn fras beth mae pob adran yn y sefydliad yn ei wneud.

Trowch i'r dudalen nesaf i gael mwy o gyngor ar gyfer Uned 1.

Uned 1 Cyngor Asesu (OCR)

Dyma Allai Fod yn Modiwl C yn yr Arholiad

BETH SY'N RHAID I CHI EI WNEUD:

1) Technoleg y Rhyngrwyd (e.e. e-bost, y we fyd eang, deunydd amlgyfrwng, amgryptio).
2) Cysylltiadau rhyngrwyd (e.e. modem, ISDN, ASDL, band llydan).
3) Technoleg ffonau symudol (e.e. SMS, WAP).
4) Darlledu digidol.
5) PDAs a Sefydliadau.
6) Dulliau o storio (e.e. DVD, disgiau bach).
7) Technoleg sgriniau cyffwrdd.
8) Deddf Diogelu Data.
9) Deddf Hawlfreintiau, Dyluniadau a Phatentau.
10) Deddf Camddefnyddio Cyfrifiaduron.
11) Deddf Iechyd a Diogelwch yn y Gwaith.
12) Rheoliadau Iechyd a Diogelwch.
13) Rheoli'r Ddeddf Pwerau Ymchwilio.
14) Twyll TGCh a Chamddefnyddio Gwybodaeth Bersonol.
15) Problemau gyda sbam, ystafelloedd sgwrsio a firysau.

SUT I GAEL Y MARCIAU GORAU:

• Tudalen 27 • Tudalennau 78-80 • Tudalennau 84-88

Felly, dyna chi – dyna'r holl dudalennau y mae'n rhaid i chi eu hadolygu i lwyddo yn yr arholiad.
Os ydych chi'n cofio'r cyfan yna fe fyddwch chi'n siwr o lwyddo!

Mae Edrych ar Hen Bapurau Arholiad yn ffordd dda o Adolygu

Mae'r arholiad yn para am awr a hanner a bydd yn cynnwys amrywiaeth o gwestiynau. Bydd y rhain yn cynnwys cwestiynau sy'n gofyn am ateb un gair i gwestiynau sy'n gofyn am esboniad ysgrifenedig hirach. Dyma gwestiwn arholiad sy'n nodweddiadol o bapurau OCR:

'Rhestrwch bedwar math o storfa wrth gefn y gallai cwmni gweithgynhyrchu ei ddefnyddio. Nodwch y prif ddefnydd a wneir o bob un.'

Hawdd os ydych yn gwybod eich gwaith. Dyna pam y mae dysgu'r ffeithiau yn brif flaenoriaeth i chi, ond un peth arall y gallech ei wneud ac a allai wneud gwahaniaeth mawr ydy ymarfer drwy edrych ar hen bapurau arholiad. Gofynnwch i'ch athro/athrawes neu diwtor am rai o'r hen bapurau arholiad, neu edrychwch ar wefan OCR. Dyma ragor o awgrymiadau i'ch helpu:

- Darllenwch bopeth yn ofalus – y cyfarwyddiadau ar y dudalen flaen a'r cwestiynau.
- Defnyddiwch y marciau a nodwyd i bob cwestiwn i benderfynu pa mor hir a pha mor fanwl y dylai eich ateb fod.
- Os na allwch ateb y cwestiwn, symudwch ymlaen – gallwch fynd yn ôl ato.
- Defnyddiwch yr amser i gyd. Os byddwch yn gorffen yn gynnar, ewch yn ôl dros eich atebion.

Hwrê! Yr union beth rydw i wedi bod ei eisiau ar hyd yr amser – arholiad!

Iawn, dydw i ddim yn twyllo neb. Ychydig iawn o bobl sy'n mwynhau arholiadau, ond gallwch eu gwneud yn llawer haws drwy baratoi'n drwyadl. Fydd gennych chi ddim i boeni yn ei gylch wedyn. Felly, ewch ati i adolygu!

Cyngor Asesu Uned 2 (OCR)

Mae'r pedair tudalen nesaf yn delio â Portffolio Systemau Busnes ar gyfer Uned 2. Mae hyn yn golygu ymchwilio i'r ffordd y mae dau sefydliad yn defnyddio TGCh, cynhyrchu dogfennau ar eu cyfer, yn ogystal â chreu system TGCh newydd i un ohonyn nhw. Mae 50 marc am y portffolio.

Tasg a) – Adroddiad ar Sut a Pham Mae Dau Sefydliad yn Defnyddio Systemau

HYD AT 8 MARC

BETH SY'N RHAID I CHI EI WNEUD:

1) Dewis dau sefydliad cwbl wahanol i'w hastudio – yn ddelfrydol, un bychan nad ydy'n defnyddio rhyw lawer ar TGCh, ac un mawr sy'n dibynnu llawer ar TGCh. Gallwch ddod o hyd iddyn nhw eich hun, e.e. drwy aelod o'r teulu neu swydd ran-amser, ond cysylltwch â'ch athro/athrawes i wneud yn siwr eu bod yn dderbyniol.
2) Ymweld â'r sefydliadau, os ydy hynny'n bosib, i edrych ar y systemau ar waith ac i sgwrsio â'r staff.
3) Disgrifio yn eich adroddiad sut mae'r sefydliadau'n defnyddio TGCh. Ystyriwch ffactorau fel:
   - I pa bwrpas y mae TGCh yn cael ei defnyddio
   - pa galedwedd sy'n cael ei defnyddio
   - pa wybodaeth sydd ei hangen ar gyfer pob system
   - pa raglenni meddalwedd sy'n cael eu defnyddio

SUT I GAEL Y MARCIAU GORAU:

1) Nodwchwch pam y mae'r sefydliadau'n defnyddio TGCh yn ogystal â sut maen nhw'n defnyddio TGCh.
2) Esboniwch sut mae'r caledwedd a'r meddalwedd a ddefnyddir yn ateb anghenion y sefydliadau ac yn eu helpu i gyfathrebu a gweithio'n effeithiol.

Tasg b) – Adroddiad ar y Dogfennau a Ddefnyddir Gan y Sefydliadau

HYD AT 6 MARC

BETH SY'N RHAID I CHI EI WNEUD:

1) Casglu amrywiaeth o ddogfennau gan y ddau sefydliad. Ceisiwch gael dewis da – llythyrau busnes, memos, taflenni, cylchlythyrau a chyflwyniadau ... a llawer mwy.
2) Ceisio casglu dogfennau tebyg o'r ddau sefydliad.
3) Yn eich adroddiad, disgrifio cynnwys a gosodiad y dogfennau sy'n cael eu defnyddio gan y sefydliadau. Cyfeirio at bethau fel:

   prif nodweddion y dogfennau, nodweddion sy'n gyffredin i ddogfennau tebyg i'w gilydd, nodweddion y gosodiad (colofnau, paragraffau ...), rhestri wedi eu rhifo, bwledi, tablau, lliw, lluniau ...

4) Nodi pwrpas pob dogfen a pha ddarllenwyr maen nhw wedi'u hanelu atyn nhw. Gwneud sylwadau ynglŷn â pha mor dda y mae'r arddull ysgrifennu a'r arddull cyflwyno a ddefnyddiwyd yn ateb yr angen. Gallwch awgrymu gwelliannau hyd yn oed.

SUT I GAEL Y MARCIAU GORAU:

1) Edrychwch ar ddogfennau gan sefydliadau eraill, ar wahân i'r ddau yr ydych wedi eu dewis.
2) Defnyddiwch ddogfennau gan o leiaf dri sefydliad gwahanol er mwyn dod i gasgliadau ynglŷn â'r safonau cyffredinol a ddisgwylir mewn dogfennau busnes. Nodwch yn glir yn eich adroddiad beth ydy eich casgliadau, a defnyddiwch nhw pan fyddwch yn cynhyrchu eich dogfennau eich hunan yn nes ymlaen.
3) Cofiwch gynnwys yr holl ddogfennau yr ydych wedi'u hastudio yn eich portffolio – byddwch yn colli marciau os na fydd yr arholwr yn gwybod os ydy eich barn yn gywir ai peidio heb ddarllen y dogfennau i gyd.

Trowch drosodd am ragor o gyngor ar gyfer Uned 2.

Cyngor Asesu Uned 2 (OCR)

Tasg c) – Creu Eich Dogfennau Busnes Eich Hunan

HYD AT 9 MARC

BETH SY'N RHAID I CHI EI WNEUD:

1) Cynhyrchu o leiaf 3 dogfen fusnes ar gyfer sefydliad. Gallwch ailddylunio dogfennau busnes go iawn rydych wedi eu astudio, creu dogfennau o'r newydd ar gyfer un o'r sefydliadau yr ydych wedi bod yn eu hastudio, neu fe allwch greu busnes newydd a pharatoi dogfennau ar gyfer hwnnw.
2) Rhaid i chi ddefnyddio'r feddalwedd ganlynol:

   Meddawledd Prosesu Geiriau – gallwch greu llythyr i gwsmeriaid yn dweud wrthyn nhw am gynnyrch newydd, neu adroddiad ar gyfer pobl ifanc yn ymwneud â chanlyniadau arolwg marchnata.

   Meddalwedd Cyhoeddi Bwrdd Gwaith (DTP) – Gallwch lunio poster neu daflen i hysbysebu cynnyrch newydd, neu gylchlythyr ar gyfer staff yn ymwneud â'r hyn sy'n digwydd o fewn y cwmni. Cofiwch gynnwys lluniau yn ogystal â thestun.

   Meddalwedd cyflwyno – E.e. paratoi cyflwyniad ar gyfer gwerthu cynnyrch eich cwmni i gwsmeriaid, neu i hysbysu cyfarwyddwyr y cwmni am y ffigurau gwerthiant diweddaraf.
3) Ar ôl gorffen drafft cyntaf pob dogfen, bydd angen argraffu ac anodi i ddangos unrhyw newidiadau y gallwch eu gwneud er mwyn ei gwella. Chwiliwch yn ofalus am gamgymeriadau hefyd gan eu nodi ar eich copi drafft. Yna, ewch ati i gywiro'r camgymeriadau ac argraffu fersiwn newydd.

SUT I GAEL Y MARCIAU GORAU:

1) Ewch ati i baratoi dogfennau cyfansawdd sy'n defnyddio nodweddion meddalwedd mwy soffistigedig – e.e. gallai eich llythyr fod yn llythyr parod sydd wedi ei bostgyfuno gyda rhestr o gwsmeriaid i greu postiad arbennig *(mail shot)*. Cofiwch gynnwys siartiau, tablau a graffigwaith yn eich dogfennau, yn ogystal â phenynnau a throedynnau, pwyntiau bwled, testun wedi ei amlapio – unrhyw beth i ddangos eich bod yn gallu defnyddio amrywiaeth o nodweddion meddalwedd i greu dogfennau cymhleth.
2) Er mwyn ennill y marciau uchaf am eich cyflwyniad, ddefnyddiwch 5 neu 6 sleid yn ogystal â nifer o nodweddion ffansi fel botymau llywio, animeiddio a gwahanol fathau o nodweddion amlgyfrwng.
3) Datblygwch eich arddull cwmni (gweler t.12) eich hun a'i ddefnyddio ym mhob dogfen.
4) Rhaid i'ch dogfennau ateb y pwrpas a bod yn addas i'r darllenwyr y bwriadwyd y dogfennau ar eu cyfer.

Cyngor Asesu Uned 2 (OCR)

Mae'r tasgau olaf yn gofyn i chi greu system TGCh newydd ar gyfer un o'r sefydliadau a astudiwyd ganddoch chi.

Tasgau ch), d) a dd) – Dylunio a Chreu System TGCh Newydd

HYD AT 16 MARC

BETH SY'N RHAID I CHI EI WNEUD:

1) Nodi pa broblem y mae eich system yn mynd i'w datrys. Bydd angen dylunio system ar gyfer un o'r sefydliadau a astudiwyd gennych ar gyfer y tasgau eraill, e.e. i ddisodli system sy'n cael ei gwneud â llaw neu i wella system TGCh sy'n bod yn barod.
2) Nid oes angen i'ch system fod yn rhy gymhleth – fydd dim angen i chi adeiladu math newydd o gyfrifiadur nac unrhyw beth tebyg. Er enghraifft, gallwch greu system taenlenni newydd i helpu cwmni i reoli ei stoc, neu system cronfa ddata newydd wedi'i phostgyfuno â llythyr safonol i reoli cofnodion cwsmeriaid ac i anfon llythyrau atgoffa allan.
3) Beth am ddechrau drwy ymchwilio i sut y mae gwybodaeth yn llifo o fewn y system. Rhaid i chi wybod:

   - pwy sy'n anfon gwybodaeth, pwy sy'n derbyn gwybodaeth
   - pa wybodaeth sy'n cael ei throsglwyddo a sut
   - pa wybodaeth sy'n cael ei storio a sut ac yn lle

   Lluniwch ddiagram llif-data (gweler t.63) i ddangos llif y data. Mae hyn werth 6 marc
4) Bydd angen llunio manyleb ddylunio ar gyfer y system y byddwch yn ei chreu. Mae hyn werth 4 marc. Dylai fod yn ddisgrifiad manwl o'r dyluniad ar gyfer y system TGCh. Rhaid i chi gynnwys y canlynol yn y fanyleb:

   - gofynion y defnyddiwr
   - y gwaith mewnbynnu, prosesu ac allbynnu sydd ei angen
   - y math(au) o raglenni meddalwedd sydd eu hangen
   - ffynonellau gwybodaeth
   - caledwedd sydd ei hangen

   Rhowch sylwadau hefyd am bwrpas a manteision y system.
5) Gosod y system ydy'r cam nesaf. Mae hyn werth 6 marc. Rhaid i chi ddangos tystiolaeth o'r system yn cael ei datblygu a'i defnyddio. Cadwch ddyddiadur datblygu ysgrifenedig (t.65) yn nodi'r camau a gwneud sgrinluniau i ddangos beth wnaethoch chi. Bydd angen hefyd gynnwys enghreifftiau o'r data mewnbynnu rydych yn eu defnyddio yn eich cofnodion, ac allbrint o'r allbynnau.

SUT I GAEL Y MARCIAU GORAU:

1) Dewis problem sy'n gofyn am ateb cymhleth i'w datrys ac sy'n cynnwys mwy nag un math o raglen – e.e. cronfa ddata wedi ei phostgyfuno â llythyr parod i anfon llythyrau atgoffa at gwsmeriaid.
2) Cynnwys cynllun manwl ar gyfer profi'r system yn eich manyleb ddylunio. Dylai gynnwys manylion am y profion a gynlluniwyd gennych i gadarnhau fod y system yn gweithio, a gallwch ddweud hefyd pa ganlyniadau yr ydych yn disgwyl eu gweld os ydy eich system yn gweithio yn iawn.
3) I gael y marciau uchaf, fe ddylai eich manyleb ddylunio a'ch dyddiadur datblygu fod yn glir ac yn ddigon manwl i rywun arall â gwybodaeth elfennol o TGCh allu ail-greu eich system.
4) Cofiwch fod gennych hawl i ofyn i'ch athro/athrawes am help, ond peidiwch â gwneud hyn os nad oes gwir angen. Os bydd yn rhaid i'ch athro/athrawes roi llawer o help i chi, allwch chi ddim cael cymaint o farciau.

Dydy'r sioe ddim drosodd hyd nes bydd y portffolio wedi ei orffen! – trowch drosodd i'r dudalen nesaf am fwy o wybodaeth ar Uned 2.

Cyngor Asesu Uned 2 (OCR)

Tasgau e), f) – Profi Eich System Newydd a Pharatoi Dogfennau ar gyfer Defnyddwyr

HYD AT 11 MARC

BETH SY'N RHAID I CHI EI WNEUD:

1) Profi eich system. Defnyddio ystod o ddata a'u profi yn erbyn yr holl amodau cychwynnol.
2) Dylai eich profion gynnwys data cyffredin, data annormal, (annilys) a data eithaf (gweler tudalen 65).
3) Cadw cofnodion o bob prawf sy'n cael ei wneud. Bydd angen cynnwys sgrinluniau, y data sydd wedi eu mewnbynnu, ac allbrint o'r allbwn a gynhyrchwyd fel tystiolaeth o sut mae eich system wedi ymateb i'r prawf.
4) Defnyddio eich prawf i wella eich system (gwneud iddi weithio'n well). Dangos tystiolaeth o unrhyw welliannau a wnaethoch yn dilyn y profion a'u hesbonio.
5) Gwerthuso eich system – gweld beth ydy'r manteision a'r anfanteision. Gwneud sylwadau ynglŷn â'i heffeithlonrwydd a pha mor gadarn ydy'r system (os ydy'n chwalu neu'n creu problemau, nid ydy'n gadarn iawn). Mae'r gwaith profi a gwerthuso werth 6 marc.
6) Llunio canllawiau defnyddwyr i ddangos i bobl eraill sut i ddefnyddio eich system. Mae hyn werth 5 marc. Gallwch wneud hyn ar ffurf llyfryn neu fel cymorth ar-lein.
7) Gwnewch yn siwr eich bod yn cynnwys cyfarwyddiadau ar sut i:

- agor y meddalwedd
- argraffu'r allbwn
- mewnbynnu data
- cadw gwaith
- derbyn allbwn
- gadael y feddalwedd

Pwyswch control ac C i gopio data wedi eu oleuo!

SUT I GAEL Y MARCIAU GORAU:

1) I gael marc da, dilynwch eich cynllun profi (gweler tudalen 113) wrth brofi eich system.
2) Angen cynnwys tystiolaeth sy'n dangos eich bod wedi profi eich system yn drwyadl, wrth ei gweithredu ac ar ôl ei chwblhau.
3) Os ydych yn gweld nad ydy rhan o'ch system yn gweithio yn iawn wrth ei phrofi, peidiwch â cheisio cuddio hynny. Mae hyn yn gyfle i wneud argraff ar y person sy'n marcio. Bydd angen cynnwys y sgrinluniau a'r allbrint arferol yn eich portffolio, cynnwys nodiadau i ddweud beth sy'n mynd o'i le, pam fod hyn wedi digwydd, a beth rydych chi'n bwriadu ei wneud i gywiro'r broblem. Yna addaswch eich system fel y bo angen ac argraffu pecyn arall o dystiolaeth i ddangos fod y cyfan yn gweithio.
4) Defnyddiwch nifer o sgrinluniau o ddewislenni, sgriniau mewnbynnu ac yn y blaen yn eich canllaw i ddangos yn glir beth sy'n rhaid i ddefnyddwyr ei wneud. Rhowch gyfarwyddiadau clir.
5) Defnyddiwch iaith glir a syml yn eich canllawiau i ddefnyddwyr. Ni fydd gormod o iaith dechnegol yn creu argraff dda ar y person sy'n marcio – dylai eich canllawiau fod yn ddigon syml i unrhyw un eu defnyddio.
6) Os ydych am brofi eich hun go iawn, gofynnwch i rywun arall roi cynnig ar ddefnyddio eich canllawiau a rhoi adborth i chi. Yn ddelfrydol, dylai'r person hwn fod yn berson o'r sefydliad y gwnaethoch ddatblygu'r system ar ei gyfer. Cofiwch gynnwys ei sylwadau yn eich portffolio a'u defnyddio i wella eich canllaw i ddefnyddwyr.

Wel, does dim arholiad beth bynnag...

Peidiwch â phoeni, fe fyddwch yn oce! Y peth pwysicaf i'w gofio ydy nad ydy'r person sy'n marcio yn gallu rhoi marciau i chi os nad oes tystiolaeth ar bapur yn y portffolio – esboniwch y cyfan a byddwch yn drefnus.

Cyngor Asesu Uned 3 (OCR)

Ar gyfer Uned 3 mae gofyn i chi baratoi Portffolio Arolwg TGCh *(ICT Survey Portfolio).* Mae dwy brif ran i'r portffolio. Yn gyntaf mae disgwyl i chi gynnal arolwg ar sut mae pobl yn defnyddio TGCh, ac yn defnyddio cronfeydd data a thaenlenni ar gyfer cofnodi a dadansoddi'r ymatebion. Yna gofynnir ichi wneud ymchwil a pharatoi cyflwyniad ar effaith datblygiadau mewn TGCh.

Tasg 1 – Cynnal Arolwg i Gasglu Data i'w Defnyddio

BETH SY'N RHAID I CHI EI WNEUD:

1) Casglu gwybodaeth i'w gosod yn eich taenlen a chronfa ddata. Mae cynnal arolwg yn ffordd dda o wneud hyn. Dylai eich arolwg ymwneud â thestun yr ydych wedi bod yn delio ag ef yn Modiwl C – mae defnydd pobl o ffôn symudol neu'r Rhyngrwyd yn ddewis da oherwydd gallwch holi y teulu neu ffrindiau.
2) Penderfynu beth rydych am ei ddarganfod – meddyliwch am bump neu chwech o bethau gwahanol, e.e. pwy sy'n defnyddio ffonau symudol fwyaf, dynion neu ferched? Pobl ifanc neu bobl hŷn? Am faint o amser bob dydd? Mwy ar benwythnosau? Yna mae angen ysgrifennu holiadur i'ch helpu i ddod o hyd i'r atebion. Cofiwch y bydd angen data rhifiadol arnoch fel y gallwch gyfrifo ar eich taenlen.
3) Cofiwch gynnwys copi o'ch holiadur yn eich portffolio. Yna defnyddiwch yr holiadur i gynnal eich arolwg.

SUT I GAEL Y MARCIAU GORAU:

Fyddwch chi ddim yn cael eich marcio ar gynnwys eich holiadur, felly fydd ddim angen casglu cannoedd o ymatebion na chasgliad o gwestiynau manwl. Byddwch yn derbyn marc am yr hyn yr ydych yn ei wneud gyda'r data. Casglwch ddigon i wneud yn siwr eich bod yn gallu gwneud gwaith da gyda'ch cronfa ddata a thaenlen.

Tasg 2 – Creu Cronfa Ddata i Storio a Phrosesu'r Wybodaeth

Mae'r dasg hon yn delio â phwynt asesu b) yn y fanyleb.

HYD AT 7 MARC

BETH SY'N RHAID I CHI EI WNEUD:

1) Creu cronfa ddata a chynnwys y data a gasglwyd.
2) Trefnu a chwilio am y data (trwy waith ymchwilio) i ateb cwestiynau Tasg 1.
3) Dangos y canlyniadau ar fformat tablau ac adroddiad o'r gronfa ddata.
4) Argraffu copïau o bopeth rydych wedi'i wneud – y tabl ar gyfer y gronfa ddata, canlyniadau eich gwaith trefnu a chwilio, eich adroddiadau o'r gronfa ddata ac ati.
5) Anodi eich allbrintiau i ddangos beth ydych chi wedi'i wneud. Esboniwch pam yr ydych wedi gwneud hyn – yr hyn yr oeddech chi'n ceisio ei ddarganfod, a pha ganlyniad gawsoch chi? Rhowch nhw yn eich portffolio.

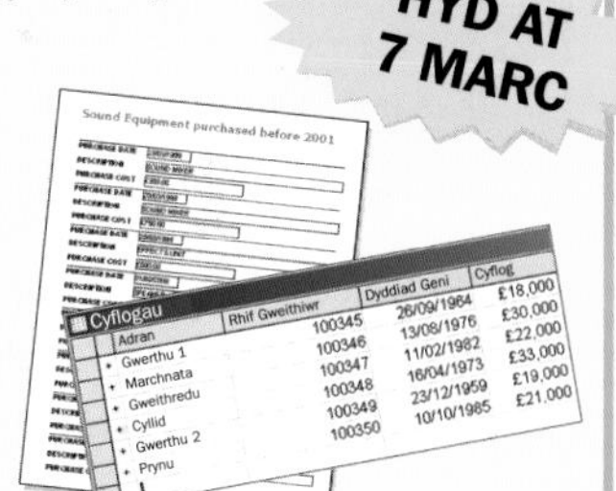

SUT I GAEL Y MARCIAU GORAU:

1) Rhaid i'ch cronfa ddata gael o leiaf dau dabl sy'n perthyn. (Edrychwch yn ôl ar Adran 1.2 i atgoffa eich hun am y gwaith caletaf ar gronfeydd data a thaenlenni. Neu fe allwch ddefnyddio 'Help' yn eich cronfa ddata).
2) Gwnewch ymchwiliadau cymhleth (gan ddefnyddio 'AND' ac 'OR') i'ch helpu i ddadansoddi'r data yn eich cronfa ddata.
3) Ar gyfer ennill gradd dda, bydd angen i chi greu ffurflenni ar gyfer mewnbynnu data a sefydlu rheolau dilysu ar gyfer mathau gwahanol o ddata.
4) Rhaid i chi hefyd addasu fformat yr adroddiadau o'r gronfa ddata a gynhyrchir fel eu bod yn addas i'r pwrpas ac i'r gynulleidfa.
5) Os ydych am fynd i'r drafferth o wneud yr holl bethau hyn i dynnu sylw, gwnewch yn siwr fod yr arholwr yn deall hynny. Fe fydd yn rhaid i chi gael copïau papur sy'n profi eich bod wedi gwneud yr holl bethau hyn, a dylen nhw fod gyda nodiadau eglurhaol fel y gallwch ddweud beth ydych chi wedi'i wneud, sut wnaethoch chi hynny a pham.

Mwy o gymorth ar Uned 3 ar y dudalen nesaf.

Cyngor Asesu Uned 3 (OCR)

Tasg 3 – Paratoi Taenlen i Storio a Phrosesu Gwybodaeth

HYD AT 7 MARC

BETH SY'N RHAID I CHI EI WNEUD:

Mae'r dasg hon yn delio â phwynt asesu c) yn y fanyleb.

1) Creu taenlen a chynnwys ychydig o'ch data.
2) Fformatio'r data. Defnyddio teitlau addas a phenawdau ar gyfer colofnau a rhesi.
3) Gosod fformiwlâu i gyfrifo canlyniadau ar gyfer rhai o gwestiynau Tasg 1.
4) Copïo fformiwlâu i lawr colofnau neu ar draws rhesi fel bo angen. Symud data rhwng celloedd, a mewnosod a dileu rhesi a cholofnau.
5) Paratoi graffiau a siartiau i'ch helpu i ddangos eich canlyniadau. Defnyddiwch deitlau a labeli addas.
6) Gwneud allbrint i ddangos popeth rydych yn ei wneud. Cofiwch gynnwys nodiadau eglurhaol (anodi) a'u cynnwys yn eich portffolio.

SUT I GAEL Y MARCIAU GORAU:

1) Bydd angen i'ch taenlen fod yn weddol gymhleth, gan ddefnyddio gweithrediadau fel CYFANSWM a CHYFARTALEDD.
2) Defnyddiwch gyfeirnodau cell absoliwt, a gwnewch allbrint o rannau penodol o'r daenlen.
3) Cyfunwch adrannau o'ch taenlen mewn adroddiad gyda siartiau a graffiau.
4) Fel gyda'r gwaith ar y gronfa ddata, argraffwch dystiolaeth glir eich bod wedi gwneud yr holl waith yma.

Tasg 4 – Ymchwilio i Effeithiau Datblygiadau TGCh

HYD AT 7 MARC

BETH SY'N RHAID I CHI EI WNEUD:

Mae'r dasg hon yn delio â phwynt asesu a) yn y fanyleb.

1) Ymchwilio i effaith datblygiadau TGCh (fel y gallwch ddefnyddio'r wybodaeth mewn cyflwyniad – ewch i'r dudalen nesaf). Dylai eich ymchwil ddelio gydag effaith TGCh ar:
   - fusnes
   - dulliau gweithio a chyfleoedd gwaith
   - cyfathrebu personol
   - gweithgareddau cymunedol
   - pobl ag anghenion arbennig/penodol.

Cadwch eich gwaith i gyd.

2) Nodi a defnyddio amrywiaeth o adnoddau gan gynnwys y Rhyngrwyd, llyfrau, cylchgronau TGCh, papurau newydd (mae gan lawer ohonyn nhw atodiadau wythnosol yn ymwneud â datblygiadau TGCh) a rhaglenni radio a theledu. Gallwch ymweld â sefydliadau sy'n defnyddio technoleg newydd a chyfweld pobl – rhai pobl hŷn efallai i weld sut oedd pethau cyn bod y dechnoleg newydd ar gael.

SUT I GAEL Y MARCIAU GORAU:

1) Mae angen cynnwys llyfryddiaeth yn rhestru pob ffynhonnell o wybodaeth a ddefnyddiwyd. Mae hyn yn cynnwys pobl (rhowch eu henwau a'u swyddi), gwefannau (rhowch gyfeiriad y wefan), papurau newydd (teitl a dyddiad) a rhaglenni (enw, sianel a dyddiad).
2) Dangoswch eich bod wedi defnyddio technegau chwilio uwch ar y Rhyngrwyd. Defnyddiwch nodau tudalen a ffefrynnau.
3) Lle mae hynny'n bosibl, chwiliwch am wybodaeth o fwy nag un ffynhonnell fel y gallwch eu cymharu a gwneud yn siwr fod y wybodaeth yn gywir.
4) Rhaid i chi ddefnyddio pob math o adnoddau i ennill y marciau gorau. Rhaid i chi hefyd ddewis yn ofalus – defnyddiwch y darnau mwyaf perthnasol ac addas yn unig.

Cyngor Asesu Uned 3 (OCR)

Mae rhan olaf Uned 3 yn gofyn i chi ddefnyddio eich gwybodaeth am effeithiau TGCh drwy baratoi cyflwyniad.

Tasg 5 – Creu Cyflwyniad Amlgyfrwng ar Effaith TGCh

HYD AT 29 MARC

Mae'r dasg hon yn delio â phwyntiau asesu ch), d), dd) ac e) yn y fanyleb.

Ar gyfer y dasg hon rhaid i chi edrych ar effaith TGCh yn y 5 maes allweddol yma:

- busnes
- dulliau gweithio a chyfleoedd gwaith
- dulliau cyfathrebu personol
- gweithgareddau cymunedol
- pobl ag anghenion arbennig/penodol

BETH SY'N RHAID I CHI EI WNEUD:

1) Ar gyfer pob un o'r 5 maes uchod...
Ystyriwch o leiaf bedwar o bobl gwahanol neu grwpiau gwahanol o bobl ac esboniwch sut y byddai TGCh yn effeithio arnyn nhw.

E.e. ar gyfer 'pobl ag anghenion penodol', gallwch edrych ar y pedwar grŵp hyn: pobl â nam ar eu golwg, nam ar y clyw, anawsterau symud ac anawsterau dysgu.

2) Ar gyfer pob un o'r 5 maes uchod...
– Esboniwch yn fanwl ddau o'r anghenion lle gallai TGCh helpu.
– Esboniwch yn fanwl ddwy fantais o ddefnyddio TGCh.

3) Ar gyfer pob un o'r 5 maes uchod...
Ystyriwch bobl sydd â mynediad cyfyngedig, neu heb fynediad o gwbl, i TGCh. Esboniwch sut y byddai hyn yn effeithio arnyn nhw.

Bydd angen i chi gyflwyno peth o'r wybodaeth hon ar ffurf cyflwyniad amlgyfrwng. Does dim disgwyl i chi gynnwys pob un o'r agweddau uchod yn eich cyflwyniad, ond fe ddylech gynnwys rhai ohonyn nhw. Dylai unrhyw agweddau sydd heb eu cynnwys yn y cyflwyniad gael eu cynnwys mewn adroddiad prosesydd geiriau sydd i'w gynnwys yn eich portffolio.

SUT I GAEL Y MARCIAU GORAU:

1) Gwerth y dair tasg uchod ydy 7, 7 a 6 marc yr un. Os ydych am gael marciau uchel, rhaid i chi:
   - wneud y cyfan y nodwyd uchod, er ei fod yn ymddangos yn llawer o waith – os nad ydych chi'n ysgrifennu am bedwar grŵp gwahanol yn Tasg 1 uchod, allwch chi ddim cael marciau llawn. Mae mor syml â hynny.
   - esboniwch bethau yn fanwl i ddangos eich bod wedi meddwl yn ofalus.

2) Yn ogystal ag ennill marciau am yr hyn rydych wedi ei ysgrifennu, mae 9 marc ar gael am lunio'r cyflwyniad. Os ydych am ennill pob un o'r rhain rhaid i chi wneud yn siwr fod eich cyflwyniad yn wirioneddol dda ac yn weddol gymhleth. Dyma rai awgrymiadau i'ch helpu:
   - defnyddiwch nifer o sleidiau – chewch chi ddim marciau uchel os mai dim ond 2 sleid fyddwch chi'n eu defnyddio.
   - Defnyddiwch ddiagram fframwaith neu fwrdd stori i gynllunio eich cyflwyniad (a'i roi yn eich portffolio).
   - Dylai eich cyflwyniad fod yn rhyngweithiol gan ganiatáu i'r defnyddiwr ddilyn llwybrau gwahanol drwyddo.
   - Mae angen defnyddio sawl math o gyfrwng, e.e. testun, delweddau, sain, animeiddio, fideos. Ewch ati i greu a golygu rhai elfennau amlgyfrwng eich hun. Defnyddiwch feddalwedd addas i olygu'r cydrannau amlgyfrwng.

Faint o amser mae hynny'n ei gymryd? Rhyw ugain munud...?

Waw, mae dipyn o waith i'w wneud yma. Rhaid i chi gynnal arolwg. Rhaid i chi ddefnyddio cronfa ddata, taenlenni a meddalwedd cyflwyno. Mae ganddoch chi ymchwil i'w wneud, a rhaid i chi ysgrifennu deunydd da ar gyfer eich cyflwyniad. Peidiwch â phoeni – dechreuwch arni cyn gynted ag sy'n bosib... rwan amdani!

Cyngor ar Baratoi Portffolio

Rwy'n siwr fod eich athro neu athrawes wedi bod yn cynnig nifer o syniadau ar sut i baratoi eich portffolio. Ond er mwyn sicrhau fod y manylion i gyd ganddoch chi, dyma restr fer o bethau y mae'n rhaid i chi eu cofio wrth baratoi eich portffolio.

Bydd Angen Portffolio Arnoch Ar Gyfer Pob Uned Gwaith Cwrs

Dyma rai pethau pwysig i'w cofio am y portffolio...

1) Fe fydd yn rhaid i chi baratoi portffolio ar gyfer pob uned o'r gwaith cwrs. Os ydych yn astudio arholiadau AQA, bydd angen paratoi portffolio ar gyfer pob un o'r tair uned.
2) Yn eich unedau gwaith cwrs, mae yna dasgau amrywiol y mae'n rhaid i chi eu cwblhau. Mae'r gwahanol dasgau hyn yn cael eu casglu at ei gilydd i ffurfio eich portffolio.
3) Bydd y portffolio yn cael ei farcio gan eich athro/athrawes ac yn cael ei safoni gan y bwrdd arholi (ar wahân i uned 3 AQA sy'n cael ei marcio'n allanol).
4) Mae'r portffolio yn cyfrannu hyd at ddwy ran o dair (neu'r cyfan ar gyfer AQA) o'ch gradd derfynol, felly mae'n bwysig iawn...

Dim Ond y Gorau Ddylai Fod Yn Eich Portffolio

Fel yr ydych yn paratoi eich cwrs TGCh Gymhwysol, gofalwch eich bod yn cadw eich gwaith i gyd – aseiniadau, nodiadau gwersi, ymarferion a wnaethoch yn y dosbarth – mewn ffolder. Mae hyn yn beth call i'w wneud er mwyn cadw'r cyfan mewn un lle heb golli dim.

Ond cofiwch...

- Nid portffolio ydy hwn, ac ni wnewch unrhyw argraff ar y sawl sy'n marcio os gwnewch chi ei alw yn un, a'i gyflwyno.
- Dylai eich portffolio fod wedi ei drefnu'n dda, wedi ei gynllunio'n dda ac wedi ei ddarparu'n union i ofynion pob un o'r aseiniadau ynddyn nhw.
- Ni ddylai gynnwys unrhyw nodiadau gwersi, dim allbrint nad oes ei angen, dim ond eich gwaith gorau gyda'r cyfan yn uno â'i gilydd yn glir.

Os nad ydy chi portffolios yn cyrraedd y safon yna peidiwch â phoeni ...

1) Yn gyntaf, gofynnwch i'ch athro/athrawes pryd y dylai'r gwaith gael ei gyflwyno – gwnewch yn siwr eich bod yn gorffen y gwaith mewn pryd.
2) Gwnewch yn siwr eich bod wedi derbyn pob darn o waith ar gyfer pob aseiniad yn ei ôl gan eich athro/athrawes os mai ef/hi oedd yn gofalu amdano. Cofiwch ofyn hefyd ar gyfer pa fwrdd arholi y mae'r gwaith.
3) Darllenwch gyngor asesu ar gyfer eich bwrdd arholi chi yn y llyfr hwn nawr (os nad ydych wedi gwneud hynny'n barod). Mae manylion ynglŷn â'r holl waith sydd angen ei wneud ar gyfer pob aseiniad ym mhob Uned. Cofiwch fod angen bod yn drefnus gan ddilyn y canllawiau asesu yn ofalus.
4) Gwnewch yn siwr eich bod yn cynnwys popeth. Os ydych yn gweld eich bod wedi anghofio rhywbeth ewch ati i wneud y gwaith.

arholiad diflas

Cyngor ar Baratoi Portffolio

Gwnewch Eich Portffolio yn Hawdd i'w Ddilyn

1) Gallwch wneud i'ch gwaith edrych yn fwy proffesiynol drwy ddefnyddio pennynnau a throedynnau drwyddo. Gallai'r rhain ddangos eich enw, rhif ymgeisydd (gofynnwch am fanylion), a theitl y cwrs (TGCh Gymhwysol TGAU). Ond peidiwch â rhifo'r tudalennau yn eich aseiniad – bydd angen ychwanegu rhif y tudalennau ar gyfer y portffolio cyfan yn nes ymlaen.

2) Mae pawb yn chwilio am fywyd hawdd – a dydy arholwyr ddim gwahanol! Gwnewch bethau'n hawdd iddo ef/hi roi marciau i chi drwy ddefnyddio penawdau pwrpasol yn eich gwaith fel eu bod yn gweld ar unwaith beth ydych chi'n ei wneud. Cofiwch ofyn am farn pobl eraill am eich gwaith fel rhan o'ch gwerthusiad gan fod marciau ychwanegol am hyn. Os wnaethoch chi hynny, rhowch is-bennawd yn eich gwerthusiad: "Barn eraill." Bingo – mwy o farciau.

3) Pan fyddwch yn gwneud allbrint o waith project (taenlenni, cronfeydd data ac ati) rhowch nodiadau eglurhaol, i esbonio beth wnaethoch chi. Gwnewch hyn gyda biro – mae'n cymryd amser ar y cyfrifiadur – a dim marciau ychwanegol.

4) Mae'r cyngor olaf yn delio â thaenlenni. Mae angen darparu dau gopi o'r rhan fwyaf o'r taenlenni. Dylai un ohonyn nhw ddangos y 'daenlen gyffredin', a dylai'r llall ddangos y fformiwlâu gyda phenawdau colofnau a rhesi yn ogystal â grid. Gofynnwch i'ch athro wneud hyn. Gwnewch yn siwr eich bod yn anodi'r ddau gopi. Efallai fod hyn yn swnio'n dipyn o boen, ond ni fydd gan y sawl sy'n marcio brawf o sut yr aethoch ati i ddefnyddio eich taenlenni os nad ydych chi'n cynnwys nodiadau eglurhaol ar y ddau gopi.

Rhybudd – Gwnewch yn Siwr Mai Eich Gwaith Chi ydy'r Cyfan

1) Gwnewch yn siwr nad oes gwaith unrhyw un arall gyda'ch gwaith chi. Rydw i'n gwybod eich bod yn onest, ond nid ydy'r byrddau arholi'n hoffi gweld gwaith dau ymgeisydd gwahanol yn edrych yn rhy debyg i'w gilydd. Gofalwch fod y gwaith yn waith sydd wedi'i baratoi ganddoch chi – neu fe allwch chi gael eich cyhuddo o dwyll – a dyna ddiwedd y stori!

2) Mae un eithriad – os ydych chi wedi bod yn gweithio gyda phobl eraill mae'n rhaid i chi ddangos yn glir gyda nodiadau eglurhaol pwy wnaeth pa ddarn o waith.

3) Byddwch yn cynnwys rhannau yn eich gwaith sy'n dod o lyfrau neu wefannau. Mae'n iawn i chi wneud hynny, ond fe fydd yn rhaid i chi eu rhestru a dangos o ble y mae'r deunydd yn dod. Gallwch gael mwy o farciau drwy ddweud (gyda rhesymau) pa mor ddibynadwy ydyn nhw yn eich barn chi. Gall cyfeirnodau gael eu gosod wrth ymyl y darn a 'fenthycwyd', neu ar ddiwedd yr aseiniad.

Cyngor ar Baratoi Portffolio

Ac yn Olaf – Rhowch drefn ar y Cyflwyniad

Er nad ydyn nhw mor bwysig â safon ac ansawdd eich gwaith, mae'r triciau bychain hyn yn gallu helpu i ennill un neu ddau o farciau ychwanegol. Mae pob marc yn cyfrif!

Gwnewch hyn cyn gorffen:

1) Paratoi clawr blaen sy'n cynnwys y canlynol:
   - enw a rhif ymgeisydd.
   - teitl y cwrs ("TGCh Gymhwysol TGAU")
   - rhif yr uned
   - enw canolfan eich ysgol neu goleg a rhif y ganolfan.
   - Gofynnwch i'ch athro neu diwtor os nad ydych yn gwybod y manylion yma.

2) Gallwch rannu'r gwahanol aseiniadau gyda thudalen pennawd. Nid oes raid i'r rhain fod yn gymhleth – y cyfan sydd angen i chi ei wneud ydy rhoi enw'r aseiniad arnyn nhw.

3) Rhifo'r tudalennau. Dylai'r dudalen gyntaf ar ôl y clawr fod yn dudalen 1. Yna, rhifwch y gweddill drwodd i'r dudalen olaf. Peidiwch â rhoi rhifau sydd ddim yn dilyn fel 'Adran 3b, rhan a, tudalen 9'. Mae hyn yn ddigon i ddrysu'r marciwr druan!

4) Ychwanegwch dudalen gynnwys, sy'n cynnwys y prif deitlau a rhifau'r tudalennau. Mae hyn yn gwneud bywyd yn haws i'r marciwr ac yn ei roi mewn hwyliau da. Mae hynny'n siwr o fod yn newyddion da!

5) Rhowch y gwaith mewn ffeil neu ffolder bwrpasol.

Ffordd dda o drefnu portffolio

1) Clawr blaen
2) Tudalen gynnwys
3) Taflen farcio (efallai y bydd yn rhaid i chi ofyn i'ch athro)
4) Tudalen datganiad (holwch eich athro a oes angen hon)
5) Y briff ar gyfer y dasg gyntaf, neu gerdyn rhannu (*divider*) gyda theitl y dasg
6) Y dasg gyntaf
7) Y briff ar gyfer yr ail dasg neu gerdyn rhannu gyda theitl y dasg
8) Yr ail dasg

...ac yn y blaen.

A dyna ni. Mae'r portffolio wedi ei orffen. Cŵl! Dyna beth ydy hapusrwydd!

Dyna ddiwedd y daith...

Mae gorffen y portffolio yn achos dathlu! Mae'n dod â phawb at ei gilydd mewn ysbryd o ryddhad! Mae bywyd yn grêt unwaith eto!

Mynegai

Mynegai

Mynegai

Mynegai